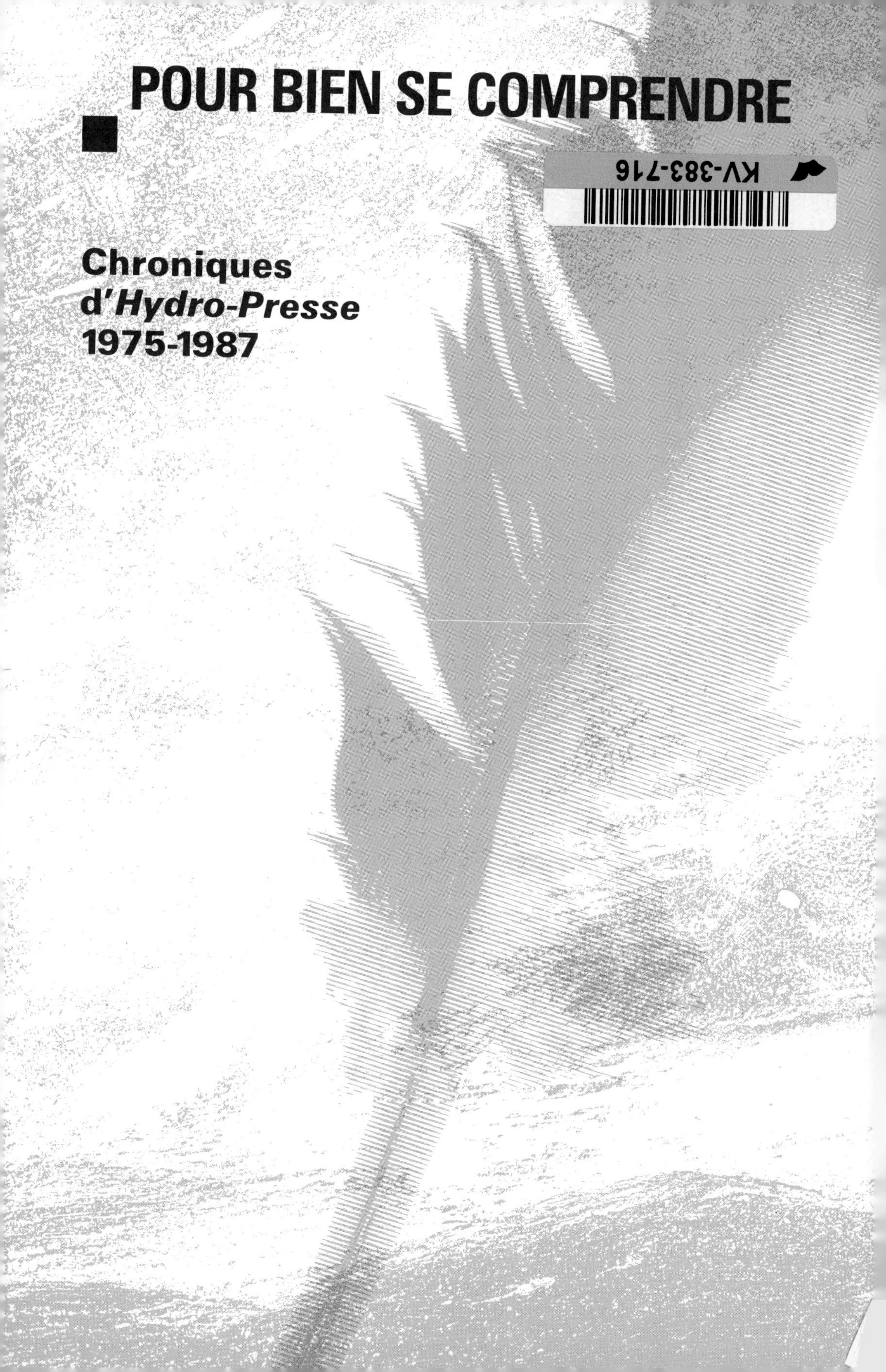
POUR BIEN SE COMPRENDRE
Chroniques
d'Hydro-Presse
1975-1987

Édition refondue et augmentée : 1988
Dépôt légal — 4e trimestre 1988
Bibliothèque nationale du Québec
Bibliothèque nationale du Canada
ISBN 2-550-19020-3
963-2612

AVANT-PROPOS

Depuis 1978, le service Rédaction et Terminologie a publié environ tous les deux ans la brochure *Pour bien se comprendre* qui rassemble, dans un ordre chronologique, les chroniques parues dans *Hydro-Presse* les années précédentes sous la rubrique du même nom.

La présente édition de *Pour bien se comprendre* regroupe pour la première fois l'ensemble des chroniques publiées dans le journal de 1975 à 1987, mises à part les deux séries « Qu'il est difficile d'écrire » et « Miniguide de correspondance ». Celles-ci feront l'objet d'une autre publication traitant exclusivement de rédaction.

Cette nouvelle édition constitue en fait une mise à jour de 90 chroniques, rassemblées en quatre chapitres correspondant aux thèmes suivants : Des conseils sur la langue, Vocabulaire spécifique à Hydro-Québec, Sujets d'intérêt général, La documentation et les ouvrages recommandés. Dans chaque chapitre divisé en sous-thèmes, on retrouve les chroniques classées selon un ordre logique.

Tous les articles ont été revus par leurs auteurs ou ont été révisés et la majorité ont été légèrement modifiés pour des raisons d'uniformisation. D'autres ont nécessité une refonte en fonction de la terminologie depuis lors normalisée dans l'entreprise. Enfin, quelques-uns ont été éliminés parce qu'ils n'étaient plus d'actualité.

Pour faciliter le repérage des chroniques, les titres n'ont subi aucune modification. Chacune des chroniques comporte le nom de l'auteur ou de l'auteure, la date de sa parution dans *Hydro-Presse* et, s'il y a lieu, le nom du réviseur ou de la réviseure. Les articles qui ont nécessité une refonte sont également identifiés. Pour s'y retrouver plus rapidement, une table des matières présente tous les articles et un index général réunit toutes les expressions et tous les termes traités, qu'ils soient normalisés, conseillés ou déconseillés.

L'intérêt manifeste des utilisateurs et des utilisatrices pour les chroniques et les brochures a été un argument de poids pour publier cette nouvelle édition, augmentée et mise à jour. Nous savons que *Pour bien se comprendre* est utile et nécessaire aux Hydro-Québécois et nous souhaitons que cette nouvelle édition constitue une source de référence facile à consulter.

Gigi Vidal
Chef de service,
Terminologie et Diffusion

Françoise Lafontaine
Chef de service,
Édition et Communication écrite

DES CONSEILS SUR LA LANGUE

Une lecture angoissante

Vendredi, 10 heures. Mon patron vient tout juste de me remettre un rapport de 163 pages, « *capital pour l'entreprise* », dit-il. Mon rôle ? En présenter les grandes lignes au comité de gestion, lundi matin. Un jeu d'enfant... si le texte est bien rédigé.

D'abord, le titre. Imprimé en minuscules à peine lisibles, il court sur une dizaine de lignes : une enfilade de termes techniques obscurs entrecoupés d'une série de *à, en, de, dans, pour,* etc. L'auteur connaît bien la liste des prépositions !

Tout ça me semble bien mystérieux, mais grâce à la table des matières, j'aurai sûrement une vue d'ensemble du sujet. Eh bien non ! Chaque chapitre est simplement désigné par un chiffre, de 1 à 10.

Je passe vite à la première page pour connaître le mandat... et je tombe sur un historique de la situation, résumé en quinze pages, que je feuillette rapidement. Je n'aperçois qu'une suite de longs paragraphes, bien agglutinés les uns aux autres. Bref, je vois noir !

Soupir de soulagement, un sous-titre, *Le mandat,* perdu au beau milieu d'une page. Je me précipite sur la première phrase. Douze lignes plus tard, et après trois relectures, je ne suis pas plus avancée. J'ai beau chercher, je ne trouve pas le sujet des deux seuls verbes et les phrases qui suivent m'enlisent toujours davantage dans la confusion.

Peut-être les sous-titres m'apporteront-ils quelques précisions. Après une recherche fébrile, j'en relève une vingtaine, tous rédigés dans le plus pur jargon technique. Une crampe me triture l'estomac. Certainement l'effet de la faim. Pourquoi serais-je nerveuse ? Il est midi et je ne connais toujours pas le sujet !

Vendredi, 13 heures. L'heure du lunch porte conseil. Pour savoir où l'auteur veut en venir, je n'ai qu'à lire les recommandations. C'est simple comme bonjour. Je refeuillette, cette fois en commençant par la fin. Le même nuage noir défile, et les recommandations, une bonne vingtaine de pages, ne m'éclairent pas. J'y devine bien une vague piste, mais je me demande encore d'où elle vient

Reprenons depuis le début, sans nous énerver. Concentrons-nous sur chaque phrase et notons chaque idée qui paraît importante.

Vendredi, 17 heures. J'en suis à la page 23. Ma feuille de notes est presque immaculée. J'ai relevé deux idées principales, entre les lignes. Quant aux autres, elles se répètent à l'occasion et je serais bien embêtée de reconstituer un plan logique. De tout ce fouillis ne se dégage qu'une évidence : j'en ai pour le week-end.

Lundi, 8 h 30. Deux jours de lecture consciencieuse... pour en arriver à l'obscurité totale. Je ne suis pourtant pas une parfaite imbécile ! Mon dernier recours : téléphoner à l'auteur. Peut-être saura-t-il résumer son rapport avec clarté. Un miracle est si vite arrivé !

Lundi, 8 h 45. Croyez-le ou non, j'ai tout compris. En cinq minutes, il m'a expliqué son mandat, ses recherches et ses recommandations. J'ai failli lui demander pourquoi il n'avait pas écrit un beau petit rapport de dix pages, aux idées bien classées, aux phrases courtes, sans répétitions et sans jargon !

Bien sûr, cette anecdote est purement fictive et toute ressemblance avec la réalité ne peut relever que du hasard.

Henriette Nobert
Fin juillet 1987

Les mots-éléphants et les phrases-spaghettis

Vous arrive-t-il de renoncer à la lecture de certains textes parce qu'ils sont trop obscurs ? Si obscurs que, même après les avoir lus trois fois, vous n'avez pas encore réussi à découvrir le sujet dont l'auteur veut vous entretenir.

Hélas, il existe beaucoup de textes de ce genre à Hydro-Québec. En général, ils souffrent de ce qu'Irène de Buisseret appelle l'hydropisie verbale. Ils sont truffés de mots-éléphants et de phrases-spaghettis. Comme si l'auteur s'était ingénié à ajouter des syllabes inutiles (*programmation* pour *programme* ou *idéologie* pour *idée*) et à concevoir des phrases si complexes qu'on s'y perd comme dans un labyrinthe.

Ce que l'on conçoit bien...

Il y a pourtant des façons d'éviter ces écueils. D'abord, quand on veut écrire un bon texte, il faut commencer par penser. Penser au lecteur, à ce qu'il connaît déjà du sujet, au temps dont il disposera pour lire le document, à l'usage qu'il fera des informations et, en fonction de cela, à ce qu'il faut lui dire.

Et les mots pour le dire...

Ensuite, quand vous avez bien défini la cible, il faut ajuster le tir. Allez directement au but, avec des phrases simples et des mots précis. Puis, donnez du rythme à votre écriture. Essayez de coller au rythme de base : sujet, verbe et complément. Une mesure tout à fait classique, simple à jouer et facile à retenir. Évidemment, vous pourrez ajouter quelques couleurs, faire quelques altérations, par exemple en insérant des propositions relatives dans vos phrases principales : « *Mon père, qui était garagiste, connaissait tous les secrets des automobiles.* » Mais attention, si vous abusez des artifices, vous risquez de créer une véritable cacophonie du genre : « *Mon père, qui était garagiste, bien qu'il fût auparavant pâtissier et qu'il aurait aimé devenir astronaute n'eût été le fait que ma mère, qui était une personne craintive, n'aimait pas les avions, connaissait tous les secrets des automobiles.* »

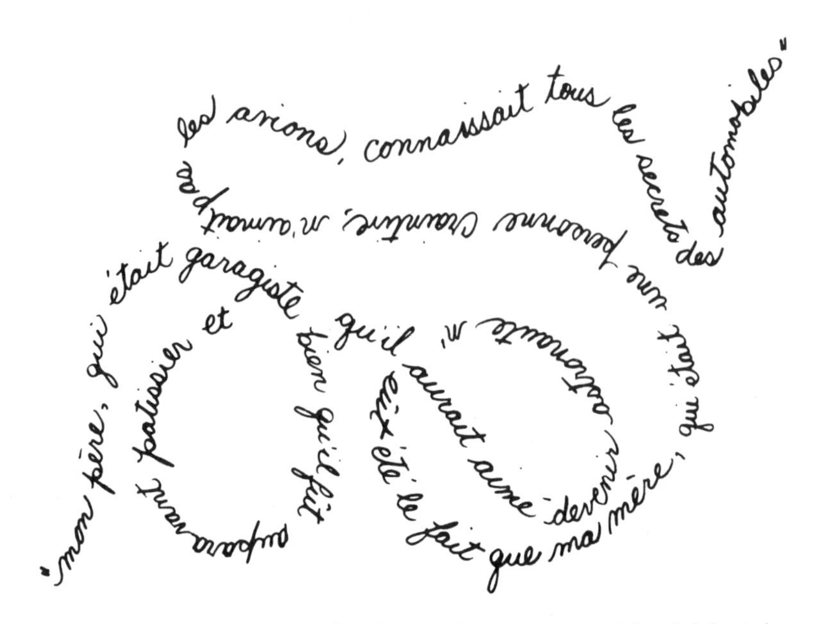

Plus vous soignerez votre style, plus vos lecteurs auront du plaisir et de la facilité à vous lire. Autre conseil : évitez les qualificatifs grassouillets, les adverbes redondants et les conjonctions parasites. Voici quelques exemples :

Style lourd	***Tournure nerveuse***
Les dangers qui pourront surgir	Les dangers possibles
C'est la raison pour laquelle	C'est pourquoi
J'attire votre attention sur le fait que	Je vous signale que
Les mesures que l'on se propose de prendre	Les mesures projetées (ou envisagées)
Ces programmes continueront à se révéler très favorables aux consommateurs	Les consommateurs continueront de bénéficier de ces programmes
Les lois telles qu'elles existent aujourd'hui	Les lois actuelles

Si vous désirez en apprendre davantage sur la façon de démêler les phrases-spaghettis et de dégonfler les mots-éléphants, je vous recommande fortement la lecture du livre d'Irène de Buisseret : *Deux langues, six idiomes*[1]. C'est un ouvrage sérieux certes, mais écrit avec beaucoup d'humour.

Claire Saint-Louis
Fin février 1987

Référence

1. DE BUISSERET, Irène, *Deux langues, six idiomes,* Ottawa, Carlton-Green Publishing Company, 1975, 480 p.

Le *passif*

Le passif ? Voilà bien une chose dont on se soucie peu dès qu'on a quitté les bancs de l'école primaire. Pourquoi s'intéresser à un sujet si peu fascinant à première vue ?

Le défi de toutes les personnes qui ont à prendre la plume, c'est de produire des exposés clairs, concis et faciles à lire. Or le passif, s'il est employé à tort et à travers, tend à alourdir le texte.

Le passif recèle pourtant des ressources précieuses. C'est une tournure qui permet « dans certains cas » d'obtenir des effets intéressants.

Le tout est de l'employer à bon escient, en mettant ses caractéristiques à profit pour arriver à communiquer le message aussi efficacement que possible.

Par contre, il est souhaitable de connaître les trucs qui permettent de se débarrasser d'un passif encombrant, s'il n'ajoute rien à la clarté du message et s'il alourdit la phrase.

Les ressources du passif

Amusez-vous à mettre à l'actif la phrase suivante :

Une fois la formule remplie, la
copie jaune est envoyée au siège
social, la **copie** bleue est conservée
par le directeur et la **copie** verte est
retournée avec le matériel.

Pourquoi cette phrase perd-elle toute sa clarté à la voix active ? C'est qu'elle n'est plus symétrique. La voix passive est plus logique et plus commode dans ce cas : en mettant le mot clé en relief (les copies), elle attire l'attention sur le pivot du texte.

Dans un texte de nature publicitaire, l'agent (celui qui fait l'action) doit parfois céder la place à l'objet (ce qui subit l'action), lorsqu'on veut faire ressortir ce dernier.

Exemple :
Un **appareil** qui peut être utilisé
par tous les membres de la famille.

L'omission de l'agent est souvent pratique, surtout lorsqu'il n'est pas intéressant d'en tenir compte :

La vapeur est injectée pendant
toute la durée de l'opération.

Ici, il n'est pas nécessaire de préciser par qui ou par quoi la vapeur est injectée, car c'est le résultat qui importe.

Quelques trucs pour éliminer un passif encombrant

Il n'existe pas de règle absolue qui permette de choisir entre l'actif et le passif. Chaque cas doit être évalué individuellement. Ce choix est souvent inconscient, et l'instinct qui nous dicte telle formulation plutôt que telle autre est quelquefois très sûr. Mais ce n'est pas une raison pour court-circuiter le sens critique.

Si le passif qui vient spontanément sous la plume n'a pas sa raison d'être, s'il alourdit la phrase, la déséquilibre ou l'embrouille, que faire ?

1. Lorsqu'on mentionne l'agent de façon explicite, il convient de se demander si la forme active ne serait pas préférable. Voyons l'exemple suivant :

L'entreposage des transformateurs
ainsi que la pose des chemins de
câbles doivent être pris en charge
par l'entrepreneur.

Ici, on peut très bien rétablir l'actif, pour souligner le rôle de l'agent :

C'est **l'entrepreneur** qui prend en
charge l'entreposage des transformateurs et la pose des chemins de
câbles.

2. Le pronom indéfini « on » peut être très commode. C'est souvent une question d'équilibre (ou, si l'on veut, une question d'oreille). Dans l'exemple suivant, il est tout à fait à sa place :

On doit considérer les répercussions économiques de chacune des
solutions à l'étude.

3. Le pronominal et l'impersonnel sont d'autres possibilités à envisager :

Les grosses voitures **se vendent** mal pendant les périodes de récession économique.

À la cafétéria du siège social, **il se prend** chaque semaine plusieurs milliers de repas de santé.

En guise d'aide-mémoire, passons en revue quelques-unes des nombreuses options qui s'offrent à nous lorsque nous voulons éliminer un passif inélégant. La phrase suivante nous servira d'exemple :

Tous les deux mois, les factures sont expédiées aux abonnés par le service de la comptabilité.

Nous avons le choix des formulations, en fonction des éléments que nous voulons mettre en relief :

Tous les deux mois, le service de la comptabilité expédie les factures aux abonnés.

Les abonnés reçoivent tous les deux mois une facture du service de la comptabilité.

Au service de la comptabilité, on expédie aux abonnés une facture bimestrielle.

Les employés du service de la comptabilité expédient tous les deux mois une facture aux abonnés.

Dans la pratique, c'est à la personne qui rédige d'exercer son jugement. Loin de nous l'idée de frapper d'interdit la construction passive, parfaitement admissible en français. Mais les solutions de rechange suggérées ici sont autant d'outils qui permettent de s'exprimer plus clairement avec un style plus varié.

Johanne Dufour
Mi-juin 1983

Publicité et terminologie, mariage d'amour ou de raison ?

« *La publicité a ses raisons que la terminologie ne comprend pas.* » Cette assertion, maintes fois répétée par le publicitaire, laisse trop souvent le terminologue insatisfait. Pourtant les objectifs du premier ne sont pas toujours incompatibles avec ceux du second, puisque tous deux cherchent à établir avec le public cible une communication claire et concise.

Il arrive qu'à l'occasion de la conception d'une campagne de communication, terminologues et publicitaires aient à travailler de concert. Cette collaboration donne généralement des résultats qui permettent de croire que publicité et terminologie peuvent faire bon ménage.

Le Programme d'amélioration énergétique des habitations du Québec

On se souviendra que le Conseil d'administration approuvait la réalisation du *Programme d'aide à l'amélioration de l'efficacité énergétique dans le secteur résidentiel*[1]. Avant que cette appellation trop longue et trop lourde se répande et donne lieu à des sigles farfelus ou risibles, les rédacteurs du service Information à la clientèle se sont penchés sur la question et, avec le concours du service Rédaction et Terminologie, ont proposé un nom plus juste, tout aussi descriptif et qui colle à l'objectif visé. Ils ont recommandé l'appellation suivante : **Programme d'amélioration énergétique des habitations du Québec**.

On constate que le *Programme d'aide à l'amélioration* est devenu le **Programme d'amélioration**, conformément à l'objectif du projet. Par ailleurs, la maison n'étant pas source d'énergie, on ne peut traiter de son efficacité énergétique. On a donc laissé tomber le mot *efficacité* pour que l'adjectif **énergétique** ne qualifie plus que l'amélioration. Quant à l'expression *secteur résidentiel*, qui peut prêter à confusion, elle a été remplacée par **habitations**, mot plus général qui désigne le lieu où l'homme habite ; on évite ainsi de devoir énumérer tous les genres d'immeubles visés par le programme. Enfin, les mots **du Québec** ont été ajoutés de manière à distinguer le programme québécois des autres programmes nationaux offerts aux consommateurs.

Si le **Programme d'amélioration énergétique des habitations du Québec** porte maintenant un nom qui répond aux objectifs des gestionnaires, il rebute quand même ceux qui ont pour tâche de le faire connaître et de le « vendre » aux abonnés. On a donc tôt fait de se mettre à la recherche d'un nom commercial.

Des concepteurs publicitaires ont soumis diverses propositions, dont l'une, **ÉNERGAIN QUÉBEC**, a été retenue par les responsables du programme.

Avant de confier aux illustrateurs la représentation graphique du nom, les rédacteurs se sont demandé si ce néologisme commercial devait s'écrire avec ou sans trait d'union, avec ou sans accents aigus.

Le trait d'union

Nous avons choisi d'écrire le nom commercial **ÉNERGAIN QUÉBEC** sans trait d'union, sur le même modèle que les noms de sociétés et d'organismes comme Air France, Air Canada, Énergie Québec.

Les accents

La réponse était de toute évidence facile à trouver en ce qui a trait à l'accent aigu dans le mot Québec. Rappelons simplement qu'un nom de lieu géographique ne peut être modifié. Quand à Énergain, le problème était plus délicat pour les conseillers publicitaires. La voyelle initiale étant majuscule, ils se sont demandé s'ils devaient exiger que les typographes utilisent une fonte spéciale avec accent sur les caractères majuscules.

Comme les accents sont des signes orthographiques indispensables à la bonne prononciation, on a jugé essentiel de les exiger pour respecter la règle, d'autant plus que l'utilisation des accents sur les majuscules a fait l'objet d'un avis de recommandation de l'Office de la langue française. **ÉNERGAIN QUÉBEC** devrait donc toujours s'écrire avec ses deux accents aigus.

Que de palabres pour si peu ! diront certains. Pourtant ces recherches terminologiques, du seul point de vue de la communication, sont l'assurance que le nom retenu ne choquera pas, ne sera pas mis en doute, mais qu'au contraire il facilitera l'implantation du programme et son acceptation auprès d'un public de plus en plus soucieux de la qualité de la langue et de plus en plus critique à l'endroit de la publicité.

Vu sous l'angle de la complémentarité et de la collaboration, on peut conclure que, loin de défendre des positions difficilement conciliables, publicitaires et terminologues peuvent faire bon ménage.

Collaboration spéciale
D'Arcy Alarie
Information à la clientèle
Mi-novembre 1981

Référence

1. HYDRO-QUÉBEC, *Extrait du procès-verbal de la réunion du Conseil d'administration d'Hydro-Québec*, tenue à Montréal le mercredi 17 décembre 1980, n^o ACA-40080.

Avez-vous le sens de la langue ?

Nous vous proposons aujourd'hui un petit test qui a pour objectif d'aider le personnel d'Hydro-Québec à prendre conscience de certaines expressions fautives ou à déconseiller, surtout des tournures calquées de l'anglais, qui reviennent souvent dans les textes que nous avons à réviser.

Le test comporte 36 phrases sur lesquelles nous vous invitons à vous prononcer en cochant, dans chaque cas, la case appropriée. Certaines phrases sont correctes. D'autres renferment des expressions unanimement condamnées. D'autres enfin présentent des façons de s'exprimer qui, même si certains dictionnaires constatent depuis peu leur percée dans l'usage, sont fortement contestées parce qu'elles sont étrangères au génie de la langue française. On ne devrait pas les retrouver dans les textes d'une société d'État qui font l'objet d'une diffusion externe, ou encore d'une diffusion interne le moindrement importante. Telle est la nature de notre questionnaire : il s'agit pour vous de déterminer si vous écririez les phrases en cause, puis de comparer vos réponses avec celles du corrigé publié à la fin du présent article.

Sans doute que cet exercice suscitera chez vous le désir d'en savoir plus. Le corrigé explique en quoi plusieurs des phrases du questionnaire renferment des expressions fautives ou à déconseiller.

Écririez-vous cette phrase ?

	Oui	Non
1. *a)* Les nouveaux règlements ne modifieront pas mon travail, aucun ne m'affecte.		
b) Cette substance m'a affecté la peau.		
c) Cette substance a affecté la peinture de ma voiture.		
d) Une équipe de trente personnes a été affectée à cette étude.		
2. *a)* Sur une route glacée, il faut une bonne concentration pour garder le contrôle de sa voiture.		
b) En toute occasion, il importe de garder le contrôle de son tempérament.		
c) Avant l'hiver, chaque année, le mécanicien fait un contrôle de ma voiture.		

	Oui	Non
3. *a)* Le vice-président a expliqué les implications de cette décision.		
b) Le vice-président a félicité les employés impliqués dans cette réalisation.		
c) J'ai été impliqué dans un procès pour avoir causé un accident par négligence.		
d) Ma voiture a été impliquée dans un accident.		
4. *a)* Je favorise la première solution.		
b) Je préconise la première solution.		
c) Je prône la première solution.		
5. *a)* L'entreprise doit faire connaître ses offres finales.		
b) La mise en service est l'étape finale de notre calendrier de travail.		
c) Ma décision est finale.		
6. *a)* Nous construirons cette ligne en faisant appel à des techniques classiques.		
b) Nous construirons cette ligne en faisant appel à des techniques conventionnelles.		
7. *a)* Nous avons réalisé, jusqu'à maintenant, le tiers du programme.		
b) Nous avons réalisé, à date, le tiers du programme.		
c) Nous avons réalisé, à ce jour, le tiers du programme.		
8. *a)* Nos démarches se sont soldées par la réévaluation des conclusions de l'étude.		
b) Nos démarches ont abouti à la réévaluation des conclusions de l'étude.		
c) Nos démarches ont résulté en une réévaluation des conclusions de l'étude.		

	Oui	Non
9. *a)* Les dépenses encourues lors de ce travail l'exposent à des reproches.		
b) Les dépenses engagées lors de ce travail lui font encourir des reproches.		
10. *a)* Le chef a assigné Paul à une tâche de surveillance.		
b) Le chef a assigné une tâche de surveillance à Paul.		
c) L'assignation de Paul à cette tâche nous a surpris.		
d) L'assignation de cette tâche à Paul nous a surpris.		
11. *a)* Je suis en devoir entre 16 et 24 h ; la panne est survenue pendant que j'étais en devoir.		
b) Je suis en service entre 16 et 24 h ; la panne est survenue pendant que j'étais de service.		
c) Je suis de service entre 16 et 24 h ; la panne est survenue pendant que j'étais en service.		
12. *a)* Le formulaire doit être paraphé par le chef de service.		
b) Le formulaire doit être initialé par le chef de service.		

Explication des réponses

1. Le verbe **affecter** a plusieurs sens en français. On peut affecter (afficher, feindre) une attitude. Les choses peuvent affecter (prendre, revêtir) une forme. On peut affecter (destiner, réserver) de l'argent à une fin, ou encore affecter (désigner) une ou des personnes à une tâche [exemple *d*]. Ce verbe peut encore signifier « exercer une action sur » une quantité en mathématiques ou, d'une façon plus générale, un être doué de sensibilité ou l'une de ses parties [exemple *b*]. Dans ce dernier sens, il ne s'applique pas aux choses [exemple *c*]. En anglais, le verbe *to affect* signifie également « concerner », un sens que le verbe **affecter** n'a pas en français [exemple *a*].

Il aurait fallu écrire :

a) Les nouveaux règlements ne modifieront pas mon travail, aucun ne me concerne.

c) Cette substance a endommagé la peinture de ma voiture.

1.	Oui	Non
a)	☐	☒
b)	☒	☐
c)	☐	☒
d)	☒	☐

2.	Oui	Non
a)	☐	☒
b)	☐	☒
c)	☒	☐

2. Fondamentalement, en français, un **contrôle** est une vérification, un examen, une inspection [exemple *c*].

Adolphe V. Thomas écrit dans son *Dictionnaire des difficultés de la langue française :* « **Contrôler** s'emploie parfois, par attraction de l'anglais *to control*, aux sens abusifs de "dominer, maîtriser, diriger, s'emparer de" : *Contrôler le champ de bataille. Contrôler son cheval. Contrôler les opérations.* Il vaut mieux éviter cette peu heureuse extension de sens. »

L'Académie française a soutenu une position similaire en 1973. Plusieurs bons spécialistes de la langue se prononcent dans le même sens.

D'un autre côté, on rencontre ce mot de plus en plus dans des emplois qui appartiendraient plutôt au champ sémantique de « contro », cela même chez des écrivains reconnus. Les dictionnaires qui sont davantage descriptifs que normatifs font état de cet usage nouveau.

Peut-être que les phrases *a* et *b* pourraient être tolérées. Mais il est de loin préférable d'écrire :

a) Sur une route glacée, il faut une bonne concentration pour conserver la maîtrise de sa voiture.

b) En toute occasion, il importe de dominer son caractère (de conserver la maîtrise de son tempérament).

3. Le verbe français **impliquer** au sens de « mêler quelqu'un à une action » a une signification péjorative alors que l'équivalent anglais *implicate* est neutre. On peut donc être impliqué dans un scandale ou dans toute affaire fâcheuse, mais pas dans une réalisation de façon à mériter des félicitations [exemple *b*]. Dans un procès, l'accusé est impliqué [exemple *c*] mais pas les simples témoins. Si participer à la vie de son milieu est chose louable, on ne peut en dire autant de *s'impliquer,* une forme pronominale qui ne saurait convenir qu'au masochiste ou au scrupuleux qui est porté à s'incriminer. Les choses ne peuvent donc pas être impliquées dans une action [exemple *d*].

Le verbe **impliquer** a également le sens de « avoir pour conséquence logique ». Le substantif **implication** existe dans le sens de « l'action de mettre en cause » et du « fait d'être en cause ». Il n'a toutefois pas, comme son équivalent anglais, le sens de portée, conséquence ou répercussion [exemple *a*] sauf lorsqu'il fait figure de terme technique en logique philosophique, en logique mathématique et en grammaire.

Il aurait fallu écrire :

a) Le vice-président a expliqué la portée (les conséquences, les répercussions, la signification) de cette décision.

b) Le vice-président a félicité les employés ayant participé à cette réalisation (ou mieux : les artisans de cette réalisation).

d) Ma voiture a été mêlée à cet accident.

3.	Oui	Non
a)	☐	☒
b)	☐	☒
c)	☒	☐
d)	☐	☒

4.	Oui	Non
a)	☐	☒
b)	☒	☐
c)	☒	☐

4. Le verbe **favoriser** n'a pas comme son équivalent anglais *favor* ou *favour* le sens de « préférer, être partisan de ». Si l'on veut dire qu'on est pour une solution donnée, on ne doit pas dire qu'on la favorise [exemple *a*], mais qu'on la préconise [exemple *b*], qu'on la prône [exemple *c*], qu'on la recommande, qu'on la préfère, etc. En français moderne, **favoriser** signifie « agir en faveur de... »

5.	Oui	Non
a)	☐	☒
b)	☒	☐
c)	☐	☒

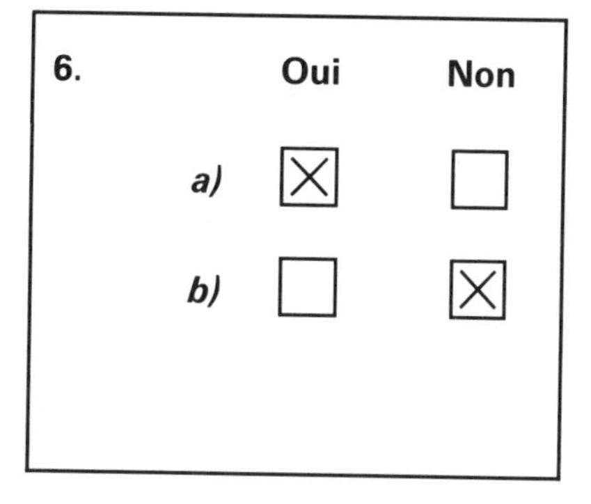

6.	Oui	Non
a)	☒	☐
b)	☐	☒

5. Il ne faut pas confondre les adjectifs **final** et **définitif. Final** signifie simplement qu'une chose est la dernière d'un enchaînement complet [exemple *b*], alors que **définitif** a une connotation d'immuabilité que **final** n'a pas, sauf dans l'expression : mettre un point final à... L'aire sémantique de l'adjectif anglais *final* est plus étendue, recouvrant celle des adjectifs français **dernier** et **définitif**. Les exemples *a* et *c* comportent donc un anglicisme.

Il aurait été correct d'écrire :

a) L'entreprise doit faire connaître ses offres définitives.

c) Ma décision est irrévocable (ou sans appel).

6. En bon français, **conventionnel** n'a pas d'autre sens que « relatif à une convention, conforme à une convention ». C'est en se laissant contaminer par l'anglais que certains auteurs ont employé cet adjectif dans le sens d'habituel [exemple *b*]. L'exemple *a* montre une forme correcte. On aurait aussi pu écrire, avec une certaine nuance : « ... en faisant appel aux techniques habituelles ».

7.	**Oui**	**Non**
a)	☒	☐
b)	☐	☒
c)	☒	☐

8.	**Oui**	**Non**
a)	☒	☐
b)	☒	☐
c)	☐	☒

7. La **date,** c'est l'indication du jour précis où un événement est survenu, survient ou surviendra. Ce mot ne peut être employé dans l'absolu pour signifier « ce jour-ci », pas plus qu'on ne dirait *à heure, à mois, à année. À date* [exemple *b*] est un barbarisme inspiré de *to date* et de *up to date.* On rend la même idée, en français, par des expressions comme « jusqu'à maintenant [exemple *a*], à ce jour [exemple *c*], jusqu'à présent, jusqu'aujourd'hui, etc. »

On ne dit pas, non plus, *mettre à date* mais « mettre à jour ».

8. *Résulter en* est un calque de l'expression anglaise *to result in*. Il en résulte (remarquer l'emploi correct) une tournure pseudo-française des plus lourdes [exemple *c*]. Voyez comme le rapport entre le verbe et ses compléments est clair dans la phrase précédente, mais nébuleux dans l'exemple *c*. **Résulter** signifie « être le résultat ». *Résulter en*, ce serait donc *être le résultat dans*, ce qui n'a aucun sens. Les exemples *a* et *b* montrent comment on peut rendre en français l'idée d'avoir pour résultat.

9.	Oui	Non
a)	☐	☒
b)	☒	☐

10.	Oui	Non
a)	☐	☒
b)	☒	☐
c)	☐	☒
d)	☐	☒

9. **Encourir**, c'est s'exposer à quelque chose de fâcheux. *To incur*, c'est aussi engager ou faire (des dépenses) et éprouver, subir ou risquer (des difficultés, des pertes). L'exemple *a* est entaché d'un anglicisme qui consiste à prêter au verbe français le sens de son équivalent anglais. L'exemple *b* montre à la fois la correction de la faute contenue dans l'exemple *a* et une façon correcte d'employer le verbe encourir. **Exposer** dans l'exemple *a* était correct cependant.

10. L'influence de l'anglais nous porte à attribuer au verbe **assigner** le sens de désigner quelqu'un en vue d'un rôle [exemple *d*]. En français, c'est le contraire qui est correct : on assigne (confie, attribue) un rôle à quelqu'un [exemple *b*]. G. Dagenais écrit dans son *Dictionnaire des difficultés de la langue française au Canada* : « **Assigner** n'est transitif en parlant de personnes qu'au sens juridique (...). » **Assigner** a aussi le sens d'affecter une somme à une fin, de déterminer et de conférer. Le substantif **assignation** existe, mais il n'est autre chose qu'un terme juridique. Il ne faut donc pas l'employer à toutes les sauces où l'anglais utilise *assignment* [exemples *c* et *d*]. Le respect du français aurait donc commandé qu'on écrive :

a) Le chef a affecté Paul à une tâche de surveillance.

c) La nomination de Paul pour cette tâche nous a surpris.

d) L'attribution de cette tâche à Paul nous a surpris.

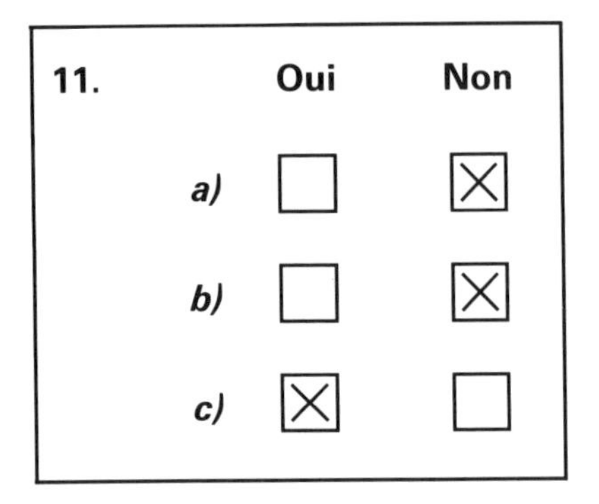

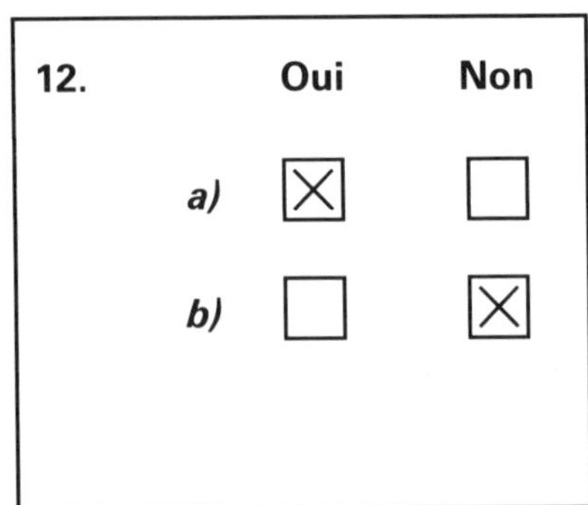

11. *Duty* désigne, en plus de ce à quoi on est obligé (devoir), le rôle ou la charge dont les devoirs découlent. En français, **devoir** n'a pas ce deuxième sens. On ne peut donc traduire *on duty* par *en devoir* [exemple *a*]. La même idée se rend par **en service** et **de service**. Être **en service**, c'est être occupé à satisfaire aux devoirs pertinents à une charge, un rôle, un poste, et le reste. Être **de service**, c'est assumer ses fonctions à une période déterminée. Les deux locutions sont employées de la bonne façon dans l'exemple *c*, mais confondues l'une pour l'autre dans l'exemple *b*.

12. Le verbe *initialer* est un barbarisme ; il n'existe pas en français [exemple *b*]. On peut dire apposer ses initiales ou parapher [exemple *a*].

Michel Bertrand
Fin août 1983

Références

CAJOLET-LAGANIÈRE, Hélène, *Le français au bureau*, 1982.
CLAS, André, HORGUELIN, Paul A., *Le français, langue des affaires*, 1979.
COLPRON, Gilles, *Dictionnaire des anglicismes*, 1982.
DAGENAIS, Gérard, *Dictionnaire des difficultés de la langue française au Canada*, 1967 (réédité en 1984).
DE BUISSERET, Irène, *Deux langues, six idiomes*, 1975.
DUBUC, Robert, *Objectif 200 – 200 fautes de langage à corriger*, 1971.
THOMAS, Adolphe V., *Dictionnaire des difficultés de la langue française*, 1974.

Attention aux « faux frères »

Les phrases suivantes sont-elles conformes au bon usage ?

Les expressions ou mots en italique sont ceux à examiner.

	Oui	Non
1. *a)* Cette directive tombe *à point*.		
b) Le réglage de cet appareil est *au point*.		
c) Le moteur est *en ordre*.		
d) La transaction n'est pas encore *finalisée*.		
e) La transaction n'est pas encore *au point*.		
f) Les clauses du contrat ne sont pas *à point*.		
2. *a)* *Reportez-vous* au rapport journalier pour connaître les détails de l'accident.		
b) *Référez-vous* au rapport de l'ingénieur pour expliquer les détails de l'opération.		
c) *Rapportez-vous* à l'ingénieur chaque fois que vous allez sur le chantier.		
3. *a)* Ce charpentier travaille *sur* un chantier.		
b) Son frère travaille *sur* un comité d'entreprise.		
c) L'ingénieur siège *au* comité d'égalité des chances.		
d) Ces deux électriciens travaillent *dans* un chantier.		
4. *a)* Le service Santé a publié un *pamphlet* concernant les régimes diététiques.		
b) Hydro-Québec publie des *brochures* documentaires.		
c) Ce journaliste publie souvent des *pamphlets* impitoyables sur les hommes politiques.		
d) Le service Santé a distribué récemment des *dépliants* au sujet des méfaits du tabac.		

	Oui	Non
5. *a)* La déclaration, *selon laquelle* tous les employés seront maintenus à leur poste, a été bien accueillie.		
b) La déclaration, *à l'effet que* tous les employés seront maintenus à leur poste, a été bien accueillie.		
c) *Sous l'effet* du discours d'hier, les ouvriers ont repris le travail.		
d) Cette décision administrative *prendra effet* le 1er mai.		
e) Pour exécuter ce travail, utiliser les outils prévus *à cet effet*.		
6. *a)* La centrale est construite sur un terrain *solide*.		
b) La centrale est construite sur de la roche *solide*.		
c) La centrale est construite sur de la roche *compacte*.		
d) Les pneus de cette remorque sont *solides*.		
e) Les pneus de cette remorque sont en caoutchouc *plein*.		
7. *a)* Le Génie civil a *consolidé* le sol avec des injections de béton.		
b) Le Génie civil a *solidifié* le sol avec des apports de pierre concassée.		
c) La clôture du poste a été *solidifiée* avec un grillage plus robuste.		
8. *a)* L'entrepreneur a *complété* ses travaux depuis le 1er mars.		
b) L'architecte a *complété* son plan avec un détail qui manquait.		
c) La direction a *complété* ses effectifs.		
9. *a)* Ce transformateur est *dû* pour une inspection générale.		
b) Cet accident est *dû* à la panne générale d'électricité.		
c) Cet accident a eu lieu *dû* à la panne d'électricité.		
d) Cet accident a eu lieu *à cause* de la panne d'électricité.		

	Oui	Non
10. *a)* Hydro-Québec a remboursé à l'entrepreneur *le 5 000 dollars* de la garantie d'exécution.		
b) Hydro-Québec a remboursé à l'entrepreneur *les 5 000 dollars* de la garantie d'exécution.		
11. *a)* Cette entreprise possède une *place d'affaires* à Montréal.		
b) Cette entreprise possède un *bureau commercial* à Montréal.		
c) Cette entreprise a son *siège social* à Montréal.		
12. *a)* Le détail complémentaire est inclus *au* dessin.		
b) Le détail complémentaire est joint *au* dessin.		
c) Le détail complémentaire est inclus *dans* le dessin.		
d) Le détail complémentaire est ajouté *sur* le dessin.		

Seules les réponses OUI (conformes) sont indiquées ci-dessous :

1. *a, b, e* ; **2**. *a, b* ; **3**. *a, c* ; **4**. *b, c, d* ; **5**. *a, c, d, e* ; **6**. *a, c, d, e* ; **7**. *a* ; **8**. *b, c* ; **9**. *b, d* ; **10**. *b* ; **11**. *b, c* ; **12**. *b, c, d.*

Collaboration spéciale
Henri Maire
Service Contrats
Direction Approvisionnement
Avril 1984

Le *langage est contagieux*

On dit que le rire est contagieux. Je me rends compte que le langage l'est aussi. En effet, nous finissons tous par attraper les manies et les tics des autres. Comment tout cela a-t-il commencé ? Qui est le coupable ? Nous ne le saurons probablement jamais. Il demeure cependant que nous employons à tort de nombreuses expressions. Le tableau ci-après présente des tournures que l'on rencontre souvent.

À éviter	***À employer***	***Remarques***
Un mémoire *à l'effet que*	Un mémoire **précisant que** (ou **montrant, prouvant, selon lequel, sur**)	La locution *à l'effet que* n'est pas française. C'est un calque de l'anglais : *to the effect that*.
La rumeur *à l'effet qu'il* partirait	La rumeur **voulant qu'il** partirait La rumeur de son départ	
La théorie *à l'effet que*	La théorie **selon laquelle**	
La nouvelle *à l'effet qu'il* a abandonné son commerce	La nouvelle **qu'**il a abandonné son commerce	
Plus souvent qu'autrement il était absent	**La plupart du temps** (ou **le plus souvent**) il était absent	Calque de l'anglais : *more often than not*.
Au meilleur de ma connaissance	Pour autant que je sache Autant que je sache	Calque de l'anglais : *to the best of my knowledge*.
Tous et chacun	Tous	Cette tournure, qui était courante en France aux siècles précédents, est aujourd'hui désuète.
Moi, pour un, je suis contre	**Personnellement** (ou **quant à moi, pour ma part**), je suis contre	Calque de l'anglais : *I for one*.

À éviter	***À employer***	***Remarques***
Rencontrer ses paiements *Rencontrer* ses échéances *Rencontrer* les exigences *Rencontrer* les dépenses	**Faire, réussir à faire** ses paiements **Respecter, faire honneur** à ses échéances **Satisfaire, répondre** ou **se plier** aux exigences **Faire face** aux dépenses	La traduction littérale du verbe *to meet* donne ces nombreux anglicismes. En français, **rencontrer** signifie se trouver en présence de quelqu'un. Ex. : Elle l'avait rencontré chez son oncle Fabien.
Anticiper de gros bénéfices *Anticiper* un échec	**Prévoir** de gros bénéfices **Appréhender** un échec	En français, **anticiper** signifie : – Imaginer et éprouver à l'avance. Ex. : J'anticipe la joie de vous revoir. – Faire avant le temps voulu. Ex. : Il a anticipé son paiement de cinq jours. – Parler de choses qui ne devraient être abordées que plus tard. Ex. : Je ne veux pas anticiper sur le rapport que je ferai plus tard.
Grand total (en comptabilité) *Sous-total* (en comptabilité)	**Total général** **Total global** **Total** **Total partiel**	En anglais, on dit : *grand total* et *sub-total*.
Nil (dans questionnaires ou relevés comptables)	**Néant, nul**	Sauf pour le fleuve égyptien, le mot *nil* n'existe pas en français.

À éviter	***À employer***	***Remarques***
N/A (*not applicable*)	**S.O.** (sans objet)	Abréviation utilisée dans les formules pour indiquer qu'une question ou un article ne s'applique pas.
	Puisque, car, comme, étant donné que au lieu de *vu que*	L'expression *vu que* est employée beaucoup dans le langage juridique. Elle est fréquente aussi dans la langue courante. Cependant, évitons de l'employer de façon abusive. Il existe d'autres mots pour la remplacer.

Mais il n'y a pas que les expressions fautives qui sont contagieuses. À n'importe quel moment, nous pouvons attraper le redouté doute rédactionnel (ouf !). Par exemple, comment accorder **tel que** ? Avec le mot qui vient après ou avant ? Et **ci-joint, ci-inclus, ci-annexé** ? Rédactrice ou pas, je dois moi aussi y penser deux fois quand j'utilise ces termes. Peut-être qu'après avoir écrit cette chronique, je m'en souviendrai. Pourtant, les règles sont simples :

Tel s'accorde avec le nom (ou le pronom) qui suit.

Ex. : Il rédigea des traités, *telles* les conventions collectives. Certains libéraux *tel* Louis Dupont...

Tel que s'accorde avec le nom qui précède.

Ex. : Des traités *tels que* des conventions collectives. Certains libéraux *tels que* Louis Dupont...

Ci-joint, ci-inclus et **ci-annexé** sont invariables :
– quand ils sont placés en tête de phrase ;

Ex. : *Ci-joint* les rapports préparés
par...

– quand ils précèdent immédiatement le nom.

Ex. : Vous trouverez *ci-joint* copie
de...

Ci-joint, ci-inclus et **ci-annexé** sont variables dans tous les autres cas.

Ex. : Vous trouverez *ci-jointes* deux
copies de... Vous trouverez *ci-jointe*
la copie de...

Renée Lévy
Fin mai 1987, fin juin 1987

Sources consultées
COLPRON, Gilles, *Dictionnaire des anglicismes*, 1982.
DAGENAIS, Gérard, *Dictionnaire des difficultés de la langue française au Canada*, 2e édition, 1984.
DE BUISSERET, Irène, *Deux langues, six idiomes*, 1975.
DUPRÉ, P., *Encyclopédie du bon français dans l'usage contemporain*, 1972.
RADIO-CANADA, Comité de linguistique, *Fiches de terminologie*.
THOMAS, Adolphe V., *Dictionnaire des difficultés de la langue française*, 1974.

De *quelques mots passe-partout* ou *50 solutions à 5 problèmes de formulation*

Précision et variété : ces deux qualités font que vos lecteurs vous comprennent mieux et, en prime, sont plus désireux de vous lire. Ce n'est pas à mépriser.

Les fiches aide-mémoire des rédacteurs contiennent des mines d'or. Nous les avons prospectées pour vous offrir des tournures qui pourront remplacer certaines expressions courantes, dont on a tendance à abuser.

La relation de cause à effet

« Tel événement *a causé* tel résultat. » « Tel effet est *dû à* telle situation. » Les textes d'entreprise contiennent beaucoup de phrases qui suivent ce modèle. Ici, les synonymes sont d'une grande utilité pour varier l'expression.

a) Causer

L'hiver clément a **donné lieu** à une baisse de la demande.

C'est la foudre qui a **provoqué** la panne.

La décision du président a **entraîné** un profond remaniement des structures.

La hausse des taux d'intérêt a **amené** les consommateurs à réduire leurs dépenses.

L'attitude hostile du juge a **eu pour effet** d'intimider le témoin.

b) À cause de

Par suite de l'adoption de la loi, l'orientation d'Hydro-Québec a été modifiée.

En raison des délais, il faudra prévoir un budget plus élevé.

Du fait des excédents, l'entreprise doit accroître ses efforts de mise en marché.

Grâce à l'excellent travail fourni par le comité d'organisation, le Salon a été une réussite.

Compte tenu du peu de temps dont nous disposons, les résultats sont très acceptables.

c) Être dû à, résulter de

La hausse des bénéfices est **attribuable à** la majoration des tarifs.

La baisse de la demande est **imputable** en partie **à** la récession.

Le succès de ce programme **découle** d'une bonne planification.

Son attitude négative **provient** des mauvais traitements qu'il a subis.

L'éolienne de Cap-Chat **est le fruit de** (ou **le résultat de**) la collaboration entre l'IREQ et le CNRC.

Requis

Requis a un sens très fort, qui se rapproche de celui d'« obligatoire ». Voyons ce que l'on peut faire pour nuancer :

Les sommes **nécessaires** à la réalisation d'un projet.

Les autorisations **à obtenir** pour mettre ce projet à exécution.

Les **besoins** en équipement pour la construction d'une centrale.

Les étapes **prescrites** pour l'obtention d'un permis de conduire.

Les diplômes **exigés** d'un candidat.

Les efforts **que demande** une tâche.

Les renseignements **voulus, désirés, demandés**.

Affecter

On utilise souvent **affecter** au sens anglais. Voici quelques solutions de rechange :

Ces défauts peuvent **nuire à** la sécurité du véhicule.

La conjoncture défavorable risque de **compromettre** les programmes de formation.

Les riverains de l'aéroport sont **incommodés** par le bruit.

Les ordinateurs domestiques vont **bouleverser** notre mode de vie.

L'alcool **réduit** notre aptitude à conduire un véhicule.

L'alcool **affaiblit** nos facultés au volant.

Le calcium **attaque** la carrosserie des voitures.

L'image de cette entreprise a été **ternie** par le récent scandale.

Les propriétaires sont **visés** par la nouvelle loi.

La loi martiale **porte atteinte à** la liberté d'expression.

Après un an, l'efficacité de ce médicament est **réduite**.

La formulation des questions a **influé sur** les résultats du sondage.

Identifier

Vous n'en avez pas assez, vous aussi, de voir que tout est *identifié* à toutes les sauces ? Voyons comment nous pouvons contourner le problème.

Avant de se mettre à la tâche, il y a lieu de **déterminer** les fonctions de chacun.

On se sert des sondages pour **reconnaître** les tendances des électeurs.

La prochaine étape consistera à **inventorier** les travaux qui restent à faire.

À la réunion, nous avons commencé par **définir** (ou **préciser**) l'orientation que devait se donner le comité.

L'analyse du projet nous a permis d'en **constater** les lacunes.

Les études ont permis d'**isoler** un grand nombre de procédés industriels qui pourraient être convertis à l'électricité.

Impliquer

Impliquer, en gros, a deux sens : 1° entraîner comme conséquence logique ; 2° mettre en cause dans une accusation. Dans les autres cas, on peut rendre l'idée de l'une des façons suivantes :

Les personnes **engagées** dans cette activité sont des bénévoles.

Veuillez informer toutes les personnes **concernées** (ou tous les **intéressés**).

Le journaliste a expliqué les intérêts **en jeu** dans cette affaire.

Lorsqu'il y a grief, l'arbitre peut convoquer la personne **en cause**.

Les personnes **mêlées** à cet accident pourraient être citées à comparaître.

Johanne Dufour
Septembre 1983

De *quelques autres mots passe-partout...*

Significatif

C'est le mot significatif qui vous vient à la plume ? Significatif, c'est expressif, révélateur, symptomatique, éloquent. Ce terme ne traduit pas l'idée d'importance, que l'on peut rendre ainsi :

Centraide distribue chaque année des sommes **considérables** aux nécessiteux.

Le syndicat a fait des concessions **importantes** pour accélérer les négociations. (Par contre, une concession **significative** serait par exemple révélatrice d'un état d'esprit conciliant ; ces deux expressions sont aussi correctes l'une que l'autre, mais leur sens est bien différent.)

La technique des greffes d'organes a fait depuis peu des progrès **remarquables** ou **appréciables**.

J'ai fait des efforts **notables** pour changer mes habitudes alimentaires.

N.B. **Significatif** est aussi employé en mathématiques, avec un sens particulier.

Implanter

Ce n'est plus un mot, ce mot, c'est un tic nerveux ! On implante des plans, des programmes, des techniques, des services, des décisions, des règlements, des mesures, des systèmes informatiques, des usines, des industries, des trucs et autres machins. Pourtant, la liste des solutions de rechange est longue.

Appliquer, mettre en vigueur
une loi.

Réaliser, mettre à exécution
un projet.

Mettre en train, mettre en œuvre
un nouveau système.

Mettre en place un équipement.

Instaurer un régime.

Introduire un nouveau modèle.

Lancer une campagne de publicité.

Compléter

Nous sommes ici en présence d'un vrai, d'un juteux anglicisme, comme il en existe de moins en moins. Suivez mon raisonnement :

Compléter = rendre complet ce qui est « incomplet » (une collection, une série).

Incomplet = auquel il manque quelque chose.

Est-ce qu'un travail qui n'est pas terminé est nécessairement incomplet ? Non, il est ce qu'il doit être à ce stade, c'est-à-dire inachevé, en cours de réalisation. Donc, pas question de le compléter, mais de le **terminer**.

Même logique pour un formulaire. Un formulaire incomplet, ce serait peut-être un document auquel on aurait arraché un coin. Quand il s'agit plus simplement d'écrire dans les espaces blancs, on le **remplit**.

Donc :

On **remplit** un formulaire.

On **réalise** ou **accomplit** une tâche.

On **exécute** des travaux, on les **mène à bien**, on les **mène à terme**.

On **termine** un mandat, un travail.

On **effectue** une opération.

On **achève, termine, finit** un rapport.

On **finit** une tâche, on lui **met la touche finale**.

Opérer

Voilà une question épineuse. En effet, la langue n'est pas toujours logique. (Ça, on le sait depuis les « hibou, chou, genou » de notre cinquième année.) Pourquoi, si on est opérateur et qu'on suit le mode opératoire, ne peut-on pas *opérer* une machine ? Pourquoi, si on parle d'opérations financières, ne peut-on parler de revenus *d'opération* ?

Je ne me lancerai pas dans des explications savantes sur l'évolution de la langue, mais voici quand même quelques tournures utiles pour remplacer *opérer* et *opération* :

Exploiter un réseau, un système.

Faire fonctionner un appareil.

La **conduite**, la **marche** d'un appareil.

Dépenses, revenus **d'exploitation**.

Utiliser un instrument de mesure (ou **s'en servir**).

Régulier

Un client **régulier**, c'est un client qui, par exemple, vient « tous les jours à la même heure » prendre son chocolat chaud. À intervalles **réguliers**, c'est toutes les secondes, ou toutes les semaines, etc., selon le cas. Si on fait des progrès **réguliers**, c'est qu'on progresse de façon uniforme, sans à-coups. Un verbe **régulier** suit les règles de grammaire les plus usuelles.

Ici, je vous propose un truc. Est-ce que la chose que vous voulez qualifier de *régulière* suit une règle ou une habitude (dans un sens très large) ? Essayez avec café *régulier*, prix *régulier*, essence *régulière*, etc. Si vous ne décelez pas la notion de régularité ou de répétition, choisissez parmi ces expressions :

Un café **ordinaire**.

De l'essence **ordinaire**.

Les pratiques **courantes**
ou **usuelles**.

Dans des conditions **normales**
d'exploitation.

Semaine **normale** de travail.

Prix **courant**.

Johanne Dufour
Fin janvier 1985

Les adverbes « faux amis »

Les anglicismes, mots ou expressions empruntés à la langue anglaise, parsèment souvent nos textes et nos conversations. Certains sont d'autant plus difficiles à repérer qu'ils ressemblent au terme anglais par leur orthographe. On les appelle des faux amis. C'est le cas des adverbes suivants qui se distinguent de leur sosie anglais par le sens.

Actuellement

Actuellement signifie maintenant, aujourd'hui, de nos jours. Il n'a pas le sens de *actually* qui veut dire réellement, effectivement, véritablement, à vrai dire, de fait, etc.

Définitivement

En français, **définitivement** signifie d'une façon réglée, fixée, sur laquelle on ne peut plus revenir. C'est donc un anglicisme que de l'employer dans le sens de *definitely* qui veut dire certainement, indiscutablement, assurément, absolument, bien sûr, etc.

Éventuellement

L'adverbe **éventuellement** implique une possibilité et signifie le cas échéant, s'il y a lieu, si les circonstances le permettent, probablement. Il ne doit pas être confondu avec *eventually* qui signifie finalement, en définitive, en fin de compte, à la longue, ultérieurement.

Incidemment

Incidemment a le sens d'accessoirement, accidentellement comme dans la phrase : « Dans ce volume sur les oiseaux, on trouve **incidemment** des renseignements sur les poissons. » Son presque homonyme anglais *incidentally* est employé en général comme une proposition incise et non comme un adverbe. On le rendra donc en français par des expressions telles que soit dit en passant, au fait ou à propos.

Possiblement

L'adverbe **possiblement** existe en français, mais c'est une expression vieillie et littéraire. Pour rendre le sens de *possibly* en français, on emploie, de préférence, peut-être, probablement, potentiellement, éventuellement, c'est possible.

Pratiquement

Pratiquement signifie dans la pratique, dans les faits, en réalité. Il s'oppose à théoriquement. Sous l'influence de l'anglais *practically*, son sens s'est récemment élargi et il est maintenant utilisé dans le sens de presque, à peu près. Cet emploi est toutefois critiqué.

Françoise Lafontaine
Fin septembre 1981

Sources consultées
CLAS, André, HORGUELIN, Paul A., *Le français, langue des affaires,* 1979.
COLPRON, Gilles, *Les anglicismes au Québec,* 1970.
RADIO-CANADA, Comité de linguistique, *Fiches de terminologie.*

Notes grammaticales

La grammaire est un mélange de tradition et de logique. Pour appliquer ses règles, il faut se fier à la fois à sa mémoire et à son jugement.

En voici quelques exemples tirés des questions fréquemment posées au service Rédaction et Traduction.

Nous sommes persuadée

Non, ce n'est pas une erreur du typographe. Il s'agit probablement d'un extrait de discours de la reine d'Angleterre ou, plus modestement, d'une phrase puisée dans un rapport préparé par une femme d'Hydro-Québec.

Le **nous** de majesté est employé par les grands de ce monde en parlant d'eux-mêmes. C'est un usage qui remonte au moins aux Romains contemporains d'Astérix. Mais la noblesse étant en voie de régression, cette coquetterie est à la portée de tous les gens ordinaires qui, à l'occasion, veulent éviter un **je** de mauvais ton. On dit alors qu'ils emploient un **nous** de modestie.

Mais, et c'est là que beaucoup hésitent, comment accorde-t-on l'adjectif ou le participe qui se rapportent à ce **nous** ? Tout simplement selon la logique. L'adjectif et le participe restent au singulier (il n'y a qu'une personne en cause) et prennent le genre du sujet (homme ou femme).

Cet accord n'a rien de surprenant : le **vous** de politesse commande lui aussi un adjectif singulier, au masculin ou au féminin (Mademoiselle, vous êtes bien informée ; Monsieur, vous êtes renvoyé), et personne ne paraît s'en étonner.

Ci-joint et ses semblables

Ci-joint, ci-inclus, ci-annexé sont *invariables* quand ils sont *adverbes* et *variables* quand ils sont *adjectifs*. La règle est facile. Mais quand sont-ils adverbes et quand sont-ils adjectifs ?

Mieux vaut, croyons-nous, recourir ici à la mémoire plutôt qu'à de savantes justifications du pourquoi.

En bref, ces termes sont *adverbes*, donc *invariables*, quand ils sont placés en tête de phrase (Ci-joint les rapports préparés par...) et quand ils précèdent immédiatement le nom (Vous trouverez ci-joint copie de...). Ils sont *adjectifs* et *variables* dans les autres cas.

Le chef ou son adjoint feront...

Quand deux sujets sont joints par **ou**, le verbe se met-il au pluriel ou au singulier ? Cet accord est souvent embarrassant et les grammairiens ne sont pas toujours du même avis.

La règle qui nous paraît la plus sûre est la suivante. On met le verbe au *pluriel* quand les sujets peuvent tous les deux faire l'action (exemple : le titre ci-dessus). Le *singulier* convient quand l'un des deux termes exclut l'autre, autrement dit, quand il y a opposition entre les deux (exemple : X ou Y sera nommé directeur).

L'application de cette règle demande évidemment quelques moments de réflexion et la décision dépend souvent de l'intention de celui qui écrit.

Un rapport sans recommandations

Certains se disent surpris que des négations comme **plus de, pas de** et **sans** puissent être suivies d'un pluriel. S'il n'y a plus de « quelque chose », se disent-ils, pourquoi mettre un pluriel ?

Ce n'est pas, semble-t-il, le raisonnement à faire. Il faut plutôt se demander si la *carence* ou l'*absence* s'applique (ou est susceptible de s'appliquer) à plus d'un objet ou d'une personne. Une maison sans fenêtres, par exemple, est une maison sans (des) fenêtres, mais une chaise sans dossier est une chaise sans (un) dossier. On dira de même : Je n'ai pas fait de recommandations dans mon rapport *ou* Il n'y a plus d'employés sur le chantier, *mais* Il est parti sans chapeau et sans laisser d'adresse.

Il faut, ici encore, user de son jugement. La grammaire n'est pas, malgré ce qu'on en dit parfois, un recueil de formules mathématiques.

Claire Robichaud
Fin octobre 1975

Sources consultées

GREVISSE, Maurice, *Le bon usage.*
THOMAS, Adolphe V., *Dictionnaire des difficultés de la langue française*, 1974.

À, de ou sur ? À vous de jouer !

Devinette !
Mots invariables servant à introduire un élément et à le relier à un autre élément de la phrase. Vous avez trouvé ? Ce sont les prépositions. Sous des dehors innocents, elles nous tendent parfois des pièges dans lesquels nous tombons souvent malgré nous.

Mais d'où viennent-elles ? Le français a hérité de la plupart des prépositions latines **(à, de, sur...)** avant d'ajouter lui-même quelques bijoux à la collection, soit en les combinant entre elles, soit avec des adverbes ou des noms **(d'avec, hors de, par rapport à...)**. Certaines ont été formées à partir de noms, d'adjectifs, de participes et d'adverbes **(chez, sauf, concernant, attendu, voici...)**.

Afin de les dépoussiérer un peu, je vous propose un jeu. J'ai rassemblé ci-dessous des expressions embêtantes : certaines sont correctes, d'autres sont erronées ou à éviter. À vous de démêler l'écheveau ! Et lorsque vous déciderez de donner votre langue au chat, après avoir traversé tous les obstacles (ne trichez pas...), venez me rejoindre au prochain paragraphe.

1. siéger *sur* le comité
2. cela coïncide *avec* l'événement en cause
3. une émission *en* provenance d'Ottawa
4. emprunter *aux* banques
5. parler *au* téléphone
6. être *sur* l'horaire variable
7. voyager *sur* le train
8. pallier *à* un inconvénient
9. la discussion aura lieu *à* matin
10. se fier *sur* son représentant
11. on ne peut s'attendre *d'*obtenir cela
12. consentir *à* adopter un article
13. *sur* semaine
14. s'engager *à* le faire
15. les persuader *à* agir
16. nous l'avons vue *de* prime abord
17. nous pensions *de* nous décider aujourd'hui
18. il est *en* l'intérêt du public
19. la patronne *à* Denis
20. trouver à redire *à* quelque chose

Alors, vous avez fait vos jeux ? Les numéros gagnants sont les 2, 3, 4, 5, 12, 14, 16 et 20. Les autres expressions cachent toutes une erreur : les voici maintenant revues et corrigées.

1. siéger **au (sein du)** comité (faire partie **du** comité, être membre **du** comité)
6. avoir un horaire variable
7. voyager **en** train (**par** le train, **à bord du** train)
8. pallier un inconvénient
9. la discussion aura lieu **ce** matin
10. se fier **à** son représentant
11. on ne peut s'attendre **à** obtenir cela
13. **en** semaine
15. les persuader **d'**agir
17. nous pensions nous décider aujourd'hui
18. il est **dans** l'intérêt du public
19. la patronne **de** Denis

Attention ! Vous croyez avoir beau jeu et vous en tirer avec tous les honneurs, mais les caprices de la langue vous attendent au détour. En effet, dans certains cas, deux prépositions peuvent convenir selon le sens de la phrase **(s'attendre à** ou **de, continuer à** ou **de)**. Alors, ouvrez l'oeil et ne vous laissez plus prendre à leur jeu !

Rollande Gaudet
Fin septembre 1987

Sources consultées

COLPRON, Gilles, *Dictionnaire des anglicismes*, 1982.
DE BUISSERET, Irène, *Deux langues, six idiomes*, 1975.
GREVISSE, Maurice, *Le bon usage*, 1986.
HANSE, Joseph, *Nouveau dictionnaire des difficultés du français moderne*, 1983.
LASSERRE, E., *Est-ce à* ou *de* ?, 1976.
SOCIÉTÉ D'ÉNERGIE DE LA BAIE JAMES, *Les mots dits grands maux*, janvier 1976.
THOMAS, Adolphe V., *Dictionnaire des difficultés de la langue française*, 1974.

Menu du jour : les locutions

Il en va de la langue comme de la cuisine. À composer toujours le même menu, on finit par perdre l'appétit. Il suffit parfois d'ajouter une herbe exotique à une salade pour en changer toute la saveur. La variété, voilà la clé !

Depuis quelques années, nous saupoudrons allègrement nos phrases de locutions qui ont perdu de leurs couleurs par l'emploi abusif que nous en faisons. Ainsi, les expressions **par le biais de, en matière de, au niveau de, sur le plan de** et **dans le cadre de** reviennent souvent dans les textes, servies à toutes les sauces. Nous examinerons ici plus particulièrement les trois dernières.

Au niveau de

Au niveau de signifie « à la hauteur de, à portée de, sur la même ligne que ».

Formes correctes :
Le four est **au niveau du** comptoir
(sens propre).
Ce problème doit être traité **au niveau du** chef confiseur
(sens figuré).

Dans le second exemple, on peut insister sur le palier hiérarchique concerné ; sinon, on aurait dû écrire : ce problème doit être traité *par* le chef confiseur. Il est donc incorrect de dire : **au niveau du** travail, **au niveau des** sentiments, etc.

Sur le plan de

La locution **sur le plan de** tire ses origines de la géométrie et des sciences connexes. Au sens propre, elle évoque l'idée de surface plane et au sens figuré, celle de domaine, de niveau ou de point de vue. On utilise *sur le plan de* devant un substantif et *sur le plan* devant un adjectif abstrait.

Formes correctes :
Sur le plan de la littérature.
Sur le plan littéraire.

Gare à l'expression *au plan de* qui cherche à s'infiltrer en douce, comme un cheveu sur la soupe ! On devrait écrire **sur le plan** culinaire et non *au plan* culinaire.

Dans le cadre de

Une autre locution galvaudée, **dans le cadre de,** signifie « dans les limites de » et sert également à indiquer qu'une chose ou un fait font partie d'un ensemble.

Formes correctes :
Agir **dans le cadre de** ses fonctions.
Un souper a été offert **dans le cadre de** (ou **à l'occasion de**) la semaine des restaurateurs.

Afin de vous aider à bien alimenter vos textes, voici un régime équilibré, composé de mots et d'expressions à forte valeur nutritive susceptibles de remplacer, selon les contextes, les locutions clichés dont nous avons parlé.

par le biais de
dans, par, pour, dans le domaine de, pour ce qui est de, en (pour) ce qui concerne, en ce qui a trait à, au (du) point de vue de

en matière de
dans le domaine de, sous le rapport de, quand il s'agit de, en (pour) ce qui concerne, en fait de

au niveau de
dans, par, pour, dans le domaine de, pour ce qui est de, en (pour) ce qui concerne, en ce qui a trait à, au (du) point de vue de

sur le plan de (à éviter : *au plan de*)
dans, pour, en fait de, dans le domaine de, au (du) point de vue de, quant à, en ce qui touche, concernant, touchant, à l'égard de, sous le rapport de

dans le cadre de
à l'occasion de, en vertu de, parmi, au nombre de, pendant, au moment de, se rattacher à, faire partie de, relever de

Rollande Gaudet
Fin octobre 1987

Sources consultées
COLLIN, Jean-Paul, *Nouveau dictionnaire des difficultés du français*, 1970.
DUPRÉ, P., *Encyclopédie du bon français dans l'usage contemporain*, 1972.
HANSE, Joseph, *Nouveau dictionnaire des difficultés du français moderne*, 1987.
OFFICE DE LA LANGUE FRANÇAISE, *Le français quotidien des gestionnaires*, 1984.
SAUVÉ, Madeleine, *Observations grammaticales et terminologiques*, fiches n°s 66, 67 et 68.

Passer à l'action sans s'y laisser prendre !

Prendre action

Cette expression ne doit jamais s'utiliser en français. C'est une traduction directe de l'anglais *to take action* qui peut se rendre par :

passer à l'action
prendre une initiative
prendre des mesures
faire quelque chose (pour résoudre un problème).

Versatile

En français, **versatile** s'applique aux personnes et signifie « inconstant, sujet à changer brusquement de parti ou d'opinion » :

Ne vous fiez pas à ce jeune homme :
il a un caractère **versatile**.

L'anglais *versatile* veut dire « doué de talents divers » ou « qui a plusieurs usages » ; il s'applique aux personnes ou aux choses.

Formes correctes :
Un artiste **aux talents variés**.
Un employé **polyvalent**.
Un appareil **à tout faire, universel, polyvalent**.

De d'autres

On peut dire : Je m'adresserai **à d'autres**, je réponds **pour d'autres**.
Mais il faut écrire : Je me souviens **d'autres** événements.

En effet, même si *de d'autres* semble plus logique comme pluriel de « d'un autre », la langue française refuse d'employer **de**, préposition, devant l'article partitif **de**. Il s'agit d'un phénomène qui ressemble à l'élision et qui consiste à n'exprimer qu'une fois des sons ou des groupes de sons identiques qui se suivent immédiatement. Par exemple, on dit : J'irai pour J'y irai.

Toutefois, **d'autres**, employé seul (comme dans Je me souviens d'autres), n'est pas très élégant. C'est pourquoi il vaut mieux y ajouter un nom : Je ne parle pas d'eux, mais **d'autres gestionnaires**.

Substituer

Attention à ce verbe : il peut avoir le même sens que **remplacer**, c'est-à-dire « mettre à la place de », mais il ne s'emploie pas de la même façon.

On dit correctement :
Substituer l'électricité **à**
un combustible ou
remplacer un combustible
par l'électricité.

À remarquer que substituer a comme complément d'objet direct **la chose qui remplace**, tandis que remplacer a comme complément d'objet direct la **chose remplacée**.

Il est incorrect de dire :
Substituer un combustible
par l'électricité.

Le participe passé **substitué** présente la même difficulté : *combustible substitué* signifie « combustible mis à la place de ». Dans le contexte hydro-québécois, c'est plutôt l'électricité qui est **substituée au** combustible, tandis que le combustible est **remplacé par** l'électricité.

Marguerite Draper
Fin novembre 1987

Sources consultées

DAGENAIS, Gérard, *Dictionnaire des difficultés de la langue française au Canada*, 2e éd., 1984.
DUPRÉ, P., *Encyclopédie du bon français dans l'usage contemporain*, 1972.
GREVISSE, Maurice, *Le bon usage*, 1986.
HANSE, Joseph, *Nouveau dictionnaire des difficultés du français moderne*, 1983.
RADIO-CANADA, Comité de linguistique, *Fiches de terminologie*.
SAUVÉ, Madeleine, *Observations grammaticales et terminologiques*, fiche no 130.

En parfait accord

Il n'est pas toujours facile de régler certains accords. C'est le cas avec les collectifs notamment. Les expressions indiquant les quantités soulèvent aussi des questions d'accord. Dans la présente chronique, nous tenterons de passer en revue les règles applicables à ces cas.

Accord avec un collectif

Par collectifs, on entend les noms qui désignent des collections, des ensembles de personnes ou de choses : foule, groupe, clientèle, totalité, quantité, nombre, etc.

Quand le collectif est précédé d'un article défini (**le, la**), d'un adjectif démonstratif (**ce, cette**) ou possessif (**mon, ma, son, sa,** etc.), le verbe (et l'attribut) s'écrit au singulier : **La majorité** des clients *est* satisfaite. **Ce groupe** de clients *est* satisfait. **Leur clientèle d'industriels** *est* satisfaite.

Cependant, c'est le complément pluriel du collectif qui régit l'accord quand l'auteur veut plutôt insister sur ce complément que sur le collectif.

Deux cas de ce type sont identifiables.

a) Le collectif est précédé d'un article indéfini (**un, une**).

Une poignée d'insatisfaits *suffiraient* pour justifier une enquête.

b) Le mot qui joue le rôle de collectif n'est précédé d'aucun article.

Beaucoup de (**plusieurs, quantité de, tant de, assez de, trop de,** etc.) clients *ont* écrit.

L'accord se fait toujours avec le complément du collectif lorsqu'il est du type :

la plupart
la majeure partie
la plus grande partie
la plus petite partie.

La majeure partie des clients *sont* insatisfaits.

Accord avec un sujet exprimant une quantité

L'indication de la quantité ne commande pas l'accord au pluriel dans tous les cas.

Bien entendu, le verbe s'écrit au pluriel si le sujet représente une pluralité d'éléments.

Vingt personnes *travaillent*
au calcul du budget.

Mais lorsque le sujet indiquant un collectif est considéré comme un tout, un ensemble, le verbe s'écrit au singulier.

Vingt personnes *constituerait*
un échantillon valable. (Par **vingt personnes**, l'auteur entend ici « le groupe » constitué par vingt personnes.)

Quand le sujet est une expression fractionnaire (**un et demi, trois et quart,** etc.), le verbe s'accorde avec le premier élément de l'expression, soit le nombre entier, sans égard à la fraction.

Un mois et trois quarts s'*est* écoulé.
Trois mois et quart se *sont écoulés*.
Il reste **1,75** *kilomètre* à parcourir.

Il est à noter que les sujets **midi** et **minuit** commandent le singulier.

Midi *sonnait*.

Dans le cas d'un sujet indiquant un pourcentage, l'accord du verbe dépend du point sur lequel l'auteur veut mettre l'accent.

a) Lorsque l'accent est mis sur la quantité, l'accord se fait avec le numéral.

Vingt-cinq pour cent du budget
serviront à la publication.

b) Si, au contraire, l'expression de pourcentage est globale, elle a valeur de neutre et commande le singulier.

Au moins **vingt-cinq pour cent**
du budget *servira* à la publication.

En somme, les accords étudiés ci-dessus tiennent du raisonnement et de l'intention de l'auteur. On peut dégager certaines règles mais la règle d'or consiste avant tout à faire appel à son bon sens.

Nicole April
Fin janvier 1987

Sources consultées

GREVISSE, Maurice, *Le bon usage*, 1986.
HANSE, Joseph, *Nouveau dictionnaire des difficultés du français moderne*, 1983.
OFFICE DE LA LANGUE FRANÇAISE, *Le français quotidien du personnel de secrétariat*, 1984.
———, *Le français quotidien des communicateurs et des communicatrices*, 1984.
THOMAS, Adolphe V., *Dictionnaire des difficultés de la langue française*, 1974.

Pour composer avec les composés

Faut-il écrire avec un trait d'union personne et ressource, vanne et papillon, multi et élément... ? Lesquels de ces composants prennent la marque du pluriel ? Quiconque rédige, révise ou transcrit des textes français se heurte un jour ou l'autre aux embûches du nom composé. Il existe bien quelques principes de base mais toutes les règles sont assorties d'exceptions nombreuses, attribuables à des questions d'interprétation logique... et souvent à l'usage.

Voyons d'abord en quoi l'usage influence la forme du nom composé. Son évolution, quant à la cohésion des éléments, est modulée en trois phases. En premier lieu, des mots autonomes sont simplement juxtaposés : vin aigre, ma dame, passe port. C'est le premier degré de cohésion des composants. Dans un deuxième temps, les éléments forment une association plus étroite. L'idée représentée par la réunion des composants devient prioritaire. Le trait d'union apparaît : vin-aigre, ma-dame, passe-port. Enfin, l'expression se fige au point que les éléments se soudent.
On ne perçoit pratiquement plus les composants qu'on associe tout naturellement : vinaigre, madame, passeport. Parmi les exemples de ces mots dont on oublie l'origine, certains sont reconnaissables à leurs pluriels particuliers (ex. : mesdames, mesdemoiselles, messieurs). Toutefois, la plupart de ces noms composés suivent la règle générale d'accord du nom : des passeports, des gendarmes, des contremaîtres, etc.

Il est clair que tous les mots n'évoluent pas à la même vitesse. Il faut consulter les éditions récentes des dictionnaires. On y trouve souvent la solution à son problème, à moins qu'il ne s'agisse de noms composés rares ou tout nouveaux.

Règles de base

L'union des composants

On joint par un trait d'union les mots (noms, adjectifs, verbes, prépositions, etc.) qui peuvent avoir une existence autonome (ex. : **décret-loi**).

Mais on soude généralement un élément de type préfixal (anti, électro, co, etc.) et le composant qui suit (ex. : **antigel**).

L'accord des composants

Les noms et les adjectifs prennent la marque du pluriel. Cependant, leur accord est conditionné par le sens qu'ils ont dans le composé. Les verbes, les adverbes, les conjonctions et les prépositions demeurent invariables.

Règles spécifiques et exceptions

Nom + *Nom*

Deux noms placés en *apposition* pour indiquer une *double fonction* s'écrivent en général avec un trait d'union et prennent tous deux la marque du pluriel.

Ex. : des **présidents-directeurs**, des **ingénieurs-conseils**, des **robinets-vannes**, des **personnes-ressources**, des **machines-outils**.

Lorsque le second nom du composé est le *complément* du premier, on n'emploie généralement pas le trait d'union et seul le premier nom s'accorde.

Ex. : des **vannes papillon** (des vannes qui ont une forme semblable à celle d'un papillon), des **secteurs clé** (des secteurs qui constituent une clé), des **maisons témoin** (des maisons qui servent de témoin).

Remarque : Il semble que plusieurs noms composés de cette dernière catégorie soient en phase de transition, puisque l'orthographe, notamment dans les composés avec *clé*, varie selon les auteurs. C'est ainsi qu'on peut trouver : **secteurs-clés, industries-clés, positions-clés,** des **lampes témoins,** des **formules type** et des **objets types,** mais des **stations-service**.

Des noms réunis pour exprimer le *produit d'une multiplication* s'écrivent avec un trait d'union et prennent tous les deux la marque du pluriel.

Ex. : des **degrés-jours**, des **heures-personnes**, des **jours-personnes**, des **années-personnes**.

Remarque : Il convient de souligner que **kilowattheure** constitue une entité et suit la règle d'accord du nom simple, des **kilowattheures**. Caprice de la langue ? Usage plutôt.

Adjectif* + *Nom* ou *Nom* + *Adjectif

Les adjectifs se joignent généralement aux autres éléments par un trait d'union et s'accordent au pluriel.

Ex. : des **courts-circuits**, des **libres-services**, des **procès-verbaux**.
Mais on écrit sans trait d'union :
des **comptes rendus**.

Exceptions : **demi**, **semi** et **nu**, placés devant un nom, s'y joignent par un trait d'union, mais sont toujours invariables.

Ex. : des **demi-heures**, des **semi-conducteurs**.

Verbe* + *Nom

Les verbes se joignent aux autres composants par un trait d'union et demeurent invariables.

Le nom *complément du verbe* doit prendre la marque du pluriel ou non, selon le sens qu'il prend dans le composé : toujours singulier dans certains composés (ex. : des **réveille-matin**), il sera toujours pluriel dans d'autres cas (ex. : un **compte-tours**, un **serre-fils**, un **porte-documents**), ou variera suivant l'interprétation de l'auteur (ex. : un **chauffe-eau**, des **chauffe-eau** ou des **chauffe-eaux**).

Exceptions : **Ayant(-)droit** et **ayant(-)cause** font au pluriel **ayants(-)droit** et **ayants(-)cause**, avec ou sans trait d'union.

Adverbe, Préposition* ou *Conjonction* + *Nom

Les *mots invariables* par nature demeurent invariables dans la construction des noms composés mais se joignent le plus souvent aux autres éléments par un trait d'union. Seuls les noms prennent la marque du pluriel.

Ex. : des **arrière-plans**, des **avant-projets**, des **contre-valeurs**, des **non-fumeurs**.

Remarque : Certains noms composés construits avec *contre* (identifié tantôt comme préposition, tantôt comme préfixe) peuvent prendre ou non le trait d'union (ex. : **contre-projet** ou **contreprojet, contrecoup**).

Recomposés

Plusieurs des *éléments préfixaux*, qui servent à former des mots techniques ou scientifiques, proviennent du grec ou du latin (**multi, mono, micro, bi,** etc.) : ils produisent des *recomposés*. Certains grammairiens ou auteurs soudent les éléments des noms *recomposés*, cependant que d'autres préconisent l'utilisation du trait d'union, mais uniquement lorsqu'il faut éviter la rencontre de deux voyelles entre composants.

Plutôt que de nous ranger de façon rigide derrière l'une ou l'autre de ces positions, nous avons choisi à Hydro-Québec d'adopter l'orthographe la plus répandue dans l'usage. C'est pourquoi nous écrivons **hydroélectricité** mais **bi-énergie, électro-aimant** et **aérogénérateur**.

Les noms des *recomposés* s'accordent normalement : les *éléments préfixaux* sont toujours invariables.

Nicole April
Juin et fin août 1984

Sources consultées

GREVISSE, Maurice, *Le bon usage*, 1980.
HANSE, Joseph, *Nouveau dictionnaire des difficultés du français moderne*, 1983.
MITTERAND, Henri, *Les mots français*, coll. Que sais-je ?, n° 270, 1981.
ROBERT, Paul, *Dictionnaire alphabétique et analogique de la langue française*, 1983.
SAUVÉ, Madeleine, *Observations grammaticales et terminologiques*, fiches n°s 115, 116 et 117.
THOMAS, Adolphe V., *Dictionnaire des difficultés de la langue française*, 1974.

La majuscule : quelques points de repère

L'emploi de la majuscule dans les noms propres et les mots considérés comme noms propres pose de nombreux problèmes. Pour les résoudre, on peut s'appuyer sur la grammaire et les dictionnaires, mais aussi sur un certain nombre de principes. En voici quelques-uns.

Éviter l'abus des majuscules

Le principal rôle des majuscules est d'accroître la clarté des textes écrits en mettant en relief certains mots ou groupes de mots. Les majuscules ne gardent toute leur valeur que si on les emploie avec discernement.

La majuscule s'emploie beaucoup moins en français qu'en anglais, notamment dans les noms d'associations, de compagnies, d'organismes publics ou privés. En français, on emploie autant que possible une seule majuscule par appellation.

Ex. : le *Crédit* foncier, la *Société* générale immobilière des constructeurs d'habitations.

Toutefois, quand une appellation complexe inclut des mots ou groupes de mots qui prennent normalement la majuscule, on garde généralement ces majuscules.

Ex. : L'*Organisation* des *Nations* unies.

Viser l'uniformité

L'uniformité totale dans l'emploi des majuscules n'est pas pour demain ; mais, dans une même publication ou à l'intérieur d'une même entreprise, il est préférable de s'en tenir à un usage donné.

La notion d'unicité

La majuscule s'emploie pour marquer le caractère unique de la réalité désignée. C'est cette notion d'unicité qui doit servir de critère pour décider quand un nom commun ou un adjectif doivent prendre la majuscule.

Ex. : l'*Année* de la femme,
« Les mots du *Général* » (de Gaulle),
le fleuve *Jaune*, l'Europe des *Dix*.

Terme générique et terme spécifique

Certaines dénominations peuvent être considérées comme étant formées d'un terme générique, qui prend la minuscule, et d'un terme spécifique, qui prend la majuscule.

C'est le cas des noms géographiques.

Ex. : le *lac* Saint-Jean, la *rivière* Richelieu.

Les noms de rues, de places, de monuments, d'édifices publics ou religieux, etc. suivent le même modèle.

Ex. : le *boulevard* Dorchester, le *carré* Saint-Louis, le *monument* des Patriotes, l'*hôpital* Sainte-Justine, l'*église* du Sacré-Coeur.

À Hydro-Québec, on a adopté ce point de vue dans la désignation des unités administratives et des emplois de cadres.

a) La désignation d'une unité administrative comporte toujours :

– une dénomination hiérarchique (*direction, équipe, division, section* ou autre), qu'il faut écrire avec une minuscule ;

– une dénomination spécifique qui sert à identifier la nature des activités de l'unité ; chaque « activité » est indiquée par une majuscule.

Ex. : la direction *Comptabilité* des immobilisations, la direction *Automatismes* et *Communications*, le service *Relevés* techniques.

b) Le titre d'un emploi de cadre comporte toujours :

– un terme générique qui sert à préciser la nature de l'emploi (*conseiller, coordonnateur, chef de section*) et qui s'écrit avec une minuscule ;

– un terme spécifique
• qui indique le domaine d'activité du titulaire. Dans ce cas, on emploie la minuscule (ex. : conseiller en *hygiène* industrielle) ;
• qui indique le nom de l'unité administrative que dirige le titulaire ou à laquelle il appartient. Ce nom prend la majuscule (ex. : chef de service, *Avantages* sociaux).

Attention aux adjectifs !

L'adjectif prend la majuscule :

– quand il est joint intimement au nom et fait corps avec lui (ex. : la Croix-*Rouge*, la Colombie-*Britannique*) ;

– quand il précède le nom (ex. : le *Grand* Nord, l'*Ancien* Testament, la *Quatrième* République) ;

– mais non quand il le suit (ex. : l'Amérique *latine*, la République *française*, la direction Propriétés *immobilières*).

Marguerite Draper
Fin mars 1982

Sources consultées
CAJOLET-LAGANIÈRE, Hélène, *Le français au bureau*, 1982.
CLAS, André, HORGUELIN, Paul A., *Le français, langue des affaires*, 1979.
GREVISSE, M., *Le bon usage*, 1980.
SAUVÉ, Madeleine, « De l'emploi de la majuscule », *Observations grammaticales et terminologiques*, fiche n° 31, avril 1975.
HYDRO-QUÉBEC, direction Développement de l'organisation, *Désignation des unités administratives et des emplois de cadres*, septembre 1978.

Est-ce *Hydro-Québec* *ou l'Hydro-Québec ?*

L'article devant les dénominations sociales

Tous ceux qui ont lu avec attention la Loi d'Hydro-Québec auront sans doute noté au passage que le texte n'utilise pas l'article devant la désignation Hydro-Québec. On y lit par exemple : employés d'Hydro-Québec, conseil d'administration d'Hydro-Québec et mandats d'Hydro-Québec.

S'agit-il d'une particularité grammaticale du style législatif et juridique, ou faut-il remettre en question l'usage qui nous est si familier, celui d'écrire (et de dire) l'Hydro-Québec avec l'article ? Au fait, pourquoi l'Hydro-Québec alors qu'il ne viendrait pas à l'idée de dire l'Air France ou la Radio-Québec ?

Ce petit dilemme grammatical, tentons de le résoudre en examinant l'emploi de l'article devant les dénominations sociales, les noms commerciaux et les titres d'organismes. Après avoir rapidement fait le tour de la question, nous donnerons quelques conseils pratiques.

L'avis des grammairiens

Les rares grammairiens qui évoquent la question recommandent d'utiliser l'article devant un nom de firme. Dans l'*Encyclopédie du bon français dans l'usage contemporain* notamment, P. Dupré écrit qu'il faut dire l'Électricité et le Gaz de France et non : « Instructions données à Électricité de France », usage à prohiber comme atteinte à la syntaxe du français.

L'usage français international

Force nous est cependant de constater que l'usage, sur ce point, tourne en partie le dos à la grammaire. Nous avons en effet dépouillé bon nombre de textes appartenant à divers niveaux de langue : textes français officiels (*Journal officiel de la République française,* revues *Marchés publics* et *Les Cahiers français*), articles d'encyclopédies consacrés aux entreprises, collection « Que sais-je ? », magazines et publications d'entreprise. Voici les règles qui se dessinent dans l'usage actuel. Nous distinguerons trois cas.

Premier cas.
On emploie l'article si la dénomination sociale, le nom commercial ou le titre de l'organisme commencent par un terme caractérisant le type d'organisation : par exemple, Société, Compagnie, Association, Institut,

Conseil, Commission, Régie, Office, etc. Il est correct et conforme à l'usage d'écrire : le personnel de l'Institut de recherche, de la Société d'énergie de la Baie James, s'adresser au Bureau de normalisation du Québec, à l'Office national de l'énergie ou à la Commission électrotechnique internationale.

Deuxième cas.
On conserve nécessairement l'article s'il fait partie intégrante de la dénomination sociale. On écrira donc : communiquer avec La Prudentielle, L'Industrielle ou Les Artisans. Notons que l'article prend alors la majuscule, comme premier élément du nom propre que constitue la dénomination sociale.

Troisième cas.
Là est la question. Quand la dénomination sociale, le nom commercial ou le titre de l'organisme commencent par un nom commun ne caractérisant pas le type d'organisation, ou par un nom propre, un mot inventé ou une expression formée d'éléments composés ou juxtaposés, l'usage varie selon le niveau du texte.

a) Dans les textes de langue soignée, la suppression de l'article est de règle. Le nom de la personne morale est assimilé à un véritable nom propre. Il est donc conforme à l'usage d'écrire : correspondre avec Bell Canada et Québecair, le personnel de Sidbec-Dosco, d'Électricité de France, de CN Air Canada et les structures d'Hydro-Québec. Le souci d'éviter l'hiatus n'interfère pas.

Comme variante relevée dans les textes soignés, le nom de l'entreprise est précédé de « la société », le cas échéant.

b) Dans la langue courante, il faut reconnaître que l'usage reste flottant : tantôt l'article, tantôt l'absence d'article, parfois les deux dans un même texte. On constate néanmoins une tendance plus marquée à l'omission de l'article, par souci d'économie sans doute, par assimilation au nom propre vraisemblablement.

Conclusion

Prenant en considération l'usage actuel du français international et par souci d'uniformité dans l'entreprise, nous recommandons de supprimer l'article devant Hydro-Québec ou d'utiliser l'expression « la société Hydro-Québec ». Signalons enfin que les termes qui s'accordent avec Hydro-Québec se mettent au féminin, le terme « société » étant sous-entendu.

Louise Raymond-Dandonneau
Fin août 1978

Noms et symboles des unités de mesure

Il serait bon de rappeler certaines règles fondamentales qui s'appliquent à l'écriture des unités de mesure, qu'elles soient métriques ou britanniques. D'abord, quelques distinctions élémentaires, mais utiles.

Grandeur et unité de mesure

Ces deux notions sont inséparables. La longueur, la température, la vitesse sont des grandeurs, c'est-à-dire qu'elles peuvent être mesurées ; le mètre, le degré Celsius, le mètre par seconde sont des unités qui servent à mesurer ces grandeurs. À chaque grandeur physique correspond une unité de mesure, parfois même plusieurs. Par exemple, la longueur peut se mesurer en pouces, en mètres, etc. Lorsqu'une grandeur est le produit ou le quotient de plusieurs autres, elle se mesure à l'aide d'unités composées (« unités dérivées » du système métrique). Par exemple, l'unité SI de vitesse est le mètre par seconde (**m/s**).

Nom, symbole et abréviation

Le nom est, bien entendu, le mot servant à désigner la grandeur (ex. : longueur) ou l'unité de mesure (ex. : mètre). Dans plusieurs cas, ces noms doivent être abrégés. On utilise alors, non pas des abréviations, mais des symboles bien définis et consacrés par l'usage. Notons que, dans les textes scientifiques, les grandeurs, comme les unités de mesure, ont leurs symboles. Exemple :

Grandeur
Nom : intensité de courant électrique
Symbole : I

Unité de mesure
Nom : ampère
Symbole : A

Il ne sera question ici que des unités de mesure.

Noms d'unités

Les règles relatives aux noms d'unités peuvent se résumer comme suit :

1. Les noms d'unités sont toujours des noms communs, même lorsqu'ils dérivent de noms propres ; ils doivent donc toujours débuter par une minuscule. Par exemple, *Ampère* ne peut désigner que le savant ; l'unité à laquelle il a donné son nom doit s'écrire **ampère**. La même règle s'applique si l'on ajoute un préfixe : mégavolt, kilowatt, etc.

2. Les noms des unités simples suivent au pluriel les règles de la grammaire : pieds, mètres, volts.

3. Les noms des unités composées représentant un produit se forment en réunissant par un trait d'union les noms des unités composantes. La barre oblique, étant un des symboles de la division, ne doit pas être substituée au trait d'union.

Exemples.
Moment d'une force : mètre-newton,
viscosité (dynamique) : pascal-seconde.

Chacun des composants prend alors la marque du pluriel : mètres-newtons, pascals-secondes.

Toutefois, certaines des unités les plus courantes s'écrivent en un seul mot ; dans ce cas, seul le deuxième composant porte la marque du pluriel : wattheures, voltampères.

4. Les noms des unités composées représentant un quotient se forment en intercalant *par* entre les noms des unités composantes. On ne doit pas omettre le mot *par*, ni le remplacer par un trait d'union. Quant à la barre oblique, elle ne doit être employée qu'avec les symboles.

Exemple.
Vitesse : mètre par seconde.

Il est évident que la marque du pluriel ne peut porter que sur le premier terme : kilomètres par heure.

Symboles d'unités

Quand les employer ?

Les symboles d'unités s'emploient dans les tableaux, sur les schémas, etc. Dans le corps d'un texte, l'unité doit s'écrire en toutes lettres si elle n'est pas précédée de chiffres.

Exemples.
Écrire quarante kilomètres
ou 40 km ou 40 kilomètres.

Les longueurs sont exprimées
en mètres.

Ne pas écrire quarante km ni le km
vaut mille m.

Dans le cas des unités composées, le symbole est toléré dans un texte.

Exemple.
La conductivité thermique
s'exprime en W/(m·K).

Règles d'écriture

1. Les symboles des unités dont les noms dérivent de noms de savants s'écrivent avec une majuscule, bien que le nom de l'unité commence par une minuscule.

Exemples.
A pour ampère,
V pour volt.

2. Les symboles des préfixes multiplicateurs SI s'écrivent avec une majuscule dans le cas de **E** (exa), **P** (péta), **T** (téra), **G** (giga) et **M** (méga). Le préfixe micro est représenté par la lettre grecque μ (minuscule). Dans tous les autres cas, les préfixes doivent s'écrire en caractères romains minuscules.

Exemples.
MN (méganewton),
kV (kilovolt).

3. Contrairement à ce qui se fait pour les abréviations de mots, les symboles d'unités ne sont jamais suivis d'un point, sauf à la fin d'une phrase. Ils ne prennent jamais la marque du pluriel, notamment la lettre s qui, par ailleurs, représente la seconde.

Exemple.
Paul mesure 5 pi 6 po
et pèse 135 lb.

La règle du pluriel s'applique en particulier dans le cas de **bar** et **var**, dont le symbole est identique au nom ; on écrira par exemple : la pression s'exprime en millibars, mais la pression mesurée est de 900 mbar (sans s).

4. Dans le cas d'une unité composée représentant un produit, le symbole se forme en plaçant un point entre les symboles des unités qui la composent. Toutefois, il est permis de supprimer le point multiplicatif en accolant les symboles d'unités simples lorsqu'aucune confusion ne peut en résulter.

Exemples.
m·N (mètre-newton) (mN signifie
millinewton),
VA (voltampère).

5. Dans le cas d'une unité composée représentant un quotient, le symbole se forme généralement en séparant par une barre oblique les symboles des unités qui la composent.

Exemples.
A/m (ampère par mètre),
cm/s^2 (centimètre par seconde
carrée).

6. Dans un texte, attention aux coupures en fin de ligne : lorsque le symbole est précédé de chiffres, il convient de ne pas les séparer, sauf dans des cas exceptionnels (justifications étroites notamment).

Quelques fautes courantes

Confusion entre abréviation et symbole

L'**abréviation** est un mot dont on a retranché des lettres pour prendre moins de place. Exemples : S^t, chap., M., boul. Le **symbole** est un signe conventionnel que l'on emploie pour désigner une chose. Dans le cas des unités de mesure, on utilise des symboles et non des abréviations. Ces symboles, identiques d'une langue à l'autre, n'ont pas de point et sont invariables. C'est donc une faute d'écrire *sec.* pour seconde, *lbs* ou *liv.* pour livres, *amps* pour ampères, *h.* pour heure ou *oz.* pour once. Les formes correctes sont **s, lb, A, h** et **oz** (sans point).

Confusion entre produit et quotient

Peut-on dire d'une voiture qu'elle fait 130 kilomètres-heure ? J'en doute. Si l'on veut respecter la norme, mieux vaudrait parler de kilomètres par heure (km/h). À noter que dans le langage courant, on peut dire kilomètre à l'heure, mètre à la seconde, etc. (le second composant étant une unité de temps).

Il y a une différence fondamentale entre les kilowattheures **(kWh)**, les volt-ampères **(VA)**, les ohms-mètres **(Ω·m)** et les lumens-secondes **(lm·s)**, d'une part, et les grammes par litre **(g/L)**, les mètres cubes par seconde **(m³/s)** et les volts par mètre **(V/m)**, d'autre part ; les premiers représentent des **produits** de deux grandeurs, les seconds, des **quotients**.

Interversion entre majuscules et minuscules

Attention aux *Kv, Db* et autres interversions du même genre. Le kilovolt s'écrit **kV**, le décibel **dB**.

Écriture de certains symboles

Le litre

Le symbole international du **litre** (l) pose un problème dans les textes dactylographiés ou imprimés, étant donné que la lettre l peut être confondue avec le chiffre 1. Au Canada et aux États-Unis, on a adopté comme symbole le **L** majuscule. Ce dernier représente donc une exception aux règles générales d'écriture des symboles.

Le kelvin et le degré Celsius

L'échelle de température Celsius est celle qui est couramment utilisée, à l'exception de certaines applications scientifiques et techniques. La température Celsius s'exprime en **degrés Celsius** (symbole °**C**). L'unité de base du SI pour désigner la température thermodynamique est le **kelvin** (symbole **K**), autrefois degré Kelvin (symbole °**K**).

Les minutes et les secondes

Les symboles ′ et ″ ne conviennent qu'aux minutes et aux secondes d'arc (mesure des angles plans) et non à celles de temps qui s'écrivent **min** et **s**. Ils ne conviennent pas non plus aux pieds et aux pouces, dont les symboles sont **pi** et **po**.

Conclusion

Pour écrire correctement les noms et les symboles d'unités, il faut de l'attention, de la minutie et... le courage de se documenter sur le sujet. Il n'est pas étonnant qu'on trouve souvent des inexactitudes, même dans les ouvrages techniques. Par ailleurs, les membres des comités chargés d'élaborer des normes sur les unités ont parfois du mal à se mettre d'accord. Les normes nationales ou internationales restent quand même les sources d'information les plus sûres. Il faut se méfier un peu des dictionnaires de la langue courante, qui ne reflètent pas toujours ces normes.

Marguerite Draper
Mi-janvier, fin janvier et mi-février 1977

Sources consultées
ASSOCIATION CANADIENNE DE NORMALISATION, norme CAN 3-Z234.1-76, *Guide de familiarisation au système métrique.*
______, norme CAN 3-Z234.2-76, *Le système international d'unités (SI).*
HYDRO-QUÉBEC, direction Normes et Standards techniques, *Mémento SI*, avril 1977.
MAILLOT, J., *La traduction scientifique et technique.*
ORGANISATION INTERNATIONALE DE NORMALISATION, *Unités de mesure*, Recueil de normes ISO 2, 1979.

Symboles des unités de mesure

Voici une liste des unités de mesure et des symboles correspondants les plus courants. Même si certains d'entre eux, notamment les unités du système anglais et quelques unités métriques, sont appelés à disparaître avec le Système international d'unités (SI), nous avons jugé utile de les donner parce qu'ils sont encore utilisés dans certains cas. Nous complétons la liste par un tableau des multiples et des sous-multiples décimaux.

Unité de mesure	*Symbole*
A	
ampère	A
ampère-heure	Ah
ampère-tour	Atr
B	
bar	bar
bougie-pied v. footcandle	
British thermal unit	Btu
C	
calorie	cal
candela	cd
centimètre	cm
centimètre carré	cm^2
centimètre cube	cm^3
centimètre par seconde	cm/s
cheval-vapeur	ch
chopine	chop
coulomb	C
D	
décibel	dB
décilitre	dL
décimètre	dm
degré Celsius	°C
degré Fahrenheit	°F
dyne	dyn

Unité de mesure	***Symbole***
E	
électron-volt	eV
F	
farad	F
footcandle	fc
G	
gallon	gal
gallon américain	gal (US)
gallon impérial	gal (UK)
gigahertz	GHz
gigajoule	GJ
gigawatt	GW
gramme	g
gramme par centimètre carré	g/cm^2
H	
hertz	Hz
heure	h
horsepower	hp
J	
joule	J

Unité de mesure	*Symbole*
K	
kelvin	K
kilogramme	kg
kilogramme par centimètre	kg/cm
kilohertz	kHz
kilojoule	kJ
kilolitre	kL
kilolivre	klb
kilolivre par pouce carré	klb/po^2
kilolivre-pouce	klb·po
kilomètre	km
kilomètre par heure	km/h
kilopascal	kPa
kilovar	kvar
kilovolt	kV
kilovoltampère	kVA
kilowatt	kW
kilowattheure	kWh
L	
litre	L
litre par minute	L/min
litre par seconde	L/s
livre	lb
livre par pied carré	lb/pi^2
livre par pied cube	lb/pi^3
livre par pouce carré	lb/po^2
livre-pied	lb·pi
livre-pouce	lb·po
lumen	lm
lux	lx

Unité de mesure	*Symbole*
M	
mégahertz	MHz
mégajoule	MJ
mégavar	Mvar
mégawatt	MW
mégohm	MΩ
mètre	m
mètre carré	m^2
mètre cube	m^3
mètre par minute	m/min
mètre par seconde	m/s
microampère	µA
micromètre (micron)	µm
mil	mil
mil circulaire	CM
mill	mill
mille	mi
mille carré	mi^2
mille mils circulaires	MCM
mille par heure	mi/h
milliampère	mA
milligramme	mg
millilitre	mL
millimètre	mm
millimètre carré	mm^2
millimètre cube	mm^3
minute (angle)	′
minute (temps)	min
N	
newton	N
O	
ohm	Ω
once	oz

Unité de mesure	*Symbole*
P	
pascal	Pa
pied	pi
pied carré	pi^2
pied cube	pi^3
pied cube par minute	pi^3/min
pied cube par seconde	pi^3/s
pied par minute	pi/min
pied par seconde	pi/s
pouce	po
pouce carré	po^2
pouce cube	po^3
R	
radian	rad
radian par seconde	rad/s
S	
seconde (angle)	″
seconde (temps)	s
semaine	sem
T	
térawatt	TW
tonne américaine	t (US)
tonne britannique	t (UK)
tonne métrique	t
tour par minute	r/min, tr/min
V	
var	var
verge	v
verge carrée	v^2
verge cube	v^3
volt	V

Unité de mesure	*Symbole*
W	
watt	W
wattheure	Wh

Multiples et sous-multiples décimaux

Les préfixes ci-après servent à former les multiples et les sous-multiples décimaux des unités SI.

	Préfixe	*Symbole*
10 = 10^{1}	déca	da
100 = 10^{2}	hecto	h
1 000 = 10^{3}	kilo	k
1 000 000 = 10^{6}	méga	M
1 000 000 000 = 10^{9}	giga	G
1 000 000 000 000 = 10^{12}	téra	T
1 000 000 000 000 000 = 10^{15}	péta	P
1 000 000 000 000 000 000 = 18^{18}	exa	E
0,1 = 10^{-1}	déci	d
0,01 = 10^{-2}	centi	c
0,001 = 10^{-3}	milli	m
0,000 001 = 10^{-6}	micro	µ
0,000 000 001 = 10^{-9}	nano	n
0,000 000 000 001 = 10^{-12}	pico	p
0,000 000 000 000 001 = 10^{-15}	femto	f
0,000 000 000 000 000 001 = 10^{-18}	atto	a

Francine Doray
Fin octobre, mi-novembre 1980

Abréviations et symboles

Quand abréger ?

En général, il faut abréger le moins possible. On emploie les abréviations quand il faut absolument économiser l'espace, par exemple dans les tableaux, les formules ou les dessins.

Comment abréger ?

Règles générales

1. On abrège généralement un mot :

a) en retranchant les lettres finales avant une voyelle et en les remplaçant par un point ; on procédera de cette façon dans tous les cas où il n'existe pas d'abréviation consacrée par l'usage ;

Exemples : chap. (chapitre),
art. (article), t. (tome)

b) en retranchant certaines lettres médianes du mot ; puisque la ou les lettres finales figurent dans l'abréviation, on omet le point. En imprimerie, ces lettres finales doivent être plus petites que la première lettre et surélevées par rapport à la ligne d'écriture.

Exemples : Mme, Mlle, D^{r}, n^{o}

En français, on ne peut pas abréger en prenant les principales consonnes du mot ; *blvd* pour « boulevard » est fautif, il faut écrire b^{d} ou boul.

2. Le point abréviatif se confond avec le point final.

Exemple : etc. et non etc..

3. Lorsqu'un mot s'écrit avec un trait d'union, celui-ci subsiste dans l'abréviation.

Exemple : c.-à-d. (c'est-à-dire)

4. Les abréviations ne prennent pas la marque du pluriel.

Exceptions : Mmes, Mlles, n^{os},
MM. (messieurs)

5. Il est inutile d'abréger un mot en enlevant simplement une lettre (et même deux, sauf si c'est indispensable) que l'on remplace par un point.

6. Quant il faut abréger un mot sur deux, il est préférable d'abréger le substantif plutôt que l'adjectif, le mot usuel plutôt que le mot rare.

Exemple : classific. décimale plutôt
que classification déc.

7. Les sigles s'écrivent généralement en majuscules suivies d'un point. Selon certains auteurs, lorsque les sigles donnent l'impression d'un mot prononçable, on omet les points abréviatifs. Cependant, on note une tendance de plus en plus répandue à supprimer les points dans tous les cas, ce qui simplifie l'écriture des sigles.

Exemples : ONU, ISO, CEI, ACNOR

8. Les abréviations et les symboles utilisés en mathématiques et en sciences ne prennent jamais le point abréviatif ni la marque du pluriel.

Exemples : cos (cosinus),
Al (aluminium)

Note – Les abréviations des unités de mesure sont en réalité des symboles. Ceux-ci s'écrivent en lettres minuscules ; toutefois, la première lettre est une majuscule lorsque le nom de l'unité dérive d'un nom propre.

Exemples : A (ampère), V (volt)

Cas particuliers

1. À l'exception de premier (1er) et de première (1re, et non 1ère), tous les adjectifs numéraux ordinaux s'abrègent avec un *e* surélevé.

Exemples : deuxième (2e, et non
2ème), ving-cinquième (25e)

2. En principe, on se sert des signes % (pour cent) et ‰ (pour mille) dans le domaine de la finance (intérêt, pourcentage d'une somme) et des abréviations p. 100 et p. 1000 dans le cas de proportions ou de statistiques. En pratique toutefois, le bon usage ne tient plus vraiment compte de cette distinction et l'emploi des signes dans tous les cas est préférable.

3. Il est préférable de remplacer par leur équivalent français certaines « abréviations mystérieuses » d'origine latine.

Exemples :
i.e. (id est) – c.-à-d. (c'est-à-dire)
e.g. (exempli gratia) – p. ex. (par exemple)
v.g. (verbi gratia) – p. ex. (par exemple)

4. De nombreux mots abrégés ont été intégrés à la langue sous leur forme nouvelle. Ils suivent, au pluriel, la règle générale d'accord.

Exemples :
une photo (photographie), des photos ;
un pneu (pneumatique), des pneus ;
un accu (accumulateur), des accus ;
un transfo (transformateur), des transfos.

Jean-Marc Lambert
Fin décembre 1975

Abréviations usuelles

Nous utilisons souvent les abréviations dans nos communications de tous les jours. Mais savons-nous quand les employer et comment les écrire ? On trouvera ci-après une liste des abréviations fréquemment utilisées au travail.

A

abréviation	abrév.
accumulateur	accu ; accum.
accusé de réception	A/R
addition	add.
administratif	admin.
administration	admin.
allemand	all.
à l'ordre de	o/
alternateur	alt.
anglais	angl.
année	a
appareil de mesure	app. de m.
appareillage	app.
appartement	app. ; app[t]
appendice	append.
approuvé	appr.
architecture	archit.
arpentage	arpent.
arrière	arr.
article	art.
assurance	ass.
augmentation	augm.
augmenter	augm.
automatique	autom.
autotransformateur	autotr.
aux soins de	a/s de
avenue	av.
avril	avr.[1]

B

basse tension	BT ; B.T.
bibliographie	bibliogr.
bibliothèque	bibl.
billet de banque	B/B
biologie	biol.
boîte postale	B.P.
bordereau	b^{eau}
botanique	bot.
boulevard	boul. ; b^{d}
bulletin	bull.

C

cartographie	cartogr.
case postale	C.P.
catégorie	cat.
cent (monnaie)	c. ; ¢
centre de conduite du réseau	CCR
centre d'exploitation de distribution	CED
centre d'exploitation régional	CER
c'est-à-dire	c.-à-d.
chacun	ch.
chapitre	chap.
chauffage	chauff.
chauffe-eau	ch.-eau
chèque	ch.
chimie	chim.
civil	vic.
collaborateur	collab.
collection	coll.
colonne	col.
commande	c^{de}
commerce	comm.
communication	commun.
compagnie[2]	c^{ie}
comptabilité	compt. ; comptab.

compte courant	C/c
comté	C^{té}
conclusion	concl.
confer	cf.
conférence	conf.
construction	constr.
contre-remboursement	C.R.
copie	cop.
copie conforme	c.c.
correction	corr.
corrigé	corr.
courant alternatif	c.a.
courant continu	c.c.
courant continu en haute tension	CCHT ; C.C.H.T.
crédit	C^{t}

D

dactylographié	dactyl.
débit	D^{t}
décembre	déc.[1]
dépliant	dépl.
deuxième	2^{e}
diamètre	diam.
dictionnaire	dict.
dimanche	dim.
directeur	dir.
direction	dir.
disjoncteur	disj.
distribution	distr.
divers	div.
division	div.
docteur	D^{r}
document	docum.
documentation	docum.
douzaine	dz ; douz.
droit	dr.

E

écologie	écol.
économie	écon.
économique	écon.
éditeur	édit.
édition	éd.
électricité	électr. ; électric.
électronique	électron.
électrotechnique	électrotechn.
énergie	én.
enregistrée[2]	enr.
entreprise	entr.
environ	env.
espagnol	esp.
est	E.
États-Unis d'Amérique	É.-U. ; USA ; U.S.A.
et caetera	etc.
exclu	excl.
exclusivement	excl.
exemple	ex.

F

fac-similé	fac-sim.
facture	f^{re}

G

géologie	géol.
géologique	géol.
graphique	graph.

H

haute tension	HT ; H.T.
hauteur	haut.
heure	h
hydrologie	hydrol.

I

ibidem (dans le même ouv.)	ibid.
idem	id.
illustrateur	ill.
illustration	ill.
illustré	ill.
inclus	incl.
inclusivement	incl.
incorporée[2]	inc.
industrie	ind.
industriel	ind.
information	inform.
informatique	informat.
intérêt	int.
international	internat.
introduction	introd.
italique	ital.

J

janvier	janv.[1]
jeudi	jeu.
jour	j ; d
journalisme	journ.
juillet	juill.[1]

L

laboratoire	lab.
latitude	lat.
limitée[2]	l^{tée}
livre	lb
longitude	long.
lundi	lun.

M

madame, mesdames	Mme, Mmes
mademoiselle, mesdemoiselles	Mlle, Mlles
maître(s)	M$^{e(s)}$
mardi	mar.
maximum	max.
mécanique	méc. ; mécan.
médecine	méd.
médical	méd.
mémoire	mém.
mercredi	mer.
métrique	métr.
minimum	min.
minute	min
mise à la terre	MALT
mois	m
monseigneur	Mgr
monsieur, messieurs	M., MM.
montant	m^{t}
Montréal	Montréal
moyenne tension	MT ; M.T.

N

national	nat.
nombre	n^{bre}
non paginé	n.p.
nord	N.
nota bene (notez bien)	N.B.
notre référence	N/Référence ; N/Réf. ; N/R
nouveau, nouvelle	nouv.
novembre	nov.[1]
nucléaire	nucl.
numéro(s)	n$^{o(s)}$; N$^{o(s)}$

O

observation	obs.
octobre	oct.[1]
ordinaire	ord. ;
ordinairement	ordin.
organisation	org. ; organ.
ouest	O.
ouvrage cité	ouv. cit. ; op. cit.

P

page(s)	p.
paragraphe	par. ; paragr.
par exemple	p. ex.
par intérim	p.i.
par procuration	p.p.
permanence	perman.
personne	pers.
personnel	pers.
physique	phys.
pièce(s) jointe(s)	p.j.
port payé	PP
post-scriptum	P.-S.
pour cent	%
pour mille	‰
premier, première	1er, 1re
président-directeur général	p.-d.g.
primo (premièrement)	1°
province	prov.
public	publ.
publication	publ.
publicité	public.
publié	publ.
puissance	puiss.

Q

quantité	quant.
Québec	Québec ; Qc
quelque	qq.
quelque chose	qqch.
quelquefois	qqf.
quelqu'un	qqn
question	Q.

R

rapport	rapp.
recherche	rech.
recommandé	R. ; r.
recto	r°
réédition	rééd.
référence	réf.
règlement	règl^{t}
réimpression	réimpr.
réimprimé	réimpr.
remarque	rem.
réponse	R.
responsabilité	resp. ;
responsable	respons.
révisé	rév.
révision	rév.
route rurale	R.R.

S

saint(s)	S$^{t(s)}$
sainte(s)	S$^{te(s)}$
samedi	sam.
sans date	s.d.
sans lieu	s.l.
sans lieu ni date	s.l.n.d.
sans objet	S.O.
science	sc.
scientifique	sc.
seconde	s
secundo	2°
semaine	sem.
septembre	sept.[1]

service	serv.
signature	sign.
s'il vous plaît	s.v.p. ; S.V.P.
société	$S^{té}$
sommaire	somm.
statistique	stat. ; statist.
sténographie	sténogr.
sud	S.
suivant	suiv.
supplément	suppl.
surface	surf.
symbole	symb.
synonyme	syn.
système	syst.

T

technique	techn.
télécommunication	téléc. ; télécomm.
téléphone	tél.
température	t
tome	t.
traducteur	trad.
traduction	trad.
traduit par	trad.
transformateur	transf. ; transfo
transmission confidentielle	t.c.
très basse tension	TBT ; T.B.T.
très haute tension	THT ; T.H.T.
typographie	typogr.

U

ultra haute tension	UHT ; U.H.T.
unité	un.
université	univ.

V

vacances	vac.
véhicule	véh. ; véhic.
vendredi	ven.
verso	v°
vice-président	v.-p.
vice-président exécutif	v.-p.e.
vieux	Vx
voir	V. ; v.
volume	vol.
votre compte	v/c.
votre lettre	V/lettre
votre référence	V/Référence ; V/Réf. ; V/R

Francine Doray
Mi-septembre,
fin septembre 1980

1. Seuls les mois qui figurent dans la liste s'abrègent.
2. « *Les indices d'appartenance juridique (c^{ie}, inc., enr., l^{tée}...) ne sont obligatoires que dans les documents officiels, c'est-à-dire au moment de l'inscription aux registres de l'État ou sur les factures et le papier désigné de l'entreprise. Dans les autres cas, on devrait les omettre. À la fin d'une désignation de société, l'abréviation est de règle.* »
(SALVAIL, Bernard, *Problématique de la francisation des raisons sociales.*)

Sources consultées

CLAS, André, HORGUELIN, Paul A., *Le français, langue des affaires*, 1979.
GOURIOU, Charles, *Mémento typografique*, 1961.
HYDRO-QUÉBEC, direction Projets électrotechniques, *Guide technique*, 1976.
———, service Rédaction et Traduction, *Pour bien se comprendre*, chroniques publiées dans *Hydro-Presse*, 1975-1979.
Lexique des règles typographiques en usage à l'imprimerie nationale, 1975.
OFFICE DE LA LANGUE FRANÇAISE, *Le français au bureau*.
RADIO-CANADA, Comité de linguistique, *C'est-à-dire*, vol. 1, n° 11, janvier 1963.
SAUVÉ, Madeleine, « Les abréviations », *Observations grammaticales et terminologiques*, fiche n° 27, décembre 1974.
SYNDICAT NATIONAL DES CADRES ET MAÎTRISES DU LIVRE, DE LA PRESSE ET DES INDUSTRIES GRAPHIQUES, *Code typographique*, 1974.
TREMBLAY, Brigitte VAN COILLIE, *Guide pratique de correspondance et de rédaction*, 1976.

D'*une espace* à l'autre*

Le plaisir de l'œil, le confort de la lecture résultent davantage de l'emploi judicieux des caractères que de la beauté de ceux-ci.

On devrait pouvoir discerner la pensée d'un auteur rien qu'à voir la disposition de son texte... Que celui-ci soit transcrit à la machine à écrire, à la machine de traitement de textes ou photocomposé, il faudra toujours avoir à l'esprit que la présence des blancs est aussi indispensable que celle des parties imprimées. Puisque le blanc valorise le noir, il s'agit en fait de créer les contrastes qui attireront l'attention du lecteur. Enfin, il existe des règles très simples où l'espace trouve son utilité et même une signification.

Malgré que l'œil s'adapte très habilement à tous les types de caractères, des « maladresses techniques » peuvent le rebuter et même briser le rythme de lecture. En traitement de textes, les variantes sont beaucoup plus nombreuses et subtiles qu'en dactylographie. Il est très important de choisir un caractère en fonction de la longueur de la ligne et de l'interligne. Trop lâche, la ligne se fragmente ; trop serrée, elle est difficile à lire. On « blanchit » alors un texte en espaçant davantage les mots ou même les lettres. On peut aussi accroître l'intervalle entre les lignes, les alinéas, les paragraphes. On valorise un titre en l'isolant davantage du haut de la page ou du départ du texte, sans en grossir le caractère.

Ce n'est pas tout d'aérer ! Il s'agit aussi de bien occuper l'espace dont on dispose. Une page bien équilibrée a des marges qui valorisent le texte. Au départ, c'est le contenu du texte qui guide la présentation. Un texte à caractère administratif exigera une lecture continue alors qu'un texte journalistique sera composé en colonnes pour faciliter la lecture en mosaïque. Choisit-on de justifier son texte, on répartit l'espace entre les mots de sorte que toutes les lignes soient d'égale longueur. Mais un texte justifié exige qu'on devienne tolérant envers des coupures de mots qui manquent souvent d'élégance. Si on veut éviter toute coupure en fin de ligne, on préfère la composition en drapeau dont les lignes inégales sont alignées à droite ou à gauche. Cette dernière composition est idéale pour la disposition d'un texte en colonnes.

---

* En typographie, l'espace entre les mots ou entre les lettres est du genre féminin.

Composition justifiée
Le montant brut des Intérêts s'est élevé à 1 898 millions de dollars en regard de 1 648 millions de dollars en 1981 (voir la note 3 aux États financiers consolidés).

Composition en drapeau
Le montant brut des Intérêts s'est élevé à 1 898 millions de dollars en regard de 1 648 millions de dollars en 1981 (voir la note 3 aux États financiers consolidés).

D'anciens fabricants de livres ont édicté des règles simples et précises à l'usage des professionnels de l'écrit. L'on retrouve dans les codes typographiques des principes notamment sur l'écriture des nombres, la ponctuation, etc., où l'espace a son importance. Voyons quelques-uns de ces usages.

Espacements avant et après	; : ? ! – % & § $ ¢ ± ÷ x = + – km h pi °C « »
Espacements à l'extérieur seulement	( ) [ ]
Espacement après seulement	. , *
Pas d'espacement avant ni après	' - /

• On ne met pas d'espacement dans les numéros d'articles, lois, loteries, pages, adresses, excepté dans le code postal (H2A 2B9).

• Les nombres représentant une quantité sont séparés en groupes de trois, détachés par un espacement, même les décimales (6 325,32 $; 23 234,124 34).

Roxane Fraser
Fin juillet 1983

Sources consultées
GOURIOU, Charles, *Mémento typographique*, 1961.
Lexique des règles typographiques en usage à l'imprimerie nationale, 1975.
RAMAT, Aurel, *Grammaire typographique*, 1983.

VOCABULAIRE SPÉCIFIQUE À HYDRO-QUÉBEC

Générateur ou génératrice ?

Il arrive très souvent que l'on confonde **générateur** et **génératrice**. Voyons un peu quelle est la signification de chacun de ces termes et ce qui les différencie.

Les dictionnaires nous apprennent que, dans le domaine de l'électricité, le substantif générateur désigne un appareil qui transforme une énergie quelconque (thermique, mécanique, chimique, etc.) en énergie électrique alors que le substantif génératrice est réservé aux machines qui transforment l'énergie mécanique en énergie électrique.

La famille des générateurs comprend notamment la **pile électrique** et la **pile thermo-électrique**. En effet, la pile électrique est un appareil qui transforme l'énergie chimique en énergie électrique tandis que la pile thermo-électrique utilise l'énergie thermique pour produire de l'énergie électrique.

Parmi les génératrices, on trouve l'**alternateur**, la **dynamo** et la **magnéto**. L'**alternateur** est une génératrice tournante, fournissant de l'énergie électrique sous forme de courant alternatif lorsque son rotor est entraîné par une machine primaire. La **dynamo** est une génératrice, transformant l'énergie mécanique en énergie électrique sous forme de courant continu. La **magnéto** est une petite génératrice à courant continu dont l'inducteur est un aimant permanent. Il est à noter que les mots dynamo et magnéto, abréviations courantes de machine dynamo-électrique et de machine magnéto-électrique, sont féminins.

L'ensemble constitué par un moteur d'entraînement (à vapeur ou à explosion) et une génératrice (alternateur ou dynamo), montés sur un même socle, porte le nom de **groupe électrogène**. Il est donc fautif de parler de *génératrice de secours* pour désigner cet ensemble puisque la génératrice n'en est qu'un élément.

Nous voyons maintenant que **générateur** a une acception beaucoup plus vaste que **génératrice** car il peut s'appliquer à tous les appareils qui transforment une énergie quelconque en énergie électrique. Le terme génératrice est réservé aux machines qui transforment de l'énergie mécanique en énergie électrique. Les génératrices qui fournissent de l'énergie sous forme de courant alternatif sont des **alternateurs** et celles qui en produisent sous forme de courant continu sont des **dynamos** ou des **magnétos**.

Sylvie Achard
Mi-mai 1978

Sources consultées

COMMISSION ÉLECTROTECHNIQUE INTERNATIONALE, *Vocabulaire électrotechnique international*, publication 50, groupe 10, *Machines et transformateurs*, et groupe 411, *Machines tournantes*.
Grand Larousse encyclopédique, 1960.
LAROUSSE, *Encyclopédie de l'électricité*, 1969.
SIZAIRE, Pierre, *Dictionnaire technique de la construction électrique*, 1968.

Les centrales hydroélectriques ou comment faire de l'électricité avec de l'eau !

Au Québec, l'électricité est presque exclusivement produite à partir de l'eau. C'est une source d'énergie qui est à la fois propre et renouvelable. Pour transformer cette énergie en électricité, on utilise une **centrale hydroélectrique**. Voyons ce qui se passe entre le moment où l'eau entre dans la **centrale**[1] et celui où elle en sort.

L'eau qui entre dans une centrale provient soit d'un **réservoir**[2], sorte de lac artificiel que la construction d'un **barrage**[3] permet de créer, soit directement d'un cours d'eau. Selon la configuration du terrain, il est parfois nécessaire de construire un **canal d'amenée** qui, comme son nom l'indique, sert à diriger l'eau vers la centrale. Dans d'autres cas, on utilise plutôt un long tunnel appelé **galerie d'amenée**.

Prenons un cas simple, soit un barrage fermant un réservoir. On y trouve une ouverture par où l'eau pourra pénétrer dans la centrale. C'est la **prise d'eau**[4]. Elle est munie d'une **grille**[5] empêchant les objets flottants de pénétrer plus avant. Une **vanne**[6] permet de fermer la prise d'eau.

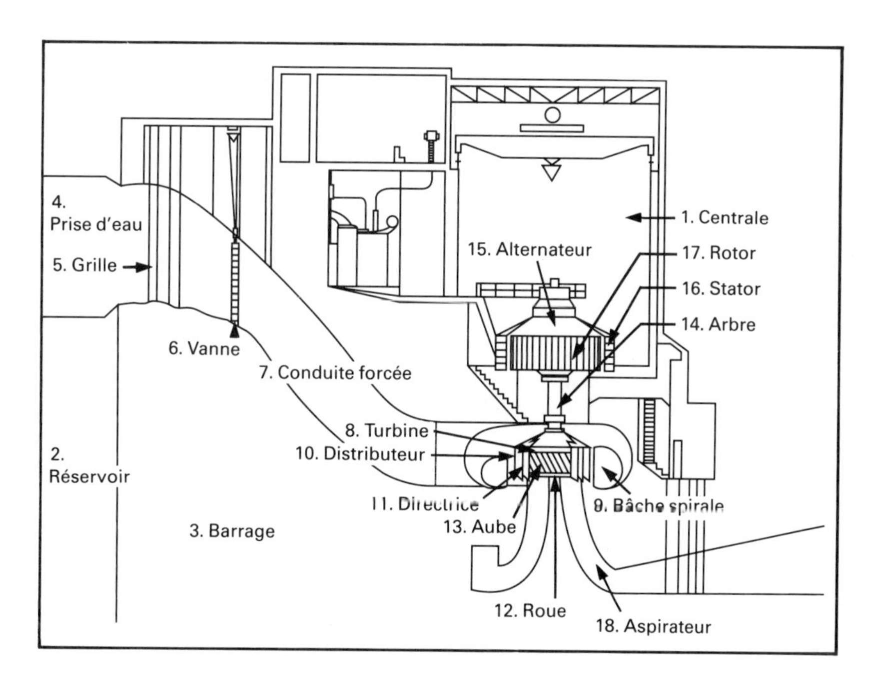

L'eau arrive ensuite dans la **conduite forcée**[7] généralement constituée par un gros tube métallique renforcé qui descend en pente vers la **turbine**[8]. À l'intérieur de la conduite forcée, l'eau est dirigée vers la **bâche spirale**[9], sorte de conduit métallique en forme de colimaçon qui entoure la turbine et assure l'arrivée régulière de l'eau sur son pourtour. En tournant dans la bâche spirale, l'eau atteint le **distributeur**[10]. Celui-ci est constitué de deux anneaux plats parallèles entre lesquels sont fixées des pièces profilées mobiles, les **directrices**[11], qui s'ouvrent et se ferment pour régler le débit de l'eau qu'on veut faire passer dans la turbine.

Après avoir traversé le distributeur et ses directrices, l'eau atteint la turbine elle-même, plus particulièrement la **roue**[12], qui est la partie mobile de la turbine. Elle est munie d'**aubes**[13] qui reçoivent la poussée de l'eau et font tourner la roue, transformant ainsi l'énergie cinétique de l'eau en énergie mécanique. Celle-ci est alors transmise par l'**arbre**[14] auquel la roue est accouplée. Dans son prolongement, l'arbre entraîne l'**alternateur**[15] auquel il est fixé.

L'alternateur, quant à lui, sert à produire le courant électrique. Il s'agit d'une machine tournante, composée d'une partie fixe, le **stator**[16], et d'une partie mobile, le **rotor**[17]. C'est le mouvement du rotor dans le stator qui produit l'énergie électrique. Cette énergie est ensuite envoyée dans le réseau.

Une fois turbinée, l'eau est entraînée dans un grand conduit généralement conique, l'**aspirateur**[18], qui permet la récupération de l'énergie cinétique que possède encore l'eau à la sortie de la roue. De là, l'eau est évacuée par le **canal de fuite** ou la **galerie de fuite** et poursuit sa route vers le cours d'eau.

Voilà comment on fait de l'électricité avec de l'eau !

Jean-Marc Lambert
Fin juillet 1985

Sources consultées

COMITÉ INTERENTREPRISES DE LA TERMINOLOGIE DES TURBINES ET DES ALTERNATEURS, *Vocabulaire de la turbine Francis* (projet), 1984.
COMMISSION INTERNATIONALE DES GRANDS BARRAGES, *Dictionnaire technique des barrages*, 1978.
ÉLECTRICITÉ DE FRANCE, *Aménagement de la Coche*, 1980.

Les barrages

Les barrages sont des ouvrages d'art faits pour retenir les eaux d'une rivière. Dans le cas d'un complexe hydroélectrique, le rôle du barrage est non seulement d'accumuler une réserve d'eau, mais aussi de créer une chute dans le but d'actionner les turbines d'une centrale.

S'il existe autant de types de barrages qu'il y a de situations topographiques, ceux-ci peuvent néanmoins se diviser en deux grandes catégories : les **barrages remblayés** (faits de matériaux meubles) et les **barrages en béton**.

Les barrages remblayés

La première catégorie se subdivise en **barrages en terre, barrages en enrochements** et **barrages mixtes**. On utilise surtout ce genre de barrages lorsque la roche en place n'a pas les qualités requises pour supporter un ouvrage en béton ou lorsqu'il serait trop onéreux d'enlever les couches de matériaux qui recouvrent la roche.

Le **barrage en terre** est constitué soit d'un massif de terre homogène, soit de deux remblais perméables (amont et aval), appelés **recharges**, qui encadrent un **noyau** imperméable vertical et qui assurent par leur masse la stabilité de l'ensemble sous la poussée de l'eau. Dans le premier cas, on parle d'un **barrage homogène** et dans le second, d'un **barrage à zones**.

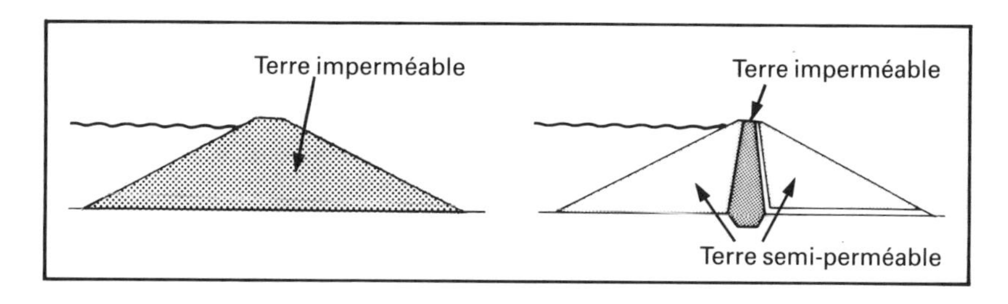

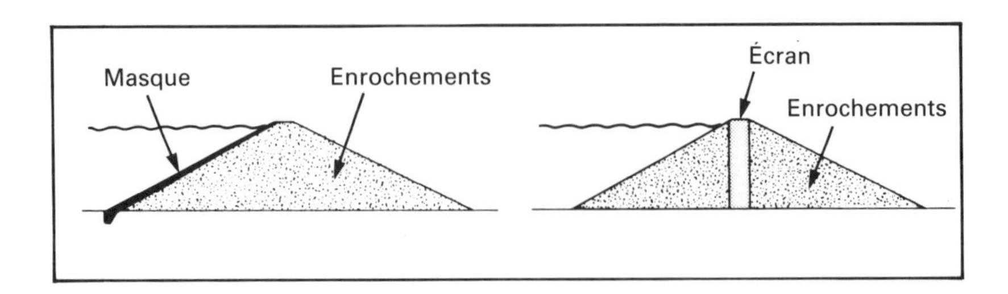

Le **barrage en enrochements** n'est en fait qu'un gros tas d'éléments rocheux dont on assure l'étanchéité par un organe placé soit dans le remblai de pierres – on parle d'un **écran** –, soit sur le parement amont – il s'agit alors d'un **masque** (barrage principal d'Outardes 2).

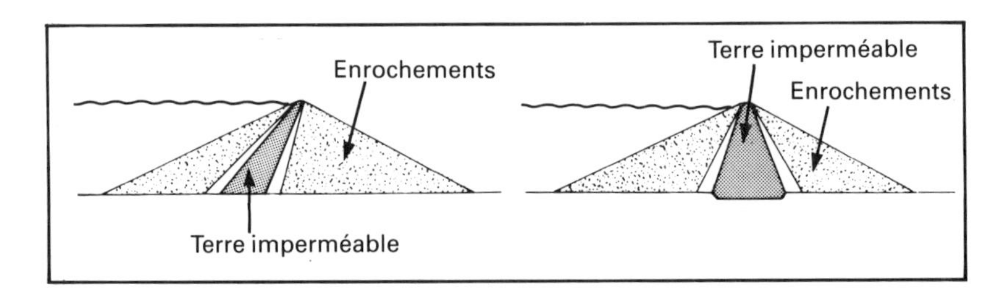

Enfin le **barrage mixte** comporte des recharges en enrochements au centre desquelles se trouve un noyau vertical ou incliné constitué de terre imperméable (Manic 3).

Les barrages en béton

Les barrages en béton regroupe les **barrages-poids**, les **barrages à voûtes** (unique ou multiples) et les **barrages à contreforts** ainsi que les variantes de ces ouvrages (le **barrage à contreforts à voûtes multiples**, par exemple).

Le **barrage-poids** prend le plus souvent la forme d'un gros mur implanté à travers une vallée suivant un axe rectiligne ou incurvé à très grand rayon (Outardes 3). À chaque niveau, son épaisseur d'une rive à l'autre est constante. Il résiste à la poussée de l'eau par sa masse qui l'empêche de basculer ou de déraper. Dans certains cas, une partie du barrage est évidée (Manic 2).

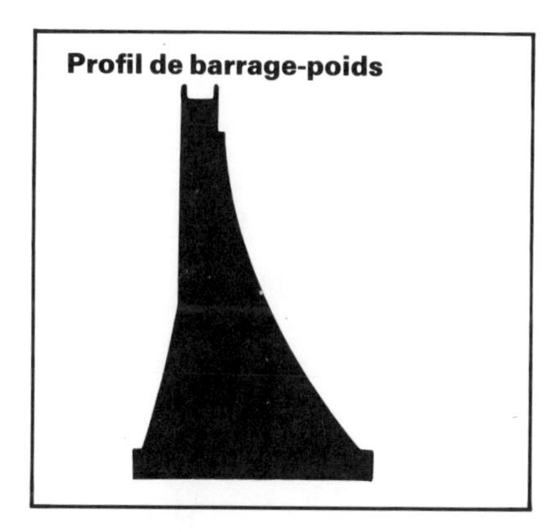

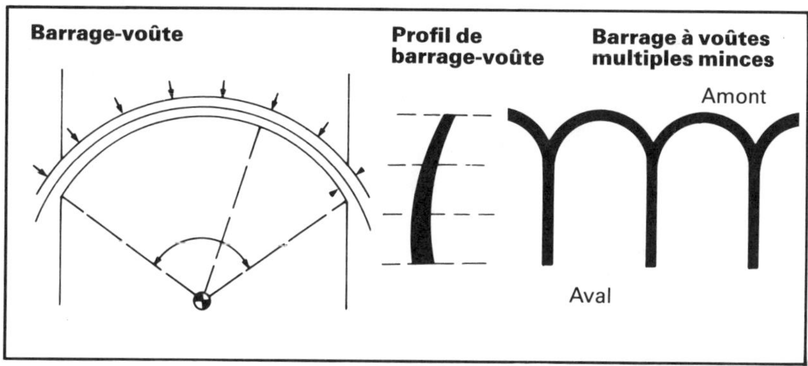

Les **barrages-voûtes** utilisent l'effet de voûte pour reporter sur les rives les forces exercées par l'eau retenue. Ils sont constitués d'une coque dont la convexité est tournée vers l'amont. Lorsque la vallée est très large, elle doit être barrée par plusieurs voûtes, à condition qu'on puisse leur ménager des points d'appui autres que les rives. Il s'agira d'éléments porteurs en béton appelés **contreforts**. Ainsi le **barrage à voûtes multiples** (Manic 5) peut être considéré comme une variante du barrage à contreforts.

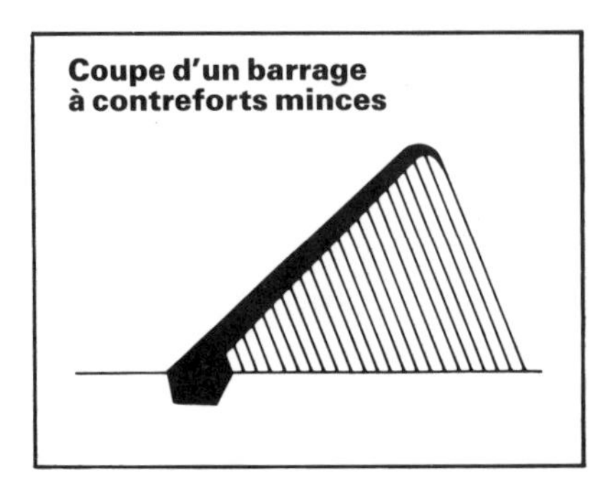
Coupe d'un barrage à contreforts minces

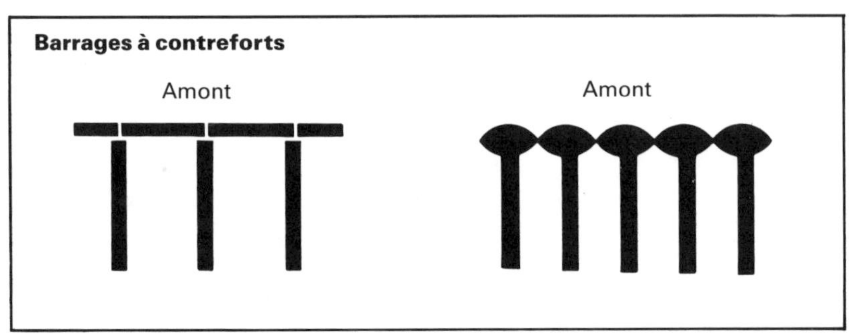

Barrages à contreforts

Les **barrages à contreforts** reportent l'effet de la poussée de l'eau sur le sol par l'intermédiaire de contreforts, de profil triangulaire, sur lesquels reposent, en amont, des éléments en béton.

Notre exposé ne représente qu'un tour d'horizon sommaire des grandes catégories de barrages. Sans être exhaustif, il permettra néanmoins au lecteur de repérer les distinctions fondamentales entre les divers types de barrages.

Claudine Aucuit
Fin mars 1983

Sources consultées
BELLIER, Jean, *Les barrages*.
COMMISSION INTERNATIONALE DES GRANDS BARRAGES, *Dictionnaire technique des barrages*, 1978.
Encyclopédie internationale des sciences et des techniques.
Encyclopédie pratique de la construction et du bâtiment.
Techniques de l'ingénieur.

Les vannes... au fil de l'eau

Dans les ouvrages et les installations qui composent un aménagement hydroélectrique, on trouve des dispositifs qui permettent le réglage du débit de l'eau ou la fermeture d'une conduite ou d'un orifice. Ces dispositifs, appelés **vannes**, sont constitués d'un obturateur qui arrête ou réduit le débit de l'eau ainsi que d'accessoires qui permettent de la manœuvrer. Nous allons décrire quelques types de **vannes** utilisées à Hydro-Québec, plus particulièrement celles qu'on trouve depuis l'amont, le long du chemin que prend l'eau pour produire de l'électricité dans une centrale.

Il y a d'abord la **vanne de prise (d'eau)**[1]. Elle est placée à l'entrée de la conduite qui amène l'eau vers les turbines. Les prises d'eau sont généralement équipées de **vannes plates**. C'est un type de **vanne** dont l'obturateur est un panneau appelé **tablier** qui permet de fermer une ouverture et qui se déplace dans des rainures, soit par simple glissement, soit sur des roues.

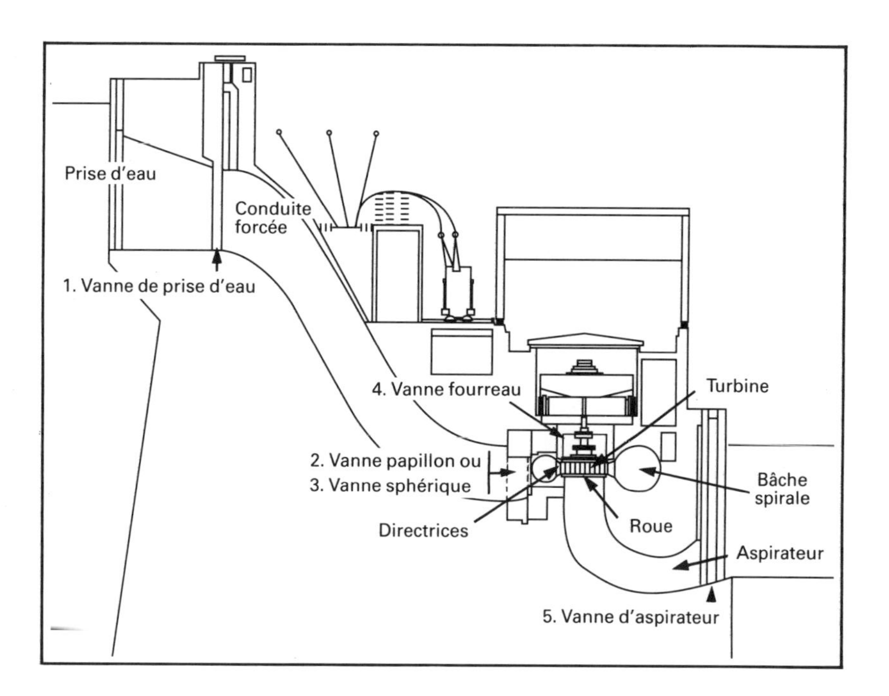

Vient ensuite la **vanne de garde de turbine** qui est destinée à isoler une turbine de la conduite qui l'alimente, soit pour en permettre l'entretien ou la réparation, soit pour empêcher une inondation de la centrale ou pour interrompre rapidement le débit de l'eau arrivant dans la turbine en cas d'incident d'exploitation. On compte généralement trois types de **vannes de garde de turbines**. La **vanne papillon**[2], ainsi nommée à cause de son obturateur appelé **papillon**, qui a la forme d'une lentille. Cet obturateur se déplace par rotation autour d'un axe perpendiculaire à l'écoulement de l'eau. La **vanne sphérique**[3] fonctionne comme la **vanne papillon**, mais son obturateur est une sphère percée. Ces deux types de **vannes** sont généralement intercalés entre la conduite forcée et la bâche spirale de la turbine. Enfin, il y a la **vanne fourreau**[4] qui équipe certaines turbines. Elle est constituée par un cylindre qui coulisse verticalement et qui, lorsqu'on l'abaisse, vient envelopper la roue de la turbine en s'insérant entre les directrices et les avant-directrices, ce qui empêche l'eau de pénétrer dans la turbine.

Enfin, on trouve la **vanne d'aspirateur**[5]. Cette **vanne** est placée à la sortie de l'aspirateur. Ici, comme pour la prise d'eau, c'est la **vanne plate** qu'on utilise.

Voilà un bref aperçu des principaux types de **vannes** qui équipent nos installations.

Jean-Marc Lambert
Fin juin 1986

Sources consultées

COMMISSION INTERNATIONALE DES GRANDS BARRAGES, *Dictionnaire technique des barrages*, 1978.
Encyclopédie des sciences industrielles Quillet, Tome E1, « Électricité – Électronique – Généralités. »
La Houille Blanche, numéro hors série, « Génissiat », 1973.
VARLET, Henri, *Turbines hydrauliques et groupes hydroélectriques*, 1964.

Crue millénaire ou millennale ?

En parlant de la crue des eaux, peut-on dire qu'elle est millénaire ou millennale ? Il s'agit ici de désigner une crue qui est susceptible de se produire une fois au cours d'une période de mille ans, c'est-à-dire dont la probabilité de récurrence est d'une fois par mille ans.

Le terme **millénaire** désigne ce qui a mille ans, une période de mille ans ou un millième anniversaire[1,2,3]. Il ne devrait donc pas être employé lorsqu'on veut signifier qu'un phénomène peut revenir tous les mille ans.

Bien que **millennal** ne soit pas répertorié dans les dictionnaires généraux, il est bien formé – sur le modèle de décennal et de centennal – et correspond au sens qui nous intéresse. Comme le terme décennal désigne ce qui se fait ou ce qui revient tous les dix ans et centennal, tous les cent ans[1,2,3], millennal désigne donc ce qui se produit ou ce qui revient tous les mille ans.

Après consultation de plusieurs ouvrages spécialisés, on constate que millennal tend à remplacer millénaire. En effet, dans les textes plus anciens, les auteurs n'employaient que millénaire. Sans doute hésitaient-ils à créer un néologisme et avaient, de ce fait, étendu le sens de millénaire. Toutefois, puisque décennal et centennal existaient déjà, on constate que par suite de l'évolution de la langue, le terme millennal est maintenant celui qui est le plus employé dans la documentation récente.

De plus, un organisme international qui groupe les plus grands spécialistes dans le domaine des barrages et de l'hydrologie, la Commission internationale des grands barrages, recommande l'emploi des termes suivants dans son dictionnaire[4]: **crue décennale, crue centennale, crue millennale**.

Par conséquent, en nous fondant sur ce qui précède, on désignera par **crue vicennale**[1] une crue qui est susceptible de se produire une fois tous les vingt ans. Quant à une crue qui peut survenir tous les cinquante ans, nous proposons crue **quinquagennale**, expression formée sur le modèle de crue vicennale. Nous aurons ainsi une famille de termes utilisant le même suffixe ; ce qui ne peut que faciliter la compréhension des textes.

Jean-Marc Lambert
Fin mars 1981

Références

1. *Grand Larousse de la langue française,* 1971-1978.
2. ROBERT, Paul, *Dictionnaire alphabétique et analogique de la langue française*, 1958-1964.
3. *Dictionnaire Quillet de la langue française*, 1975.
4. COMMISSION INTERNATIONALE DES GRANDS BARRAGES, *Dictionnaire technique des barrages*, 1978.

Autres sources consultées

COMMISSION INTERNATIONALE DES GRANDS BARRAGES, « Détermination des crues de projet », *Onzième congrès des grands barrages*, Madrid, 1973.
ÉLECTRICITÉ DE FRANCE, Service ressources en eau, *Résumé sur les méthodes d'évaluation des crues extrêmes*.
GINOCCHIO, Roger, *L'énergie hydraulique*.
SCHULE, Alain, « Les débits de crue des rivières des plaines océaniques à travers l'exemple de la Sarthe et de la Mayenne », *Bulletin des sciences hydrologiques*, vol. XXII, n° 1, 1977.

Personne-ressource

RASSAM, Jean-Claude, chef de division, Régulation des ressources, service Charges et Ressources, direction Production.

À *propos des* centrales à réserve pompée

À Hydro-Québec, on rencontre souvent l'expression *centrale à réserve pompée* pour désigner une installation constituée de deux réservoirs situés à des niveaux différents et séparés par une centrale hydroélectrique. Celle-ci produit de l'électricité lorsque l'eau s'écoule du réservoir supérieur vers le réservoir inférieur en passant par les turbines qui entraînent les alternateurs. Par contre, elle consomme de l'électricité lorsqu'elle pompe l'eau du réservoir inférieur pour la ramener vers le réservoir supérieur, généralement au cours de la nuit. C'est pourquoi les centrales de pompage sont généralement utilisées comme centrales de pointe.

Une centrale de pompage

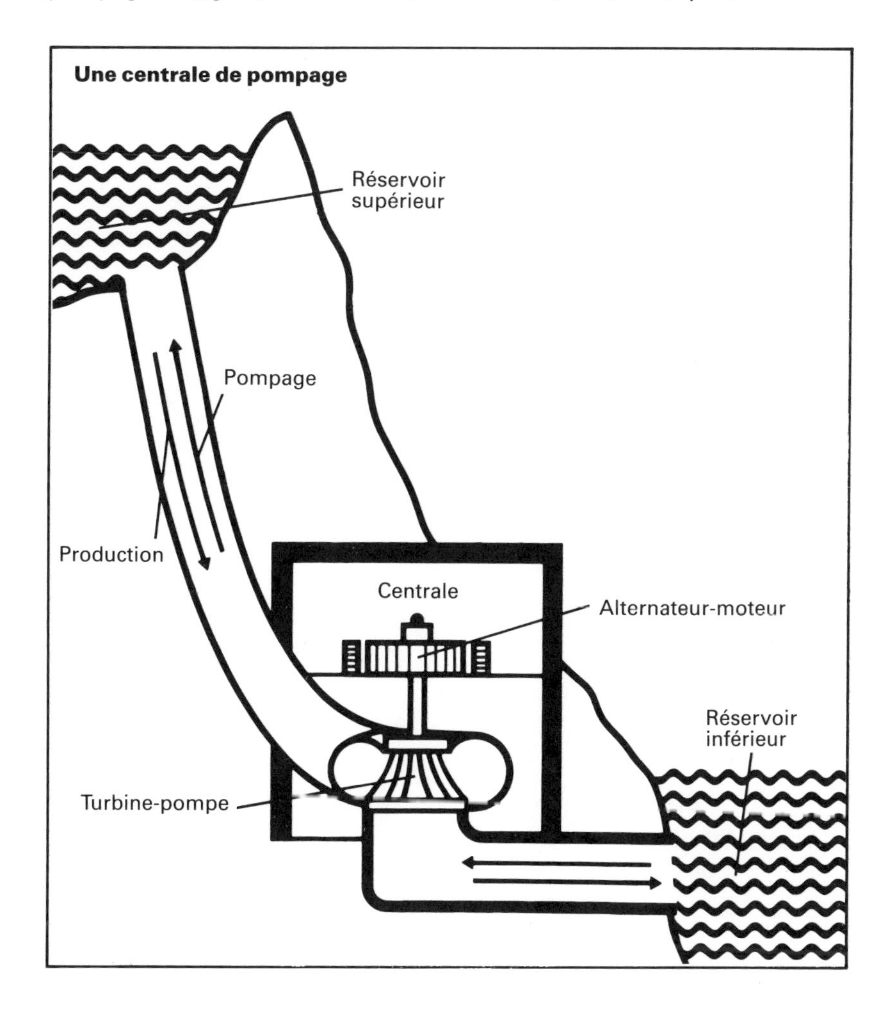

Il semble que l'expression *centrale à réserve pompée* soit une traduction littérale de l'anglais *pumped storage generating station*, car on ne la trouve nulle part dans la documentation en provenance des autres pays francophones. En effet, tous les ouvrages consultés emploient les expressions **centrale de pompage, usine de pompage, centrale à accumulation par pompage** ou **usine d'accumulation par pompage**. À noter qu'il ne s'agit pas d'une terminologie nouvelle, puisque ces centrales existent depuis bien avant la Seconde Guerre mondiale.

C'est l'expression **centrale à accumulation par pompage** qui décrit le plus exactement ce genre d'installation. Toutefois, l'expression **centrale de pompage** est celle qu'on rencontre le plus fréquemment dans les ouvrages et les revues spécialisés et que l'usage semble consacrer.

Jean-Marc Lambert
Fin novembre 1978

Sources consultées

Électricité (revue publiée à Bruxelles et éditée par l'Union des exploitants électriques de Belgique).
Encyclopédie internationale des sciences et des techniques, 1970-1973.
La Houille Blanche (revue publiée à Paris sous l'égide de la Société hydrotechnique de France).
Revue Brown Boveri, Baden, Suisse.
Revue générale de l'électricité, Paris.
Techniques de l'ingénieur.
Terminologie de l'exploitation des réseaux interconnectés de l'UCPTE (Union pour la coordination de la production et du transport de l'électricité), Paris.
ÉLECTRICITÉ DE FRANCE, *Thésaurus EDF*, 1982.

Les éoliennes

Si Don Quichotte vivait à notre époque, ce n'est plus contre les moulins à vent qu'il partirait en guerre mais contre les éoliennes ! Cette petite allusion à un personnage légendaire du XVIIe siècle montre bien que l'utilisation de la force du vent n'a rien de nouveau en soi. En effet, la navigation, la mouture des grains et le pompage de l'eau sont depuis longtemps tributaires de cette force naturelle. Ce qui est nouveau, c'est la mise au point d'une machine qui capte l'énergie du vent en vue de la transformer en énergie mécanique. Cette machine porte communément le nom d'**éolienne**. Le groupe, composé d'une génératrice entraînée par un rotor (ou turbine), s'appelle plus précisément **aérogénérateur**.

Il existe deux grandes catégories d'éoliennes : l'**éolienne à axe horizontal** (figure 1) et l'**éolienne à axe vertical** (figure 2). L'IREQ a installé une éolienne à axe horizontal à ses laboratoires généraux à Varennes et une éolienne à axe vertical aux îles de la Madeleine.

Figure 1
Éolienne à axe horizontal

Figure 2
Éolienne à axe vertical

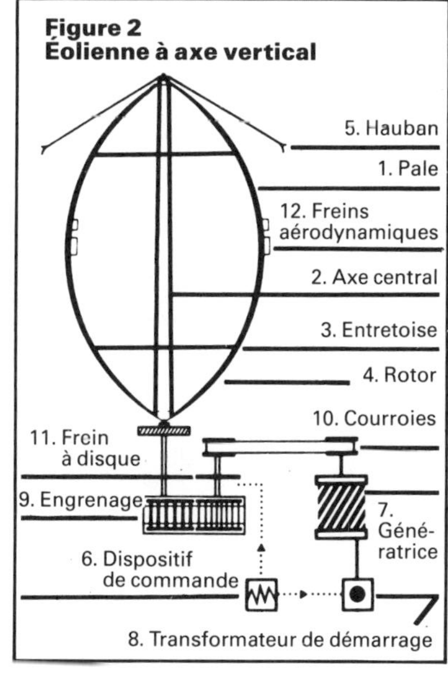

Nous avons choisi de décrire les composants de l'éolienne à axe vertical des îles de la Madeleine. Il s'agit en fait d'une éolienne Darrieus, du nom de l'ingénieur français qui l'a inventée. Cette éolienne est constituée de deux **pales**[1] incurvées en alliage d'aluminium. On trouve aussi le terme **aube** qui devrait cependant être réservé aux éoliennes à axe vertical ayant la forme d'une roue. Les pales, soutenues par l'**axe central**[2] et renforcées par des **entretoises**[3], jouent le rôle d'un **rotor**[4] (ou turbine). Quatre **haubans**[5] relient le sommet de l'axe à des socles de béton.

Une fois le **dispositif de commande**[6] réglé, la **génératrice**[7], alimentée par le réseau par l'entremise du **transformateur de démarrage**[8], fait tourner l'axe central qui, à son tour, entraîne les pales. La transmission, qui communique le mouvement de la génératrice à l'axe, comporte un **engrenage**[9] de même qu'un ensemble de poulies reliées par des **courroies**[10] trapézoïdales. Lorsque les pales ont atteint une certaine vitesse, l'énergie qui leur est fournie ne provient plus de la génératrice mais bien de la force du vent. La génératrice transforme alors cette énergie mécanique en énergie électrique. Quand le vent tombe, le **dispositif de commande**[6] déconnecte la génératrice du réseau et le système de **freins à disques à commande hydraulique**[11] entre en action. Les **freins aérodynamiques**[12] installés sur les pales constituent le système de freinage de secours.

Comme le prix du carburant augmente sans cesse, il n'est pas surprenant que l'on s'intéresse de plus en plus à l'énergie éolienne. Cette forme d'énergie, inépuisable et non polluante, ne peut laisser indifférents ceux qui se soucient de leur environnement. Qui sait, peut-être un jour devrons-nous tous avoir une éolienne pour « être dans l'vent » !

Marie Archambault
Mi-septembre 1979
Refonte

Sources consultées

HYDRO-QUÉBEC, vice-présidence Information, *L'électricité à tout vent*, 2e trimestre 1983.
______, direction Relations publiques, *L'électricité nouvelle*, juin 1979.
SÉGUIER, François, « Les éoliennes sont-elles dans le vent ? », *La recherche*, n° 64, février 1976.
VADOT, L., « Étude synoptique des différents types d'éoliennes », *La Houille Blanche*, n° 2, mars-avril 1957.
Écologie (revue publiée par les Éditions de la Surienne, Montargis), n° 6.
CONFÉRENCE MONDIALE DE L'ÉNERGIE, *Energy Terminology. A Multi-lingual Glossary*, Toronto, Pergamon Press, 1983.

Quelques termes « nucléaires »

Énergie atomique ou énergie nucléaire ?

Depuis la découverte de l'atome et de ses utilisations, on a toujours employé l'adjectif **atomique** : l'énergie atomique, les véhicules à propulsion atomique et, bien entendu, les armes atomiques. Au Canada, les premières entreprises œuvrant dans ce domaine portent encore leur raison sociale originale, par exemple : l'Énergie atomique du Canada, limitée ; la Commission de contrôle de l'énergie atomique.

Aujourd'hui, la physique atomique s'est tellement développée que l'on distingue nettement deux domaines : d'une part, celui de la physique de l'atome, c'est-à-dire des éléments indivisibles qui constituent la matière ; et, d'autre part, celui de la physique nucléaire, c'est-à-dire du noyau des atomes et de l'énergie fournie par une réaction de ces noyaux. La physique nucléaire est une partie de la physique atomique.

C'est désormais manquer de précision que de qualifier d'« atomique » un phénomène qui se produit au niveau du « noyau » de l'atome. On doit donc dire énergie nucléaire, véhicules à propulsion nucléaire, armes nucléaires.

Radiation ou rayonnement ?

Il était petit et tout vert, il n'avait pas de bouche et ses oreilles étaient pointues ! Il est descendu de sa soucoupe et a pointé vers moi une espèce d'arme nucléaire. Puis il a tiré ! J'ai immédiatement été atteint par les radiations.

Ce récit est probablement tiré d'un mauvais film de science-fiction des années 50. C'est sûrement aussi un film dont la langue manque de rigueur technique puisque le terrien aurait dû dire qu'il a été atteint par les **rayonnements**, et non par les **radiations**. En effet, en français, il y a une distinction entre ces deux termes.

La **radiation** est l'action d'émettre un rayonnement.

Le **rayonnement** est le résultat de la radiation.

On n'est donc pas atteint par les radiations, mais plutôt par les rayonnements. On appelle d'ailleurs **travailleurs sous rayonnements** les employés appelés à pénétrer régulièrement dans les zones contrôlées des centrales nucléaires.

La vie d'une centrale nucléaire

Il existe plusieurs étapes importantes dans la « vie » d'une centrale nucléaire. Tout commence par la **mise en service** (*commissioning*, en anglais) qui comprend les essais avant et après la construction de la centrale, le démarrage du réacteur, d'autres essais et le raccordement aux lignes.

Vient ensuite le **démarrage** ou **mise en route** (*start-up*). Il s'agit uniquement du démarrage du réacteur. Cette opération fait partie de la mise en service.

La **date de mise en exploitation** ou **date de mise en service** (*in-service date*) correspond au moment où la centrale commence à fournir de l'énergie aux abonnés.

Enfin, le **déclassement** (*decommissioning*) est l'arrêt, le démontage et le démantèlement de l'installation nucléaire.

Renée Lévy
Mi-juin 1980

Sources consultées
CHELET, Yves, *L'Énergie nucléaire.*
DUPRÉ, P., *Encyclopédie du bon français dans l'usage contemporain*, 1972.

Pot-pourri

Composant ou composante ?

Il est erroné de croire que les féministes utilisent le terme composante et les antiféministes, le terme composant. Il n'y a aucun rapport entre l'usage de ces expressions et la libération de la femme !

Composant est une partie d'un élément fonctionnel constituant une unité élémentaire considérée comme indivisible. Un composant défectueux n'est généralement pas réparé mais remplacé[1]. Ex. : tube électronique, relais, interrupteur.

Quant au terme **composante**, il est utilisé dans deux domaines : en mathématiques, où il décrit un vecteur, et en mécanique, où il se rapporte à une force. On l'utilise aussi au sens figuré : « *... des composantes complémentaires du réel*[2]... »

Pour désigner des choses concrètes, il est donc préférable de parler de **composant** plutôt que de **composante**, puisque ce dernier terme décrit uniquement des notions abstraites.

Maintenance

La **maintenance** est un terme qui se justifie à partir du mot **maintien**. Déjà utilisé à partir du XIIe siècle, il est entré dans le vocabulaire technique depuis quelques années et, depuis lors, il est largement accepté.

La **maintenance** s'applique à une réalité plus large que celle du simple entretien qu'elle englobe d'ailleurs. L'Office de la langue française a normalisé ce terme. Il est défini dans la *Gazette officielle du Québec*[3] :

Maintenance

N.f. Ensemble des opérations exécutées par un technicien spécialisé dans le but de maintenir un système ou une partie du système dans un état de fonctionnement normal. Les opérations comprennent l'inspection périodique de l'équipement, le remplacement systématique d'organes ou de parties d'organes et la réparation et la remise en marche après les pannes.

Le mot **maintenance** désigne donc un travail exécuté sur un appareil, une machine, etc. en bon état de fonctionnement, de manière à maintenir ses caractéristiques dans les limites prescrites.

Les réacteurs se suivent mais ne se ressemblent pas

Est-ce que Gentilly 2 est un **réacteur de production** ou un **réacteur de puissance** ? Il existe une nette distinction entre ces deux expressions. Dans son *Dictionnaire des sciences et techniques nucléaires*[1], le Commissariat à l'Énergie atomique donne les définitions ci-après.

Réacteur de production

Réacteur nucléaire conçu principalement pour produire des matières fissiles ou autres, ou pour assurer une irradiation à l'échelle industrielle. S'il n'est pas autrement qualifié, ce terme désigne habituellement un réacteur de production de plutonium. Les principaux réacteurs de cette classe sont : les **réacteurs de production de matières fissiles** ; les **réacteurs de production d'isotopes** ; les **réacteurs d'irradiation**.

Réacteur de puissance

Réacteur nucléaire conçu principalement pour produire de l'énergie. Les principaux réacteurs de cette classe sont : les **réacteurs de production d'électricité**, les **réacteurs de propulsion** et les **réacteurs de production de chaleur**.

On constate donc qu'un **réacteur de production** produit des matières fissiles, tandis qu'un **réacteur de puissance** fournit de l'énergie. Gentilly 2 est donc un réacteur de puissance.

Renée Lévy
Mi-août 1980

Références

1. COMMISSARIAT À L'ÉNERGIE ATOMIQUE, *Dictionnaire des sciences et techniques nucléaires*, 1975.
2. *Grand Larousse de la langue française*, 1971.
3. *Gazette officielle du Québec*, 15 septembre 1980, 111e année, nº 37.

Des grappes atomiques ?

– Savez-vous ce que c'est une grappe ?

– Mais bien sûr ! C'est un groupe de grains de raisin, voyons !

– Eh bien oui, mais ça peut être autre chose... Une grappe, c'est aussi un groupe de crayons !

– Une grappe de crayons ? ! Ça ne tient pas debout !

– Peut-être pas debout, mais ça tient. De plus, les crayons sont creux et contiennent des pastilles.

– Des pastilles ! Des pastilles de menthe peut-être ? Franchement, vous n'êtes pas gêné, vous !

– Mais non, mais les crayons, eux, doivent l'être puisqu'ils ont une gaine !

– Dites donc, êtes-vous sûr d'avoir les pieds sur terre ?

– Oh si, ne vous inquiétez pas, mais un crayon, lui, aurait plutôt les pieds sur glace : il est muni de patins !

– Des patins ! Alors là, je donne ma langue au chat ! De quoi parlez-vous au juste ?

– Eh bien, soyons sérieux, je parle des pièces qui constituent le combustible des réacteurs nucléaires canadiens, les réacteurs CANDU (CANadian Deuterium Uranium).

Grappe de combustible

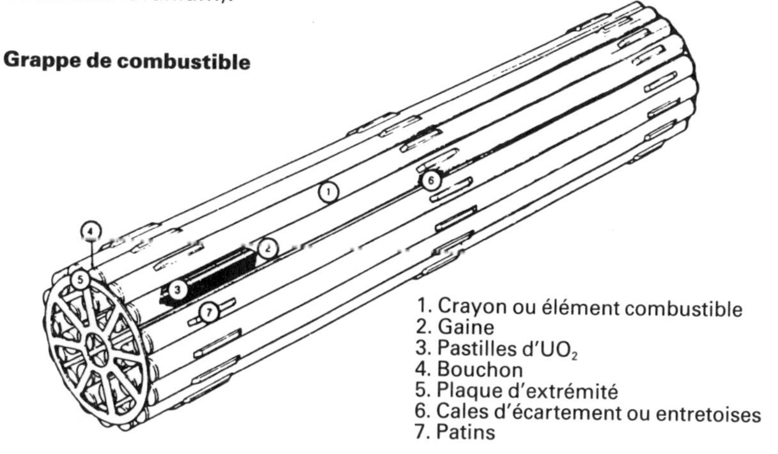

Une **grappe de combustible** est un groupe de crayons juxtaposés et montés parallèlement. Le **crayon**[1], appelé aussi **élément combustible** ou **élément**, est constitué d'un long cylindre métallique nommé **gaine**[2], de **pastilles d'uranium**[3] empilées à l'intérieur et de deux **bouchons**[4] soudés aux extrémités de la gaine pour la rendre étanche. Dans le cas des réacteurs CANDU, les pastilles de combustible sont faites en général de poudre de bioxyde d'uranium (UO_2). La poudre est comprimée et **frittée,** c'est-à-dire chauffée à une température assez élevée pour que les particules d'uranium se soudent les unes aux autres. Avant le frittage, les pastilles sont appelées **pastilles crues, comprimés crus** ou **comprimés**. Il faut éviter d'employer l'expression *pastilles vertes* qui est un calque de l'anglais *green pellets*. De plus, certains types de crayons comprennent une pastille terminale différente des autres : elle est creuse et faite de matière réfractaire. Son but est de laisser un volume libre dans le crayon pour permettre le dégagement de certains gaz au cours de la réaction nucléaire. Cette pastille s'appelle, il va de soi, **pastille réfractaire creuse** ou **pastille creuse** (*plenum*). Les extrémités des crayons sont soudées à deux plaques métalliques ajourées appelées **plaques d'extrémités**[5]. La distance entre les crayons est maintenue par des **cales d'écartement** ou **entretoises**[6] soudées sur les gaines.

Les **patins**[7] sont des petites bandes de métal soudées aux crayons de la couronne extérieure de la grappe et servant de surface de frottement ou de surface d'appui lorsque la grappe est introduite dans le **tube de force**.

– Bon, voilà que ça recommence ! Et qu'est-ce qu'un tube de force ?

– Ah, chaque chose en son temps ! Vous savez à présent ce qu'est une grappe de combustible ; la prochaine fois, je vous expliquerai où elle se situe par rapport au réacteur nucléaire (voir article « Au coeur du réacteur »).

Renée Lévy
Mi-novembre 1976

Au cœur du réacteur

Dans l'article « Des grappes atomiques ? », je vous ai expliqué ce qu'est une grappe, mais je vous ai laissé sur votre appétit en vous parlant de **tubes de force**. Eh bien, vous allez savoir ce que cette expression signifie, ainsi que d'autres, tels **combustible épuisé** et **piscine**.

– Une piscine pour du combustible épuisé, dites-vous ? Pas bête ce combustible ! Si j'étais épuisé, j'irais aussi à la piscine. C'est un bon moyen de se détendre ! Mais revenez-en aux tubes de force : vous m'intriguez !

– Parfait ! Nous disions donc que la **grappe de combustible**[1] est introduite dans une sorte de canal appelé **tube de force**[2]. Ce tube contient aussi de l'**eau lourde** (D_2O) sous pression ou de l'**eau légère** (eau ordinaire, H_2O), qui sert à évacuer la chaleur : c'est le **caloporteur**[3]. Les tubes sont appelés **tubes de force** parce qu'ils sont conçus pour résister à la pression du fluide de refroidissement. Chaque tube contient plusieurs grappes et l'ensemble de ces tubes forme le **cœur** du réacteur, c'est-à-dire la partie où se produit la réaction nucléaire. Les tubes sont contenus dans un récipient appelé **cuve**[4]. Dans le cas des réacteurs CANDU (CANadian Deuterium Uranium), on utilise le terme **cuve** plutôt que les termes *caisson* ou *calandre*.

Schéma des composants d'un réacteur CANDU

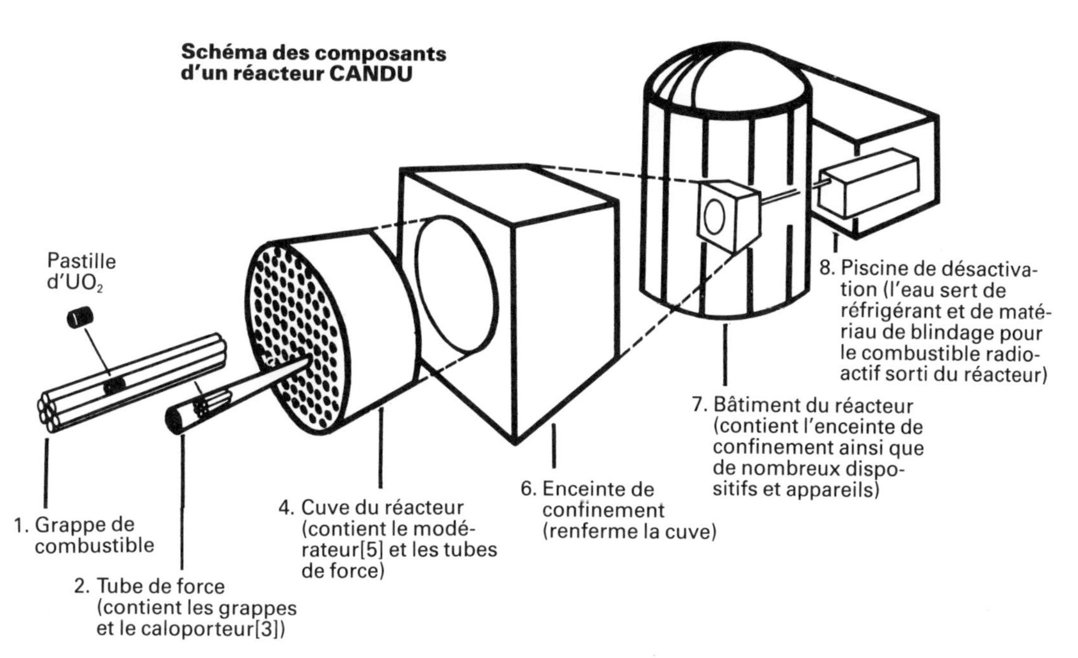

La cuve est remplie d'eau lourde servant de **modérateur**[5], c'est-à-dire de substance ayant la propriété de ralentir les neutrons à une vitesse à laquelle la fission de l'uranium est plus probable. La cuve est entièrement entourée par du béton qui assure le confinement des matières radioactives, même en cas d'accident. C'est l'**enceinte de confinement** ou **enceinte de rétention**[6]. La cuve et l'enceinte se trouvent à l'intérieur du **bâtiment du réacteur**[7] dont les murs en béton précontraint ont plusieurs pieds d'épaisseur.

Quand le combustible a atteint les limites prévues et ne peut plus être utilisé dans le réacteur, on dit qu'il est épuisé ou irradié (de préférence à usé ou utilisé). À ce moment, on le transfère mécaniquement dans une **piscine de désactivation**[8] où il est entreposé jusqu'à ce que sa radioactivité ait décru au-dessous d'un niveau déterminé.

– C'est bien ce que je disais : le combustible va à la piscine pour se détendre !

– Plaisantin, va !

Renée Lévy
Fin novembre 1976

Le transport et la distribution

Au fil des lignes

Ligne, artère et circuit à basse tension

Certaines unités administratives ont jusqu'à présent utilisé les mots *ligne, artère* et *circuit à basse tension* pour désigner respectivement une installation de transport à haute tension, une installation de distribution à moyenne tension et une installation de distribution à basse tension.

Or, après étude, il ressort qu'on ne peut, en aucun cas, établir un rapport entre ces termes et le niveau de tension des installations de transport et de distribution. Une **ligne (électrique)** est un ensemble de conducteurs, d'isolateurs et d'accessoires destinés au transport ou à la distribution de l'énergie électrique. Une **artère** ou **feeder** est une ligne qui alimente un réseau et ne comporte aucune dérivation sur son parcours. Un **circuit** est un système de conducteurs dans lequel circule un courant électrique.

Il a donc été convenu avec les intéressés de remplacer ces trois expressions par **ligne de transport** ou **de répartition, ligne de distribution moyenne tension** et **ligne de distribution basse tension** et de les définir ainsi :

Ligne de transport
ou **de répartition**

Ligne aérienne ou souterraine servant au transport ou à la répartition de l'énergie électrique à une tension de 44 à 765 kV.

Ligne de distribution
moyenne tension

Ligne aérienne ou souterraine servant à la distribution de l'énergie électrique à une tension de 2,4 à 34,5 kV.

Ligne de distribution
basse tension

Ligne aérienne ou souterraine servant à la distribution de l'énergie électrique à une tension de 750 V ou moins.

Ces définitions apparaissent dans le *Code d'exploitation*, 5e éd., 1986.

Émondage et élagage

À Hydro-Québec, le travail qui consiste à ébrancher, tailler ou abattre des arbres pour dégager les lignes aériennes s'est longtemps appelé *émondage*.

Cependant, c'est le terme **élagage** que les dictionnaires et les ouvrages spécialisés définissent comme une opération qui consiste à supprimer les branches mortes, alléger la ramure ou encore façonner la cime d'un arbre. Il se pratique sur des arbres de toutes hauteurs ; c'est un travail parfois dangereux, qui est confié à des spécialistes, les élagueurs.

Par contre, l'**émondage** est soit un élagage sommaire qui débarrasse l'arbre des branches mortes ou superflues, soit un mode d'exploitation qui consiste à faire naître des rejets dont on utilise le bois.

À Hydro-Québec, le personnel affecté à l'entretien et à l'abattage des arbres doit généralement travailler sur de grands arbres, supprimer de grosses branches et au besoin redonner à l'arbre un profil esthétique. Les travaux qu'il effectue sont donc de l'**élagage** et le travailleur spécialisé est un **élagueur**.

Outils isolants

Pour exécuter des travaux sur les lignes sous tension, on utilise des **outils isolants** (perche isolante, tirant d'ancrage, etc.) en raison de leur conductibilité nulle ou extrêmement faible.

Nous vous rappelons que l'expression *outils vivitechniques* est un calque de l'américain *live-line tools* ; elle ne doit pas être utilisée pour désigner les outils isolants.

Francine Doray
Fin septembre 1984

Sources consultées

COMMISSION ÉLECTROTECHNIQUE INTERNATIONALE, *Terminologie pour l'outillage et le matériel à utiliser dans les travaux sous tension*, publication 743, 1983.
HYDRO-QUÉBEC, Comité des normes d'entretien des lignes de transport, *Travaux sous tension*, 1974.
______, service Rédaction et Terminologie, *Études des termes émondage et élagage*, mars 1971 et révision de 1973.
______, Étude terminologique n° 83-3, *Ligne, artère et circuit*, septembre 1983.
______, Dossier de terminologie, *Ligne, artère et circuit à basse tension*.
______, Sous-comité de normalisation des outils isolants et des accessoires pour travaux sous tension, *Lexique des outils isolants et des accessoires pour travaux sous tension*, décembre 1973.

Les pylônes

La plupart des lignes aériennes du réseau de transport d'Hydro-Québec sont supportées par des constructions métalliques de formes variées : pylônes tubulaires ou en treillis, pylônes haubanés, pylônes Mae West, pylônes à deux ternes, à ternes multiples, etc. À noter que le mot *tour* utilisé pour désigner un pylône est erroné.

Nous décrivons ici l'un des types de pylônes les plus couramment utilisés à Hydro-Québec, soit le pylône Mae West (figure 1). Ce pylône, formé de nombreux profilés assemblés par boulonnage, se compose essentiellement de deux parties : la **tête**[1] et le **fût**[2]. La ligne de démarcation entre les deux s'appelle **corset**[3].

La **tête** est la partie du pylône où sont fixés les **chaînes d'isolateurs**[4] et les **conducteurs**[5]. L'**armement**, c'est-à-dire la disposition des conducteurs, est, le plus généralement, en **nappe** (figure 1) ou en **double drapeau** (figure 2). La tête comporte une **fourche**[6], des **consoles**[7], une **poutre**[8] et des **chevalets de câble de garde**[9]. Le **câble de garde**, généralement placé au-dessus des conducteurs de phase, sert à protéger ces derniers contre les coups de foudre directs.

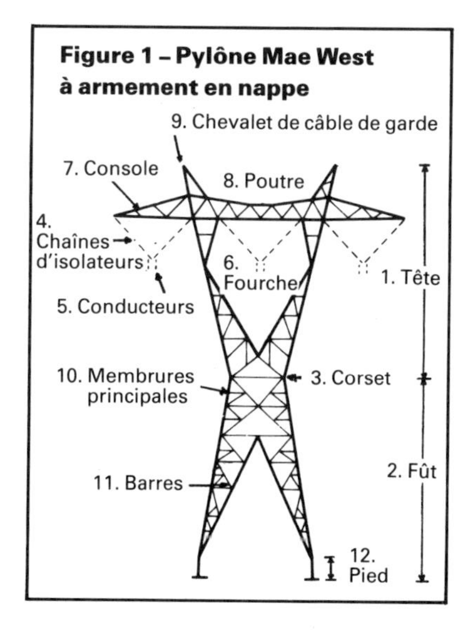

Figure 1 – Pylône Mae West à armement en nappe

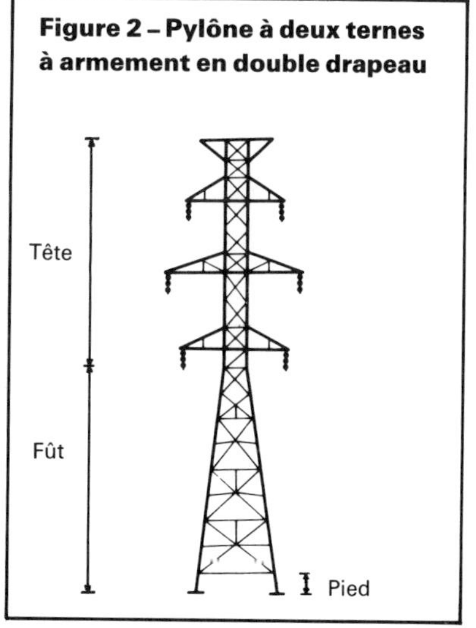

Figure 2 – Pylône à deux ternes à armement en double drapeau

Le **fût** du pylône est formé de quatre **membrures principales**[10] (ou **montants**) et d'un nombre variable de **barres**[11]. L'extrémité inférieure des membrures principales est souvent improprement appelée *pattes* ou *jambes*. Chaque membrure principale est fixée à une fondation au moyen d'une embase. L'**embase** est un élément profilé généralement fixé à une grille métallique ou quelquefois scellé dans un massif, et sur lequel on fixe la membrure principale du pylône. L'ensemble embase-fondation forme le **pied**[12] du pylône.

Louise Vinet
Fin janvier 1976
Refonte : Marie Archambault

Les poteaux en bois

Hydro-Québec achète annuellement, pour son seul réseau de distribution, quelque 60 000 poteaux en bois destinés à supporter les nouvelles lignes et à remplacer les poteaux détériorés.

Dans cette chronique, nous décrivons brièvement le traitement du poteau, l'établissement des fouilles, ainsi que le transport, le levage, l'armement, l'ancrage et le haubanage des poteaux. Enfin, nous abordons le déroulage et le réglage des conducteurs, l'usage en commun et l'éclairage public.

Traitement du poteau

Comme le bois pourrit dans la zone où il sort du sol en raison des alternances de sécheresse et d'humidité et qu'il est parfois rongé par les insectes, les fournisseurs soumettent les poteaux à divers procédés de conservation et de préservation. En général, on **imprègne** le bois d'antiseptiques puissants comme des cristaux de pentachlorophénol dissous dans le pétrole. L'**imprégnation** se fait généralement sous pression.

Transport des poteaux

Le transport des poteaux se fait au moyen d'un **triqueballe**, remorque à deux ou à quatre roues conçue pour transporter des objets allongés et lourds.

Établissement des fouilles

Dans les endroits facilement accessibles, on creuse une **fouille** à l'aide d'une **pelle hydraulique** ou d'une **grue-tarière**. Dans les endroits inaccessibles aux engins de chantier, on utilise une **pelle**, une **barre à mine** ou une **pelle-curette**.

Implantation des poteaux

Levage

L'**implantation** désigne l'action de planter un poteau. À l'aide d'une **grue** et d'un **treuil**, on lève le poteau en le faisant glisser dans la **fouille** préalablement creusée. Ensuite, on cale solidement le poteau, puis on tasse de la terre ou des pierres autour de la partie à enterrer (**pied**[1]) (voir illustration à la page suivante).

Armement

On désigne par **armement**[2] la disposition des conducteurs d'une ligne aérienne sur un support et, par extension, les pièces servant à fixer les **isolateurs**[3] sur ce support, notamment les **traverses**[4], les **ferrures**[5] et les **contrefiches**[6]. En général, l'armement est **horizontal, vertical** ou **triangulaire.** On peut armer le poteau avant ou après le levage, selon le cas.

Ancrage et haubanage

Pour assurer la stabilité des poteaux et augmenter leur résistance à la traction et aux charges occasionnées par le verglas ou le givre, ainsi que par le poids des conducteurs et de certains appareils (transformateurs, disjoncteurs, sectionneurs), on a recours au **haubanage**. Le **hauban**[7] est une tige ou un câble métallique relié à une **tige d'ancrage**[8] au bout de laquelle se trouve une **ancre**[9] appropriée à la nature du sol et assujettie à environ six pieds sous terre.

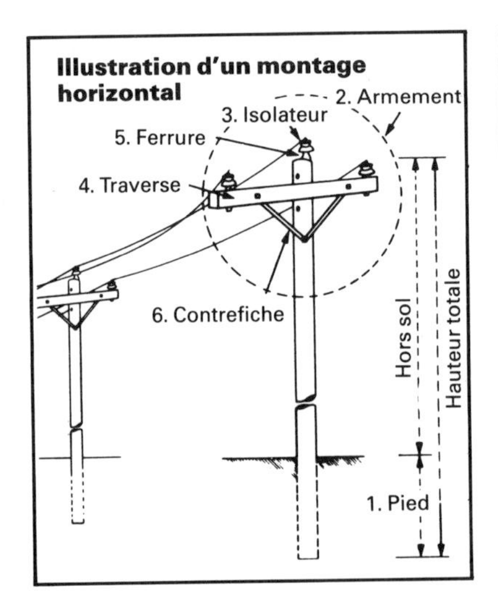

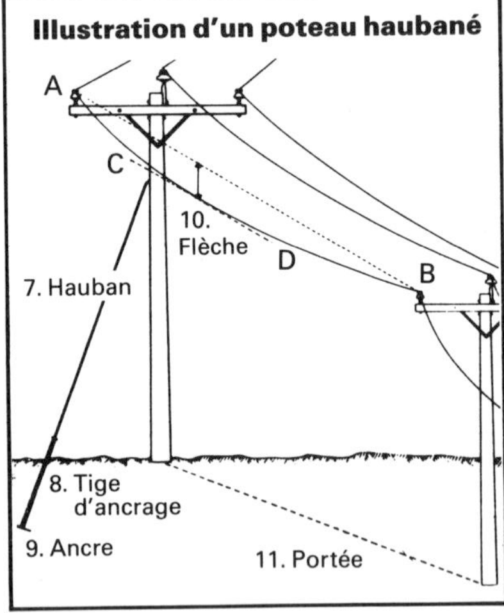

Déroulage et réglage des conducteurs

Dans le cas des lignes nouvelles, notons parmi les étapes qui précèdent la mise sous tension le **déroulage** et le **réglage** des conducteurs. Le réglage consiste à donner à un conducteur, en s'appuyant sur des mesurages de flèche, la tension mécanique prédéterminée correspondant à la température du conducteur. Notons que la **flèche**[10] est la distance maximale verticale, dans une portée, entre un conducteur (C-D) et la droite (A-B) qui joint ses points d'accrochage sur les supports, et que la **portée**[11] est la distance entre les points d'accrochage d'un conducteur sur deux supports consécutifs.

Usage en commun

Les poteaux en bois du réseau de distribution d'Hydro-Québec servent souvent de supports pour les lignes aériennes de télécommunications et de câblodistribution. On parle alors d'**usage en commun**.

Éclairage public

Les poteaux du réseau de distribution sont utilisés dans bien des cas pour l'**éclairage public**. On fixe aux poteaux, à une hauteur appropriée, une **console** à l'extrémité de laquelle se trouve un **luminaire**. La commande de la lampe se fait grâce à une **cellule photoélectrique** sensible à l'éclairage naturel.

Paul Leroux
Mi-janvier et mi-février 1979
Refonte : Marie Archambault

Sources consultées

ÉLECTRICITÉ DE FRANCE, *Les poteaux en bois (...) lignes de distribution d'énergie électrique.*
Engins et outillages pour travaux électriques, Egi (marque déposée).
HYDRO-QUÉBEC, *Normes de distribution – Construction aérienne*, 1979.
MEURS, M., *Étude des lignes aériennes*, 1963.
MIET, M., *Étude et équipement des lignes aériennes*, 1952.
QUILLET, *Encyclopédie pratique – Applications électriques*, 1965.
SIZAIRE, Pierre, *Dictionnaire technique de la construction électrique*, 1968.
TUCOULAT, Pierre, *Construction des lignes aériennes*, 1967.
UNION TECHNIQUE DE L'ÉLECTRICITÉ, *Normes – Vigilance*, n° 56, juin 1977.

Personne-ressource

BROCHU, Paul-Henri, chef de division, Construction, direction Distribution.

Les *isolateurs*

L'**isolateur** sert à retenir mécaniquement les conducteurs aux supports et à assurer l'isolement électrique entre ces deux éléments. Il est constitué de deux parties : une **partie isolante** et des **pièces métalliques** scellées sur cette partie isolante. Le **scellement**, généralement du mortier de ciment, assure la liaison mécanique des parties isolantes entre elles ou aux pièces métalliques.

On distingue deux principaux types d'isolateurs : les **isolateurs rigides** et les **éléments de chaîne**.

L'**isolateur rigide** (figure 1) est relié au support par une **ferrure** qui, très souvent, est une **tige**. Le conducteur est fixé directement à l'isolateur à l'aide d'un **fil d'attache**. Les isolateurs rigides à tige comportent une ou plusieurs **cloches** assemblées de façon permanente. Il existe également des **isolateurs rigides à socle** constitués d'une ou plusieurs pièces en céramique ou en matériau synthétique, assemblées de façon permanente sur un socle métallique. Les isolateurs à tige sont utilisés, en position verticale, horizontale ou oblique, pour les lignes de distribution, de même que pour les lignes télégraphiques et téléphoniques. Ainsi, les **poulies** (que l'on nomme à tort *isolateurs-bobines*) sont généralement montées en position horizontale.

L'**élément de chaîne** est relié à d'autres éléments, à la pince de suspension du conducteur ou au support de façon flexible, par un assemblage à **rotule et logement de rotule** (*ball and socket*) ou à **chape et tenon**. Il existe deux types principaux d'isolateurs suspendus : les **isolateurs à capot et tige** (figure 2) et les **isolateurs à long fût** (figure 3). Dans le cas des isolateurs à capot et tige, chaque élément est constitué d'un **capot**, d'une partie isolante en forme de **jupe** et d'une **tige**. L'isolateur à long fût est constitué d'un bâton cylindrique en céramique, muni d'**ailettes**, à chaque extrémité duquel est fixée une pièce métallique de liaison. Les isolateurs suspendus sont utilisés pour les lignes de transport.

Un ensemble de plusieurs éléments de chaîne forme une **chaîne d'isolateurs**. Les chaînes verticales ou obliques suspendent les conducteurs aux pylônes d'alignement ; on les appelle **chaînes de suspension** ou **chaînes d'alignement** (figure 4). Une chaîne de suspension peut être **simple** (4.1), **double** (4.2), **en A** (4.3) ou **en V** (4.4). Les chaînes horizontales relient les conducteurs aux pylônes d'ancrage ; on les appelle **chaînes d'ancrage** (figure 5). Une chaîne d'ancrage peut être **simple** ou **double**.

Figure 1 – Isolateur rigide à tige

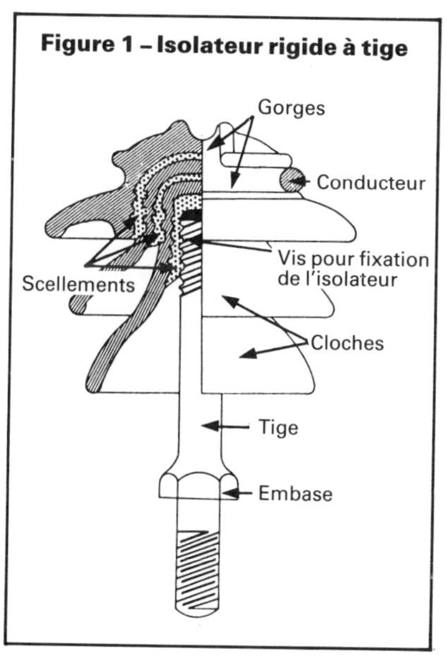

Figure 2 – Isolateur à capot et tige

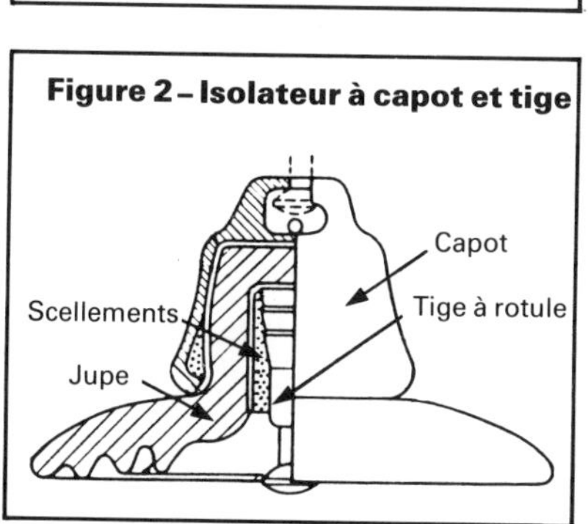

Figure 3 – Isolateur à long fût

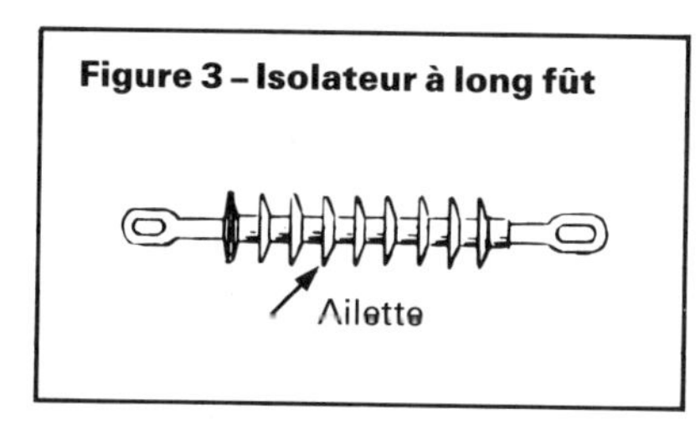

Figure 4 – Chaînes de suspension

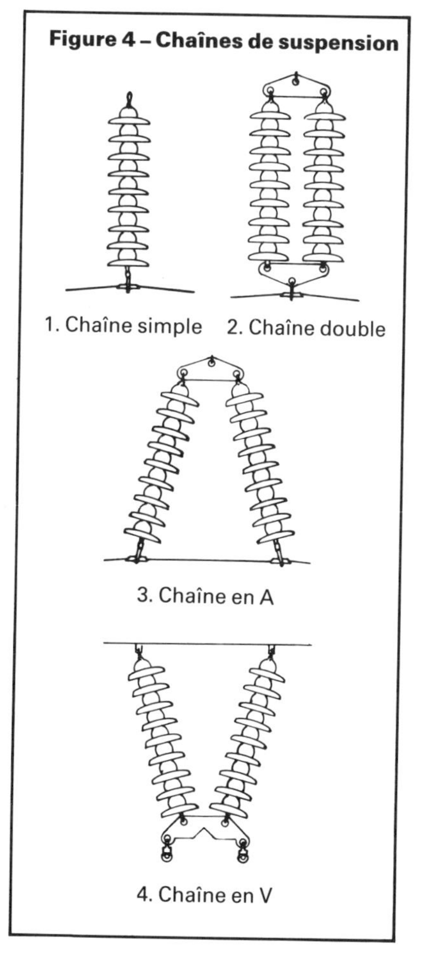

1. Chaîne simple 2. Chaîne double

3. Chaîne en A

4. Chaîne en V

Figure 5 – Chaîne d'ancrage

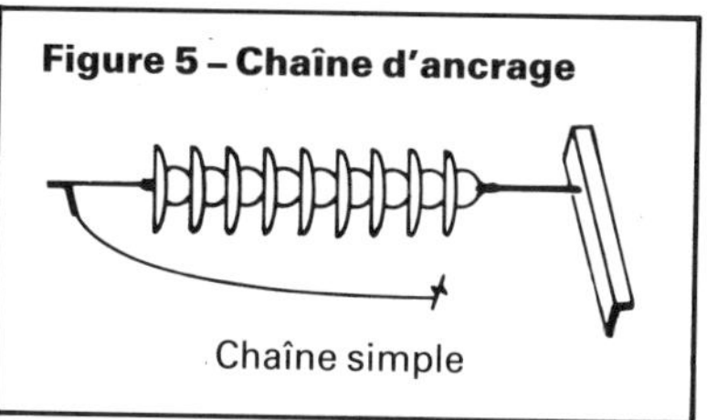

Chaîne simple

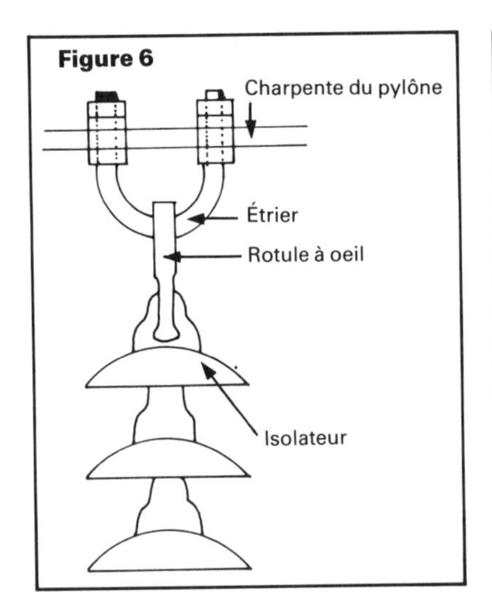

Figure 6

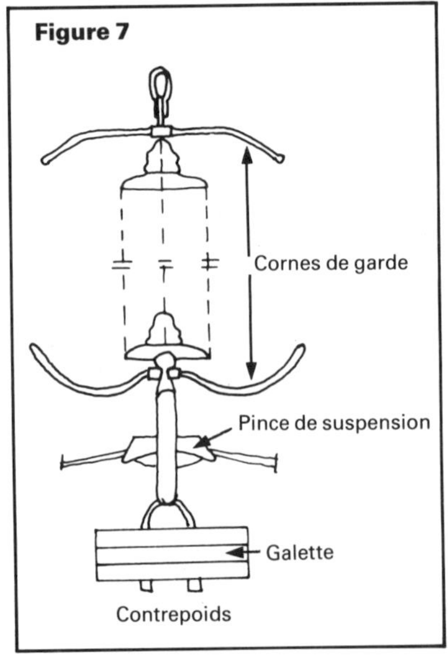

Figure 7

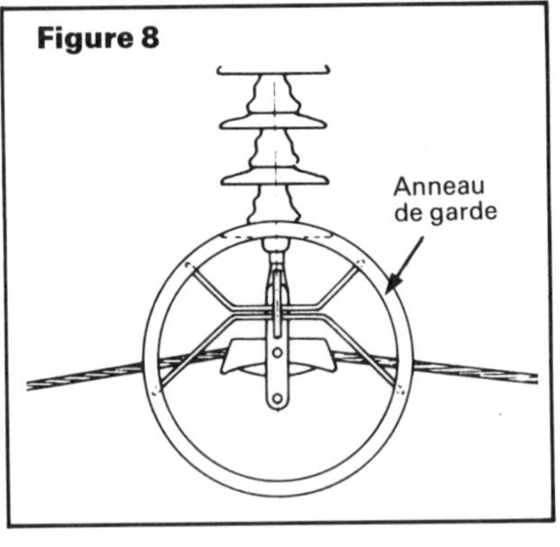

Figure 8

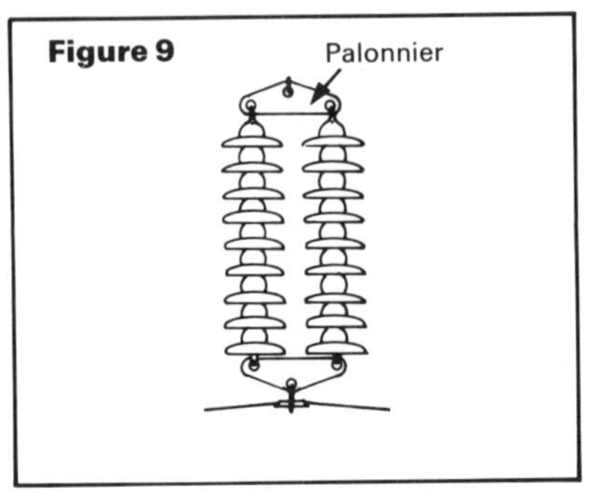

Figure 9

Les isolateurs sont munis de différents accessoires tels que les dispositifs de fixation des isolateurs aux pylônes, les pinces, les pièces de garde et contrepoids.

Examinons l'agencement d'une chaîne de suspension simple constituée d'isolateurs à capot et tige. On trouve d'abord les organes de liaison entre les isolateurs et la charpente du pylône. Ils comprennent deux éléments : l'**étrier de fixation** (figure 6), qui peut être remplacé par une **chape**, et la **rotule à œil** qui, elle, fait la liaison entre l'étrier et le premier isolateur. À la suite du dernier isolateur, on trouve la **pince de suspension** ou **pince d'alignement** (figure 7). Cette pièce, destinée à supporter un conducteur, comporte essentiellement une gouttière métallique plus ou moins évasée et s'accroche au moyen d'accessoires de fixation sous la chaîne d'isolateurs. On trouve enfin les pièces de garde qui ont pour rôle principal d'éloigner l'arc de contournement de la chaîne. Ces pièces de garde comprennent les **cornes de garde** (figure 7) et les **anneaux de garde** ou **anneaux pare-effluve(s)** (figure 8), dont l'usage est plutôt limité aux lignes à très haute tension.

Dans le cas des chaînes doubles, on place un **palonnier** (figure 9) entre les pylônes et les files d'isolateurs ou entre les files d'isolateurs et les conducteurs. Le palonnier est une pièce métallique, généralement de forme triangulaire, permettant d'attacher plusieurs files d'isolateurs ou plusieurs conducteurs en un seul point de fixation. La disposition des pièces de garde est la même que sur les chaînes simples.

Dans le cas des chaînes d'ancrage (simple ou double), on utilise une **pince d'ancrage** pour supporter le conducteur. Il s'agit d'un dispositif destiné à soutenir la tension mécanique du conducteur.

Un autre accessoire, le **contrepoids** (figure 7), est une masse constituée d'un ou de plusieurs éléments ayant la forme de **galettes** et servant à diminuer le soulèvement de la chaîne de suspension et, par conséquent, à limiter l'amplitude du balancement.

Marie Archambault
Mi-novembre 1979
Refonte

Sources consultées

AVRIL, Charles, *Construction des lignes aériennes à haute tension*, 1974.
CIGRÉ, *Vocabulaire des lignes aériennes.*
Encyclopédie des sciences industrielles Quillet, Électricité Électronique Applications.
HAUTEFEUILLE, Pierre, PORCHERON, Yves, « Lignes aériennes », *Techniques de l'ingénieur*, Électrotechnique.
VINET, Louise, *Vocabulaire anglais-français et français-anglais des lignes de transport d'électricité*, 1976.

Les interconnexions

Dans le contexte énergétique des dernières années, Hydro-Québec accorde beaucoup d'importance aux exportations d'électricité et à leurs débouchés commerciaux. C'est ce qui explique pourquoi on entend beaucoup parler des interconnexions. Mais, au fait, qu'est-ce qu'une interconnexion ? Voici quelques termes qui ont été uniformisés au sein de l'entreprise et qui vous permettront de vous familiariser avec le domaine.

Interconnexion

Liaison assurant des mouvements d'énergie dans les deux sens entre réseaux.

Liaison ou **liaison électrique**

Terme général qui désigne toute disposition permettant le passage du courant d'un point à un autre. (On doit éviter de dire *lien*. C'est un anglicisme dans ce sens.)

Interconnexion synchrone ou **interconnexion à courant alternatif**

Interconnexion entre deux réseaux à courant alternatif qui permet à la puissance de circuler entre les deux réseaux. (Les deux réseaux doivent être en synchronisme. Par exemple, les interconnexions avec Ontario Hydro.)

Interconnexion asynchrone ou **interconnexion à courant continu**

Interconnexion entre deux réseaux à courant alternatif qui permet de faire passer la puissance de l'un à l'autre, tout en laissant chacun des réseaux libre de régler et de corriger sa propre fréquence. (Les deux réseaux ne sont pas en synchronisme. Par exemple, l'interconnexion des Cantons-Comerford.)

Ligne d'interconnexion internationale

Ligne assurant une interconnexion entre deux pays voisins. (Il est incorrect de dire *ligne internationale de transmission de force motrice*, ou *ligne internationale de transport d'énergie*. On trouve ces expressions dans les lois et règlements du Gouvernement du Canada.)

Transfert

Échange (réception ou livraison) d'électricité entre des réseaux interconnectés.

Vente

Quantité d'électricité livrée contre paiement. (Il faut distinguer la vente de la livraison selon entente.)

Livraison selon entente

Livraison d'électricité contre paiement ou contre d'autres formes de compensation. (Par exemple une livraison d'électricité à un autre moment.)

Énergie de remplacement ou **énergie de remplacement de combustible**

Énergie produite à partir de ressources renouvelables (hydroélectricité) et utilisée pour remplacer de l'énergie produite à partir de ressources non renouvelables (pétrole, charbon), dans le but de réaliser des économies. (Il faut éviter de dire *énergie de substitution de combustible*.)

Énergie d'économie

Énergie produite à partir de ressources non renouvelables et utilisée pour remplacer de l'énergie produite à partir d'autres ressources non renouvelables, dans le but de réaliser des économies.

Puissance

Pouvoir d'action ou capacité d'accomplir un travail. (Les unités de puissance les plus connues sont le kilowatt et le mégawatt.)

Énergie électrique

Produit de la puissance par le temps pendant lequel cette puissance est utilisée. (Les unités d'énergie les plus connues sont le kilowattheure, le gigawattheure et le térawattheure.)

Mill

Unité monétaire valant un millième de dollar. (En général, ce terme est utilisé pour exprimer le coût d'un kilowattheure. Un mill par kilowattheure équivaut à un dollar par mégawattheure.)

Renée Lévy
Fin mai 1984

Éperon ou grimpette ?

Quel nom doit-on employer pour désigner le dispositif qu'on fixe au pied des monteurs pour grimper sur un poteau ? S'agit-il d'un **éperon** ou d'une **grimpette** ?

Selon les dictionnaires de langue et les dictionnaires techniques, le terme **éperon** peut avoir plusieurs sens dans divers domaines. Mais, dans son acception la plus courante, il désigne un instrument métallique muni d'une pointe s'adaptant au talon de la chaussure d'un cavalier pour aiguillonner un cheval. Il n'a jamais le sens d'un dispositif qu'on fixe au pied pour grimper sur un arbre ou un poteau.

Le terme **grimpette** convient-il pour désigner un dispositif que l'on utilise pour grimper sur un poteau ? Les dictionnaires courants ne donnent qu'un sens au mot grimpette : chemin en pente rapide. Toutefois dans les dictionnaires techniques, on trouve le sens suivant : dispositif que l'on fixe au pied pour grimper le long d'un poteau. Le terme figure également dans plusieurs catalogues, dans de nombreux documents d'Électricité de France (normes, études, mémentos, catalogues, revues) ainsi que dans une norme de l'Association française de normalisation. De plus, on le trouve dans le domaine de la foresterie. Il est bien formé et est dérivé du verbe grimper, ce qui décrit fort bien l'usage qu'on en fait. Nous préconisons donc l'emploi du mot **grimpette**.

Jean-Marc Lambert
Fin mai 1981

Sources consultées

ASSOCIATION FRANÇAISE DE NORMALISATION, norme NF S 71-012.
BARBIER, Maurice et al., *Dictionnaire technique du bâtiment et des travaux publics.*
ÉLECTRICITÉ DE FRANCE, service Prévention et Sécurité, norme 10-10.
Grand Larousse encyclopédique, 1960.
HUDON, J.-Éric, *Vocabulaire forestier*, 1946.
ROBERT, Paul, *Dictionnaire alphabétique et analogique de la langue française*, 1980.
SIZAIRE, Pierre, *Dictionnaire technique de la construction électrique*, 1968.

Les *travaux sous tension*

De nos jours, de nombreux travaux effectués sur les lignes électriques sont exécutés lorsque ces lignes sont sous tension. On peut ainsi réparer et entretenir le matériel sans que le service soit interrompu. Dans le cas des lignes aériennes de transport et de distribution, il existe quatre méthodes pour effectuer les travaux sous tension : le **travail à distance**, le **travail au potentiel**, le **travail au potentiel intermédiaire** et le **travail au contact**. Voyons maintenant la première de ces méthodes : le **travail à distance**.

Le travail à distance

On dit qu'un travail est effectué à distance lorsque le monteur est en contact avec la terre, soit directement sur un support, soit par l'entremise d'un dispositif quelconque, et qu'il utilise une **perche isolante** pour faire les travaux. Une perche est un long tube en fibre de verre recouvert d'une résine époxy et rempli de mousse de polyuréthane. Il existe de nombreuses sortes de perches. Certaines sont munies d'un outil à leur extrémité : par exemple, la **perche à conducteur** qui est utilisée pour positionner ou déplacer un conducteur sous tension.

Perche à conducteur

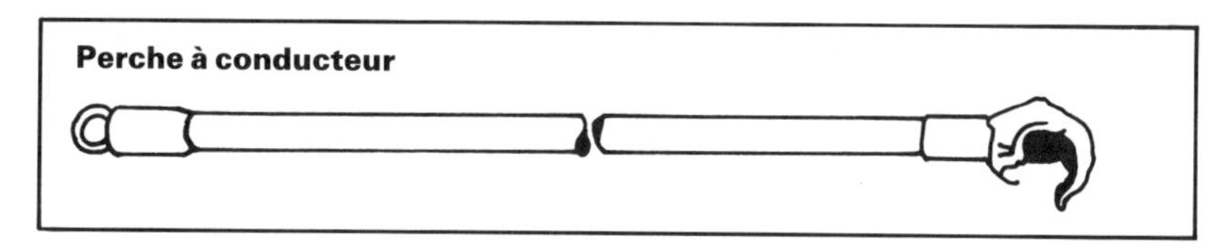

D'autres perches sont conçues de façon que l'on puisse fixer des outils adaptables à leurs extrémités. C'est le cas par exemple de la **perche à embouts universels**.

Perche à embouts universels

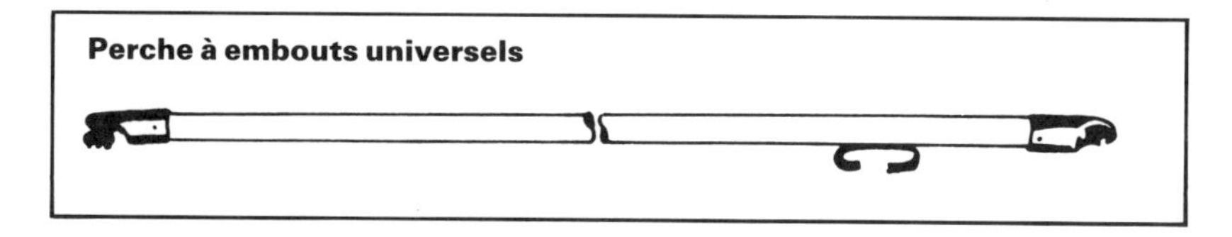

D'autres sont de conception plus complexe. Elles sont constituées de deux tiges rattachées à un outil spécialisé. On peut citer comme exemple la **perche-cisaille** qui est utilisée pour couper des conducteurs. La perche illustrée ci-dessous est employée pour les conducteurs de section moyenne.

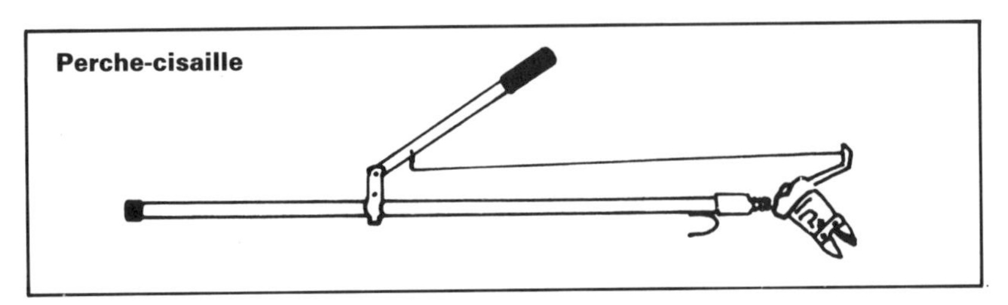
Perche-cisaille

Un autre outil essentiel aux travaux sous tension à distance est le **tirant**. Il est utilisé pour reprendre la tension mécanique des éléments qui doivent être remplacés. Le **tirant à étau**, par exemple, est employé pour exercer un effort de traction supérieur à la résistance d'une perche à conducteur.

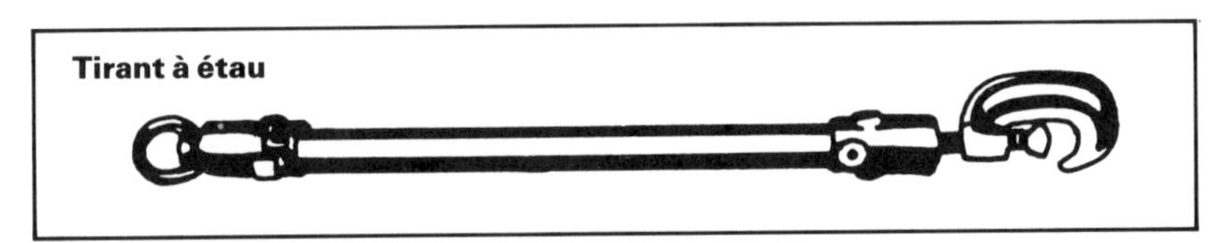
Tirant à étau

Le **tirant d'ancrage**, ou **tirant à broches**, sert à retenir un conducteur lorsqu'on exécute un travail sur des chaînes d'isolateurs.

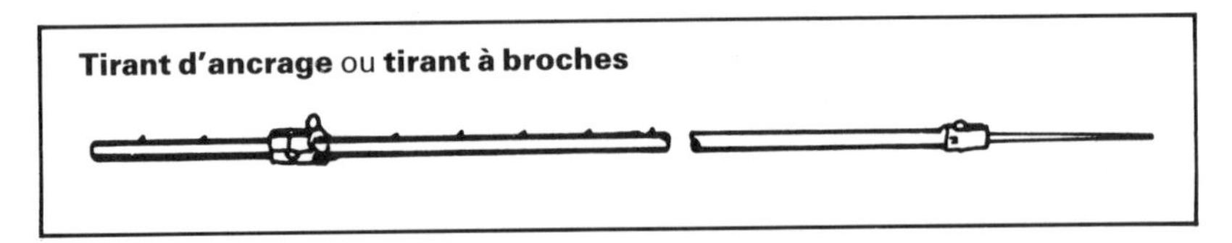
Tirant d'ancrage ou **tirant à broches**

Il existe nombre d'autres outils servant aux travaux sous tension. Notre but n'est pas de les énumérer, mais de faire connaître les plus courants. Ainsi, nous venons de voir certains outils employés pour les travaux à distance.

Le travail au potentiel

La deuxième méthode est celle du **travail au potentiel**. Voyons rapidement en quoi elle consiste et quel est le principal matériel utilisé.

Selon cette méthode, le monteur n'est pas relié à la terre ; il est plutôt directement en contact avec les pièces sous tension sur lesquelles il travaille. Il ne court aucun risque puisqu'il est isolé de la masse. En fait, un oiseau perché sur un fil électrique est dans la même situation. Cependant, contrairement à l'oiseau, le monteur n'a pas d'ailes. Comment faire alors pour placer un homme sur une ligne sous tension sans qu'il entre en contact avec la terre ?

Il existe deux solutions à ce problème.

La **nacelle suspendue**. Au sol, le monteur monte dans la nacelle ; cette dernière est alors hissée jusqu'aux conducteurs au moyen de **cordages isolants**. On pose les roues de la nacelle sur les conducteurs, et le monteur peut ainsi se déplacer le long de la portée et accomplir son travail.

Nacelle suspendue motorisée (ou **automotrice**)

L'**échelle isolante**. Construite en matériau isolant, cette échelle permet au monteur de passer du pylône au conducteur sous tension en toute sécurité.

Échelle isolante

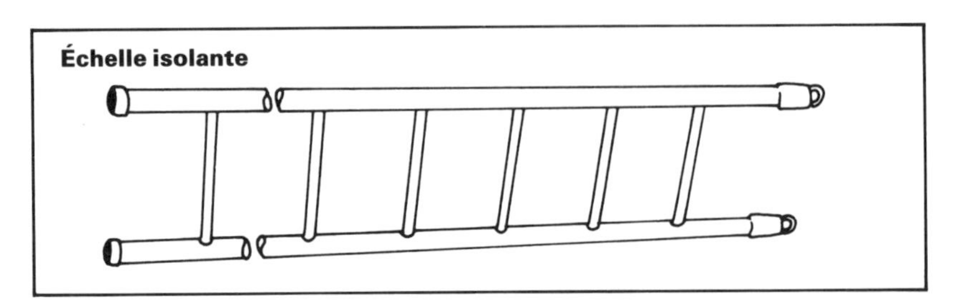

Vêtement conducteur. Dans ces deux cas, nacelle suspendue et échelle isolante, le monteur doit porter un **vêtement conducteur**. Confectionné en fibres naturelles ou synthétiques tramées de fil conducteur, ce vêtement protège le monteur des effets dus aux champs électriques.

Vêtement conducteur

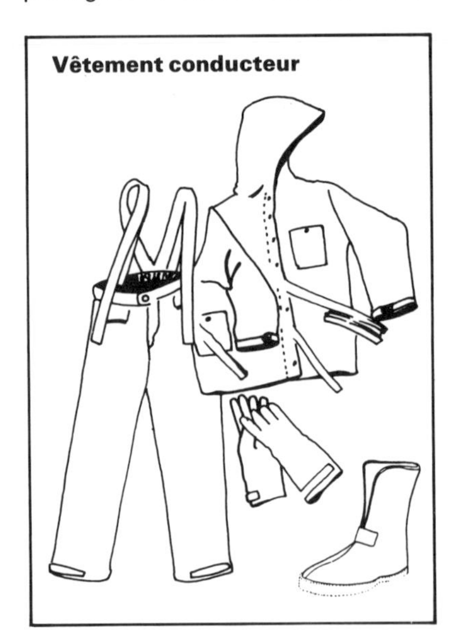

Perche à crochet de mise au potentiel. De plus, que ce soit à partir de la nacelle ou de l'échelle, le monteur doit toujours établir le contact avec les pièces sous tension au moyen d'une **perche à crochet de mise au potentiel**. Il utilise cette même perche pour rompre le contact une fois les travaux terminés.

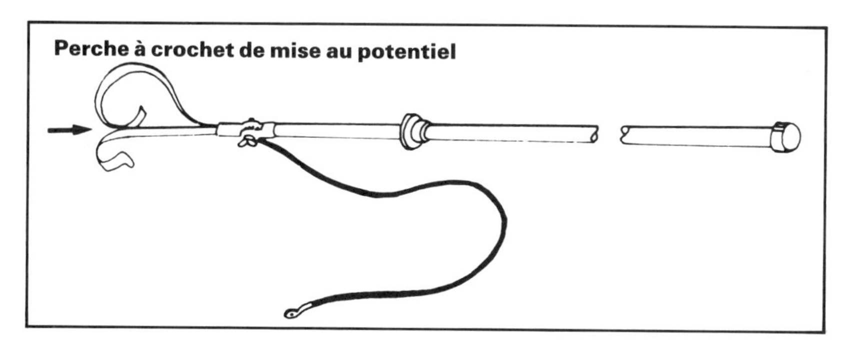
Perche à crochet de mise au potentiel

Le travail au potentiel intermédiaire

La troisième méthode de travail utilisée pour les travaux sous tension est celle du **travail au potentiel intermédiaire**. Elle combine les techniques de la méthode à distance et celles de la méthode au potentiel. En effet, le monteur utilise les mêmes outils isolants que ceux employés pour les travaux à distance et il est isolé de la terre, comme dans le cas des travaux au potentiel. Cependant, au lieu de travailler en étant directement en contact avec les pièces sous tension, le monteur se place plutôt sur une **échelle isolante**, dans la nacelle d'un **élévateur à nacelles**, ou sur une **plate-forme isolante** en fibre de verre.

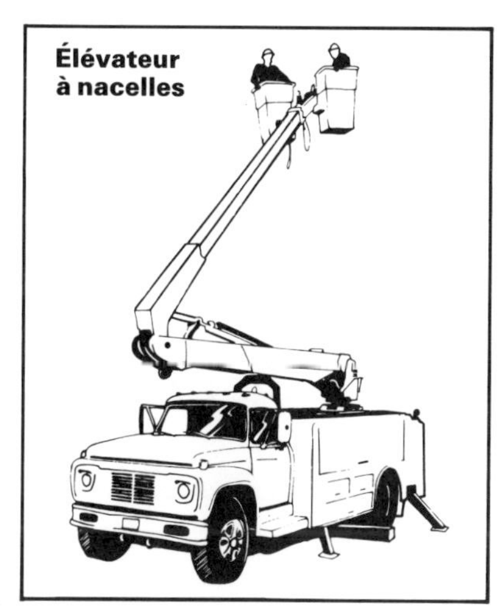
Élévateur à nacelles

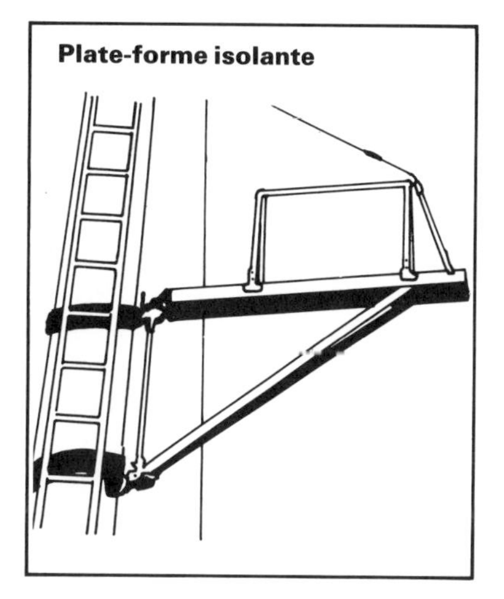
Plate-forme isolante

Dans la méthode du **travail au potentiel intermédiaire**, plus que dans les deux autres méthodes, il est extrêmement important que le monteur ne s'approche pas à plus d'une certaine distance des pièces sous tension. Pour se déplacer à proximité d'une pièce sous tension, le monteur ne devrait jamais dépasser une distance minimale appelée **limite d'approche (A)**. Par ailleurs, pour travailler, le monteur doit se placer de façon à respecter une autre distance minimale, plus grande que la précédente, et appelée **distance de travail (D)**. Comme mesure supplémentaire de protection, les perches isolantes sont munies de **garde-mains**, c'est-à-dire d'un anneau posé sur la perche et qui fixe la limite que les mains du monteur ne doivent pas dépasser.

Limite d'approche et **distance de travail**

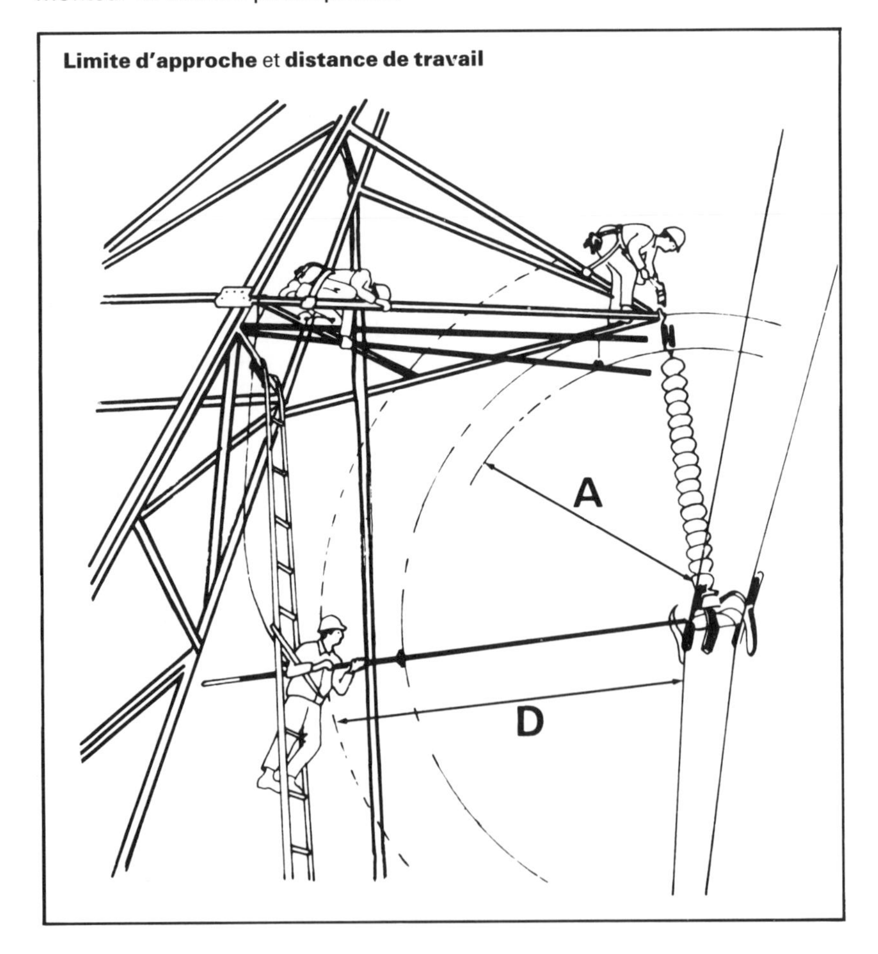

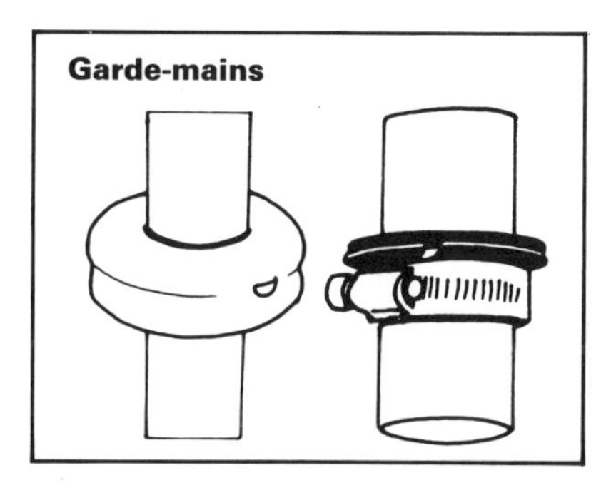
Garde-mains

Le travail au contact

Enfin, la dernière méthode est celle du **travail au contact**. Dans cette technique, propre à la distribution, le monteur porte des gants et des protège-bras isolants. Il intervient à partir d'un élévateur à nacelles ou d'une plate-forme isolante. Il doit de plus habiller les éléments avec lesquels il risque d'entrer en contact.

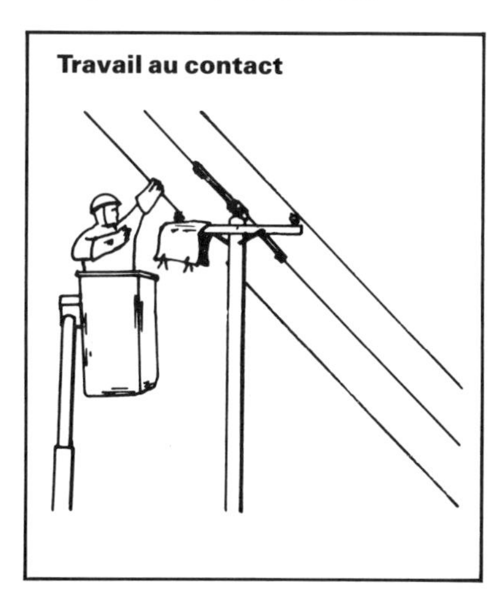
Travail au contact

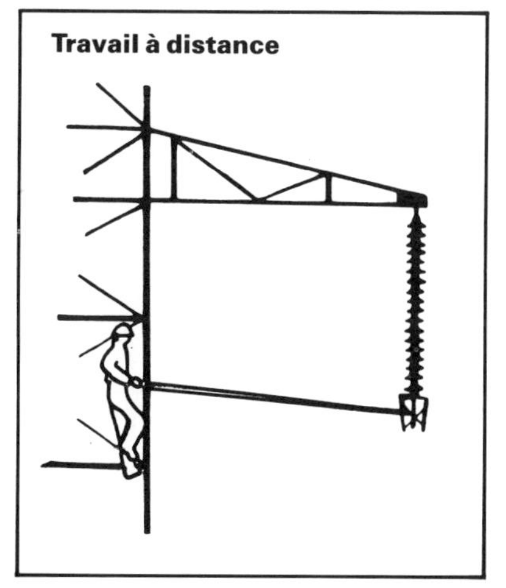
Travail à distance

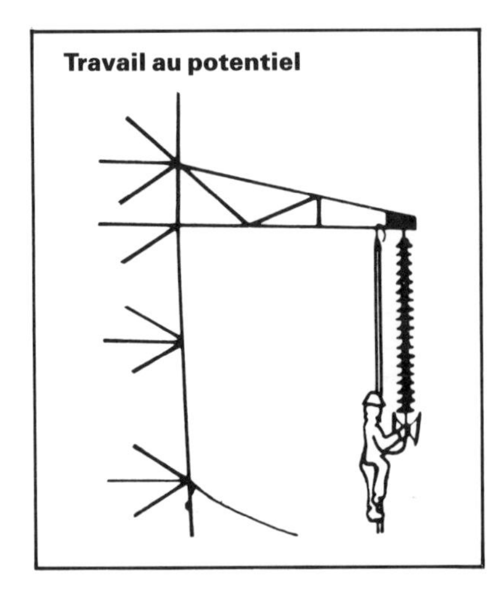

Travail au potentiel

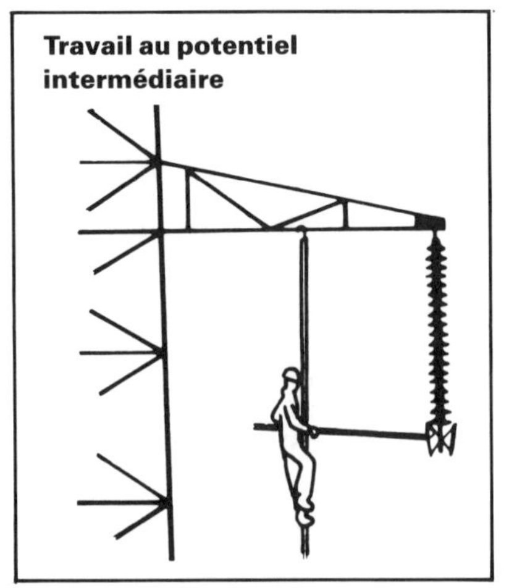

Travail au potentiel intermédiaire

Le **travail à distance**, le **travail au potentiel**, le **travail au potentiel intermédiaire** et le **travail au contact** : quatre méthodes qui font partie des techniques utilisées dans les travaux sous tension et qui ont pour fonction d'accroître la sécurité du monteur et de lui permettre de travailler avec plus de facilité.

Renée Lévy
Juillet, fin août
et fin septembre 1982
Révisé

Sources consultées

HYDRO-QUÉBEC, direction Appareillage et Entretien, service Lignes de transport, *Travaux sous tension*, 1974.

______, direction Édition et Production, service Rédaction et Terminologie, *Vocabulaire illustré des lignes de transport et de distribution d'électricité*, fascicule 4 : Entretien, avril 1986.

COMMISSION ÉLECTROTECHNIQUE INTERNATIONALE, Comité d'études n° 78, projet, avril 1981.

Patrouille ou visite des lignes aériennes ?

À Hydro-Québec, on utilise le terme *patrouille* pour désigner l'inspection des lignes aériennes. Cependant, tous les dictionnaires s'accordent à donner à ce terme un sens militaire. Il désigne le plus souvent un groupe de soldats ou de policiers militaires ou civils. De plus, on ne rencontre pas ce terme dans des ouvrages français traitant des lignes aériennes.

On trouve plutôt le mot **visite**. Celui-ci désigne la vérification des lignes aériennes par un groupe d'employés d'une entreprise d'électricité. Cette vérification peut être effectuée soit à pied ou en véhicule, soit en hélicoptère ou en avion. Les expressions suivantes sont les plus courantes :

1. visite terrestre,
2. visite aérienne.

Les visites ont lieu de façon périodique ou en cas d'urgence. On parle alors de :

1. visite d'entretien,
2. visite périodique (ou normale),
3. visite exceptionnelle (ou d'urgence).

Enfin, selon le chef du service de la Normalisation à Électricité de France (EDF), l'expression **visite de lignes** est couramment employée pour désigner l'opération de contrôle des lignes aériennes.

Nous recommandons donc d'employer à Hydro-Québec le terme **visite** ainsi que les expressions **visite terrestre, visite aérienne, visite d'entretien, visite périodique** (ou **normale**) et **visite exceptionnelle** (ou **d'urgence**).

Renée Lévy
Juillet 1978

Sources consultées

BUSSON, Guillaume, LEFORT, Pierre, *L'hélicoptère dans la vie moderne*, 1952.
ÉLECTRICITÉ DE FRANCE, *Instruction générale provisoire pour l'exécution des « travaux sous tension »*.
QUILLET, *Encyclopédie pratique de mécanique et d'électricité*, 1965.
HAUTEFEUILLE, Pierre, PORCHERON, Yves, « Lignes aériennes », *Techniques de l'ingénieur* : Électricité, tome***, D 640, 2-1 à D 640, 2-19.
Vie électrique (La), journal d'entreprise d'Électricité de France, janvier-février 1975, n° 111.

Personne-ressource

BARS, M.F., chef du service de la Normalisation d'EDF.

Petit vocabulaire des grues mobiles

La grue est un engin de manutention mécanique qui sert à lever et à déplacer des charges. Étant donné l'énorme diversité des grues, nous nous limiterons aux grues mobiles, c'est-à-dire aux grues « susceptibles de déplacements autonomes, dont le train de roulement est soit sur chenilles (figure 1), soit sur roues* (figure 2) ». Cette définition exclut entre autres les grues sur rails, dont le trajet est asservi à une voie de roulement.

Les grues mobiles se composent d'une partie tournante et d'une partie roulante.

La tourelle

La partie tournante ou **tourelle** supporte la **flèche**[1] et les divers organes de la grue. D'abord, le **treuil**[2] qui sert au levage de la **charge**[3] : il comporte un **tambour** fileté autour duquel vient s'enrouler le **câble de levage**[4], qui passe par la **tête de flèche**[5] ; une source d'énergie mécanique ou hydraulique fait tourner le treuil. Ensuite, le mécanisme de **relevage de la flèche**, qui permet de varier l'angle de flèche ; le relevage peut se faire par **treuil** et **câble**[6] ou par **vérins hydrauliques**[7]. Enfin, le **moteur d'orientation** ou de **rotation**, qui fait tourner la tourelle au moyen d'un système pivotant situé entre la partie tournante et la partie roulante. Ce système comprend généralement un **pignon denté**, une **roue dentée** et une **couronne d'orientation**[8] à billes ou à galets. Sur la tourelle se trouvent également le **contrepoids**[9] qui fait équilibre à la flèche et à la charge et, dans plusieurs cas, la **cabine**[10] qui renferme le **poste de conduite** ou **de commande**.

Figure 1

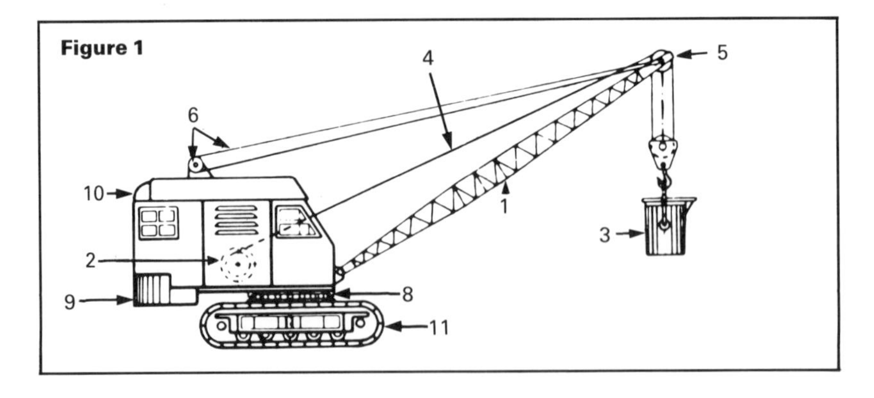

*ASSOCIATION FRANÇAISE DE NORMALISATION, norme NF E 52-075, 1975 et ASSOCIATION CANADIENNE DE NORMALISATION, norme Z-150.

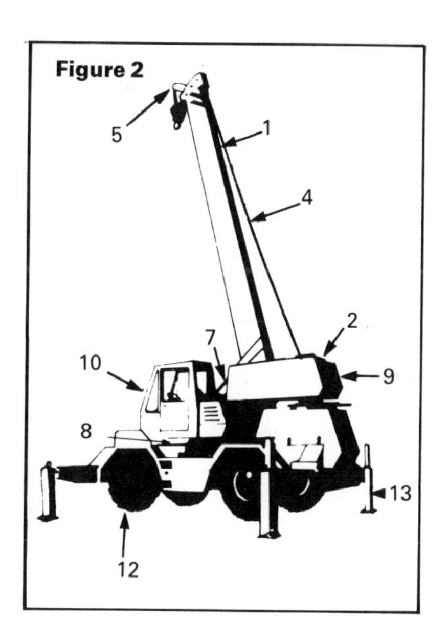

Figure 2

Le châssis porteur

La partie roulante ou **châssis porteur** permet le mouvement de **translation**, c'est-à-dire le déplacement de la grue d'un point à un autre. Le châssis peut être monté sur **chenilles**[11] ou sur **pneus**[12]. Dans le cas de la grue sur pneus, moins stable que la grue sur chenilles, le châssis porteur est souvent muni de quatre vérins de calage ou de stabilisation, appelés **stabilisateurs**[13] ; ces derniers permettent d'agrandir le **polygone de sustentation** (surface délimitée par les points d'appui) de la grue et de soulever des charges très lourdes. Lorsque les stabilisateurs sont sortis, la grue ne peut se déplacer avec sa charge ; elle doit travailler à **poste fixe**.

La flèche

Nous dirons maintenant quelques mots de la flèche et de la portée.
Les principaux types de flèches sont :

– la **flèche treillis** (figure 3), charpente métallique formée de cornières et de tubes. Elle peut atteindre de très grandes longueurs. On l'allonge en intercalant des éléments entre le pied et la tête de la flèche ;

– la **flèche télescopique** (figure 4), formée de plusieurs **sections** ou **tronçons** s'emboîtant les uns dans les autres. La sortie ou la rentrée de ces tronçons par commande hydraulique permet d'ajuster rapidement la longueur de la flèche. Sur certains modèles, cette opération peut même s'effectuer pendant le levage de la charge.

Mentionnons encore la **flèche articulée** (figure 5) constituée par des éléments articulés entre eux et dont le dernier élément est en général télescopique.

Pour augmenter la longueur maximale de la flèche, on peut lui ajouter une **fléchette**.

Il existe des flèches fixes, mais la plupart des flèches sont **relevables**, soit à vide, soit en charge, c'est-à-dire qu'elles peuvent tourner autour d'un axe horizontal. De même, la plupart des flèches sont **orientables**, partiellement ou sur 360°, c'est-à-dire qu'elles peuvent tourner avec la tourelle autour d'un axe vertical.

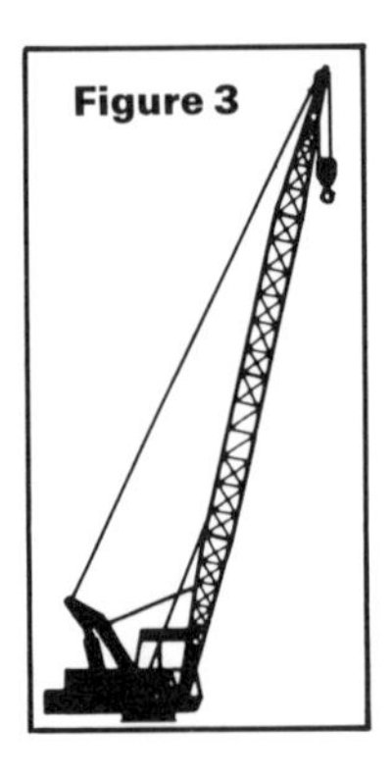
Figure 3

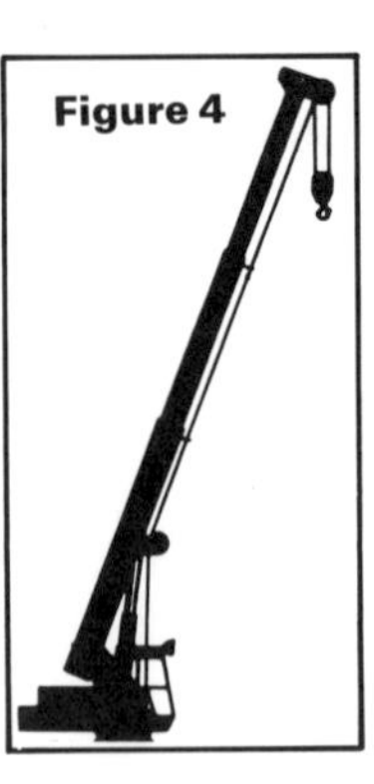
Figure 4

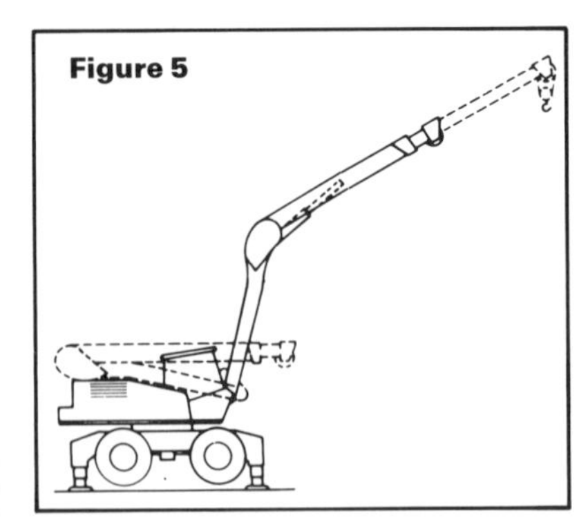
Figure 5

Portée de la grue

La **portée** (figure 6) de la grue est la distance horizontale entre l'axe de rotation de la tourelle et l'axe du câble de levage, lorsque la charge est appliquée au crochet.

La portée dépend de la **longueur** et de l'**angle** (ou **inclinaison**) de la flèche.

Grâce aux divers mouvements qu'elle peut effectuer (rotation, relevage et allongement de la flèche, translation), la grue a donc une **zone de travail** ou un **champ d'action** en principe illimité.

Figure 6

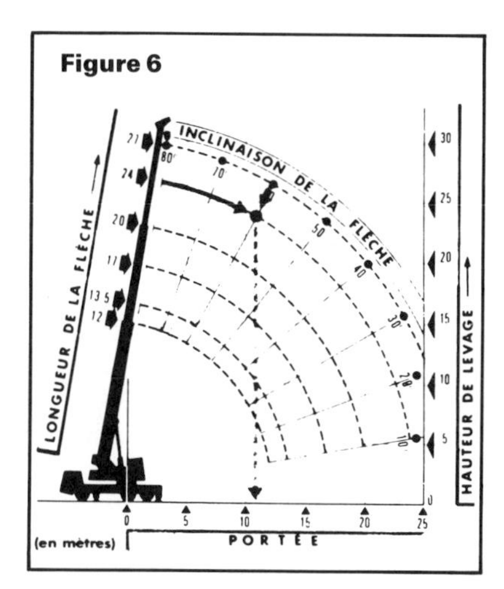

Figure 7

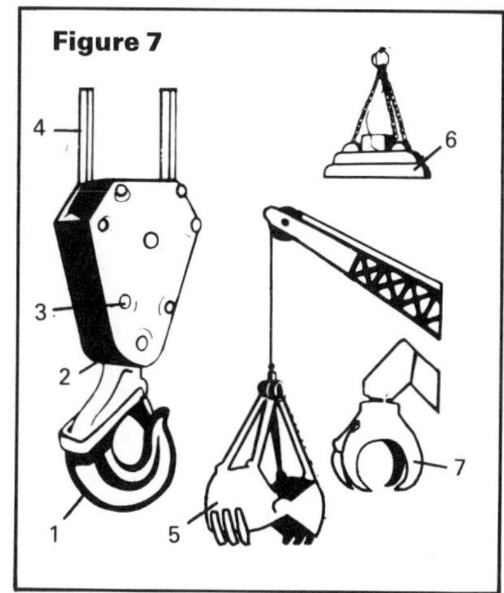

Les accessoires de levage

Normalement, la grue est équipée d'un **crochet de levage**[1] (figure 7). La charge peut être levée sur **brin simple** ou sur **brin mouflé**. Dans le premier cas, le câble de levage est lesté au moyen d'une sphère en métal. Dans le second cas, le crochet est fixé à un **moufle**[2], ensemble de poulies entourées d'une **chape**[3] dans lequel passe le **câble de levage**[4]. Un moufle à 4 poulies peut recevoir jusqu'à 8 brins de câble.

Pour certains travaux, on remplace le crochet par une **benne preneuse**[5], un **électro-aimant**[6] ou un **grappin**[7].

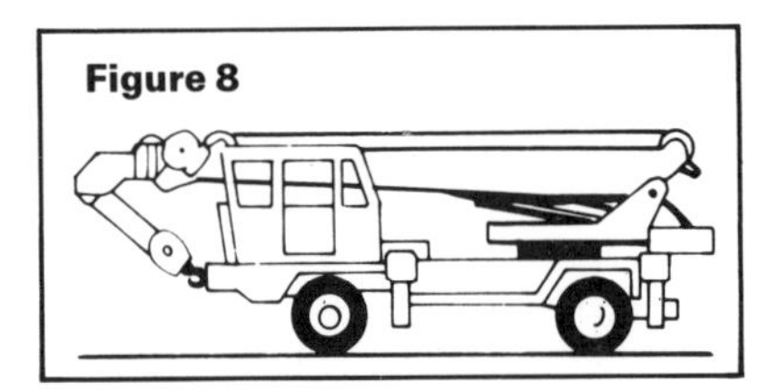
Figure 8

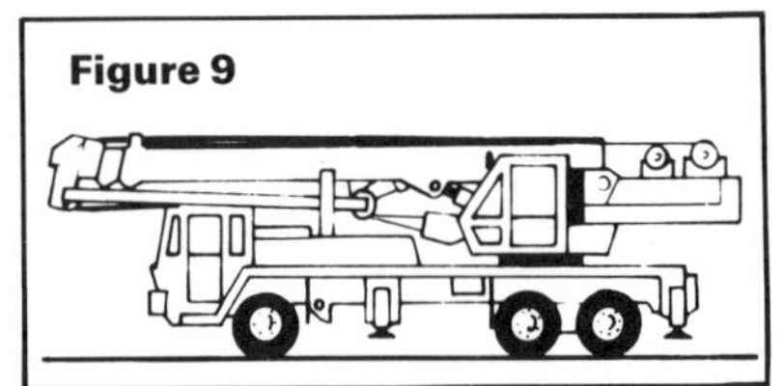
Figure 9

Types de grues

En ce qui concerne les particularités de construction des grues mobiles, on peut faire les grandes distinctions suivantes.

La **grue automotrice** (figure 8) est celle dont le châssis et la tourelle forment un ensemble homogène ; elle comporte une seule cabine qui renferme les organes de manœuvre de la grue et de conduite du véhicule.

La **grue sur (véhicule) porteur** ou **grue sur camion** (figure 9) se compose d'un véhicule porteur de série ou de construction spéciale, sur lequel est montée la tourelle. Elle comporte deux cabines : l'une sur le véhicule, utilisée pour les déplacements, et l'autre sur la tourelle, utilisée pour la manœuvre de la grue.

Parmi les grues automotrices, il faut distinguer encore la **grue automobile,** montée sur pneus et dont la vitesse peut dépasser 25 km/h. Les autres grues automotrices ne se déplacent par elles-mêmes que sur de courtes distances et à faible vitesse. Par opposition, la grue sur camion et la grue automobile sont considérées comme des **grues routières**.

Marguerite Draper
Mi-février, mi-mars
et mi-avril 1980

Sources consultées

ASSOCIATION FRANÇAISE DE NORMALISATION, norme NF E 52-084.
INSTITUT NATIONAL DE RECHERCHE ET DE SÉCURITÉ POUR LA PRÉVENTION DES ACCIDENTS DU TRAVAIL ET DES MALADIES PROFESSIONNELLES, *Engins de chantiers.*
Encyclopédie internationale des sciences et des techniques, 1966-1973.
GALABRU, Paul, *Équipement général des chantiers et terrassements*, 1962.
Guide de la manutention, « Les grues automobiles ».
Bulletin d'information technique, n° 11, 1963.
Lamy transport, 1981.

L'élévateur à nacelle

Hydro-Québec utilise des engins élévateurs à nacelle pour la construction et l'entretien des lignes aériennes.

Qu'entend-on par nacelle ? Est-ce l'ensemble de l'appareil ? Est-ce l'endroit où le monteur ou l'élagueur prend place ? Est-ce à la fois l'un et l'autre ? La **nacelle**[1], que les Hydro-Québécois appellent à tort *bassicot* ou *panier*, c'est uniquement la partie de l'appareil qui sert à rapprocher le monteur ou l'élagueur des conducteurs. Quant à l'appareil lui-même, c'est un **engin élévateur à nacelle**, ou plus simplement un **élévateur à nacelle**.

Lorsque l'élévateur comporte deux nacelles, il ne faut pas dire une *nacelle double*, mais un **élévateur à nacelles**. Seule la marque du pluriel renseigne le lecteur. La *nacelle double* est une **nacelle à deux places**.

L'élévateur à nacelle est constitué de deux parties principales : le **véhicule**[2] et l'**élévateur**[3] proprement dit.

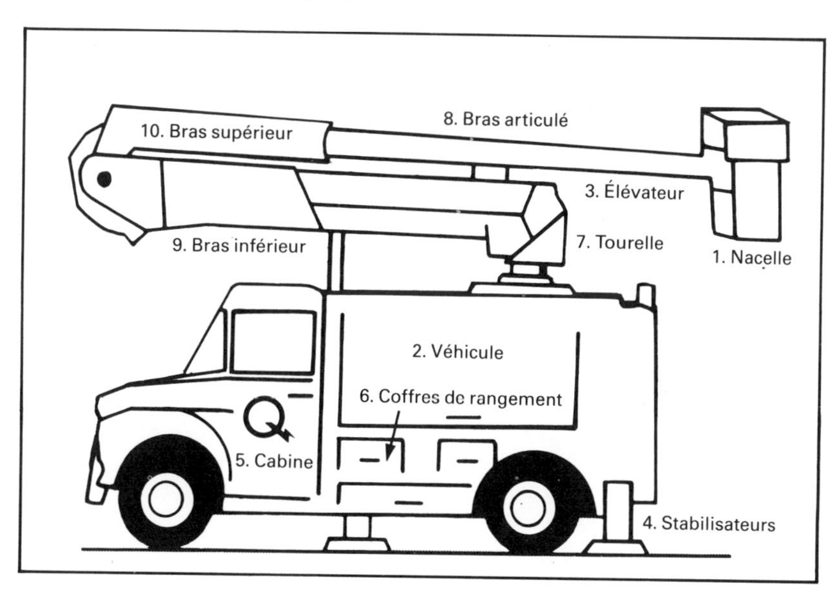

Le véhicule est formé du **châssis** et de la **carrosserie**. Au châssis sont rattachés les **stabilisateurs**[4], tandis que la carrosserie comprend la **cabine**[5] et les **coffres de rangement**[6].

L'**élévateur** repose sur le châssis du véhicule par l'intermédiaire du faux châssis. Une couronne de rotation assure le mouvement de la nacelle ; elle est surmontée de la **tourelle**[7] à laquelle est attaché le **bras articulé**[8]. Attention ! Ce n'est pas un *mât* ni une *flèche* mais un **bras** (le terme flèche appartient au vocabulaire des grues). Le bras articulé se décompose à son tour en deux parties : le **bras inférieur**[9] et le **bras supérieur**[10]. Enfin, l'élévateur se termine par la ou les **nacelles isolantes**. Pour accroître l'isolation de la nacelle, le constructeur a prévu une **doublure amovible**, qui s'adapte parfaitement à l'intérieur de la nacelle.

En résumé, nous avons donc un **engin élévateur à nacelle** (ou **élévateur à nacelle**) qui comporte à l'extrémité de son bras supérieur une ou deux nacelles. Voilà qui élimine bien des ambiguïtés.

Pauline Jourdain
Fin juin 1977

Sources consultées

Contacts électriques, n° 87, janvier 1971.
Engins et outillages pour travaux électriques, Egi (marque déposée).
L'Usine Nouvelle, édition mensuelle, mars 1977.
Vigilance, n° 53, mars 1976.

Veuillez passer par l'entrée de service

L'« entrée de service » est une porte par où les fournisseurs livrent leurs marchandises et qu'empruntent les domestiques et les habitués d'une maison.

Cette expression n'est pas utilisée en électricité. Si elle a cours à Hydro-Québec et ailleurs, c'est que l'expression *service entrance* a sans doute été traduite littéralement.

Cherchez *entrée de service* dans le *Code de l'électricité de la province de Québec* (édition 1974) et vous ne l'y trouverez pas. Vous verrez **branchement du consommateur** (qu'on pourrait d'ailleurs modifier sans trahir le sens par **branchement du client**, pour se conformer à l'usage actuel à Hydro-Québec).

Le **branchement** désigne l'appareillage et les conducteurs qui amènent le courant du réseau chez le client. Il comprend en fait deux parties que le *Code de l'électricité* définit très bien : tout d'abord le **branchement du distributeur**, c'est-à-dire « l'ensemble de conducteurs posés par un distributeur d'électricité entre ses fils principaux et le branchement du consommateur », et le **branchement du consommateur** (notre *entrée de service*), c'est-à-dire « toute la partie de l'installation du consommateur comprise entre le coffret de branchement et les conducteurs du distributeur d'électricité » (voir schéma).

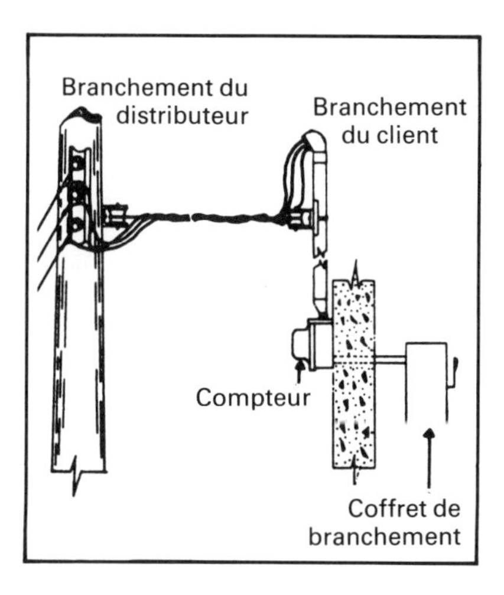

Schéma tiré du *Cours sur le code canadien de l'électricité*, ministère du Travail et de la Main-d'œuvre du Québec, Bureau des examinateurs des électriciens, vol. 1, p. 7.

Précisons ici que le **coffret de branchement** (et non la *boîte d'entrée*) est la petite armoire où logent l'interrupteur principal et des fusibles ou des disjoncteurs.

On peut être en désaccord sur les limites exactes du branchement ou sur le point précis qui sépare ses deux parties. On peut vouloir exclure ou inclure une partie ou l'autre de l'appareillage. Ces discussions ne changent rien au fait qu'il s'agit d'un **branchement**, que le branchement comporte deux parties : celle du distributeur et celle du client et que l'expression *entrée de service* ne peut désigner correctement le **branchement du client**.

Gigi Vidal
Fin novembre 1975

Des appellations qui tombent pile

Les achats d'Hydro-Québec couvrent une gamme impressionnante de matériel, des transformateurs aux gommes à effacer... Un inventaire d'environ 100 000 articles nécessaires au bon fonctionnement de l'entreprise. Pour des raisons d'économie, de sécurité, et pour atteindre à l'efficacité des communications entre les fournisseurs, les acheteurs et tous les usagers, on fait appel à un mécanisme bien connu : la normalisation.

À Hydro-Québec, c'est le Comité du matériel à normaliser (CMN) qui veille à ce que chaque article soit décrit avec précision et porte une appellation appropriée, mais une seule. Les responsables du CMN forment des sous-comités, chacun chargé d'un sujet particulier. Depuis environ deux ans, un terminologue participe au travail de l'un ou l'autre des sous-comités, effectuant les recherches terminologiques propres à clarifier certaines notions et à les désigner de façon correcte.

Nous aimerions faire connaître les résultats de quelques-uns des travaux effectués dans le cadre de la normalisation et montrer aux lecteurs le type de changements apportés à la suite de ces études.

Sectionneurs et interrupteurs

Au chapitre des sectionneurs et des interrupteurs, on a convenu de remplacer *autosectionneur* par **interrupteur à commande automatique** et les différents types d'*autosectionneurs* en conséquence. Désormais, on parlera donc d'**interrupteurs « Durabute »** ou **« VBM »** plutôt que d'*autosectionneurs*. De même, l'*autosectionneur réenclenchant* est devenu un **interrupteur à refermeture automatique**.

Après recherches et discussions, on a défini **sectionneur-interrupteur** de la façon suivante :

Appareil de connexion composé de deux éléments : un sectionneur et une chambre de coupure. En position de fermeture, les contacts de la chambre de coupure **ne supportent aucun courant.**

Cette précision a permis de supprimer les expressions *interrupteur sous charge* et *sectionneur-rupteur*, toutes deux utilisées au préalable pour désigner le même appareil.

Pour un groupe donné de l'entreprise, le *sectionneur-rupteur* désignait un autre type d'appareil, qui se définit ainsi :

Appareil de connexion composé de deux éléments : une chambre de coupure et un sectionneur. En position de fermeture, les contacts de la chambre de coupure et le sectionneur **supportent des courants dans les conditions normales du circuit.**

Dorénavant, cet appareil portera le nom **d'interrupteur-sectionneur**.

En outre, ce même sous-comité a décidé de remplacer *monophasé* par **unipolaire** et *triphasé* par **tripolaire** pour qualifier les sectionneurs et les interrupteurs, sanctionnant ainsi les conclusions de l'étude synonymique de ces quatre termes, effectuée plus tôt par la division Terminologie et Documentation.

L'électricité en boîte

Par ailleurs, un autre sous-comité a établi des distinctions pertinentes entre les mots **pile, batterie** et **accumulateur**. La **pile**, générateur d'électricité qui transforme au cours d'une réaction irréversible l'énergie chimique en énergie électrique, diffère de l'**accumulateur** qui est un élément électrolytique à réactions réversibles recevant, lors de la charge, de l'énergie électrique qu'il emmagasine sous forme d'énergie chimique pour la restituer en partie, à la décharge, sous forme de courant électrique.

La **batterie** est un ensemble de dispositifs de même type (**accumulateurs**, condensateurs, **piles**, etc.) couplés de façon à agir simultanément. Ainsi, la **batterie d'automobile** n'est rien d'autre qu'un ensemble d'**accumulateurs** reliés électriquement en série, ce qui constitue une **batterie d'accumulateurs**. L'ensemble de **piles** reliées les unes aux autres par la pression d'un ressort (dans une lampe de poche, un appareil-photo, etc.) constitue une **batterie portative**, une **batterie de piles**.

Il importe de préciser que la notion de réversibilité de réaction qui différencie l'**accumulateur** de la **pile** nous amène à conclure que les **piles** susceptibles de se recharger sans difficulté particulière prennent le nom d'**accumulateurs**.

Etc., etc.

Nous n'avons pas l'intention d'énumérer dans cette chronique tous les termes ainsi normalisés. Nous aimerions cependant mentionner que beaucoup d'autres articles ont fait l'objet d'études analogues : certains instruments de mesure (**hydromètre, densimètre** et **pèse-acide**), des matériels de protection contre les chutes (**descendeur, descenseur et parachute**), ainsi qu'un bon nombre d'appareils ou d'accessoires servant à l'éclairage extérieur.

Il va sans dire que la tâche est loin d'être terminée. Mais la normalisation a déjà permis de régler une certaine quantité de problèmes. Elle a contribué à supprimer environ 50 000 articles du fichier stock initial qui en contenait 150 000.

Nicole April
Fin février 1985

Énergies douces, énergies nouvelles ?

Ces dernières années, le monde de l'information nous a habitués à un nouveau vocabulaire en matière d'énergies : nouvelles, redécouvertes, douces, renouvelables, de remplacement. Est-ce la même chose ?

Les **nouvelles** sources d'énergie sont nombreuses ; certaines sont plus connues comme l'énergie solaire, l'énergie éolienne, l'énergie de la biomasse. D'autres le sont moins comme l'énergie des vagues, l'énergie marémotrice, l'énergie thermique des mers, l'énergie géothermique ou les cultures énergétiques.

Nouvelles, ces sources d'énergie ? L'énergie du soleil est connue depuis des millénaires. Un exemple célèbre nous vient de l'Antiquité grecque. C'est Archimède qui, face à l'attaque de la flotte ennemie, fait installer sur la côte une batterie de miroirs pour mettre le feu aux voiles des navires attaquants. Plus près de nous, il y a les serres des jardiniers qui, grâce à des parois transparentes, gardent les plants au chaud.

L'énergie éolienne, l'humanité l'a également apprivoisée depuis longtemps : pensez aux goélettes, navires et embarcations à voile ainsi qu'aux moulins à vent. Quant à la biomasse, une utilisation fort ancienne est tout simplement le bois de chauffage. Et la géothermie ? Déjà, Grecs et Romains captaient les sources chaudes. Autre nouvelle source d'énergie, les cultures énergétiques : ce sont des plantes à croissance rapide comme certains peupliers ou la canne à sucre. On obtient ainsi, rapidement et en grande quantité, une matière première, le bois à partir duquel on produit des combustibles ou des carburants, par exemple du méthanol. On l'appelle aussi énergie verte.

Les exemples ci-dessus démontrent que ces énergies dites nouvelles sont connues depuis longtemps mais peu employées. Ce qui explique pourquoi on les nomme parfois énergies **redécouvertes**.

Et les énergies **douces** ? Pourquoi douces ? Il s'agit des mêmes sources d'énergie. On les dit **douces** par opposition aux énergies traditionnelles dites **dures**, c'est-à-dire polluantes ou qui exigent des installations de grande envergure : gaz, charbon, pétrole, et même électricité quand elle est produite par des combustibles fossiles.

Renouvelables. Qu'est-ce que cela veut dire ? Énergie renouvelable signifie en fait énergie inépuisable. Ainsi, qu'il s'agisse du rayonnement solaire, de l'hydraulique, du vent, de l'énergie des vagues et de la houle, des marées, de l'énergie thermique des mers, des cultures énergétiques, de la biomasse forestière et de la géothermie, toutes ces énergies se renouvellent. Les sources d'énergie **non renouvelables** sont notamment le charbon (une mine ne se renouvelle pas), le pétrole (les puits s'épuisent), le gaz naturel, etc.

Énergies **de remplacement**. On range dans cette catégorie les énergies redécouvertes ainsi que les nouvelles technologies qui permettent d'exploiter plus efficacement les énergies **classiques**. Exemples : pour le charbon, des technologies de combustion et de conversion ; pour l'hydraulique, des centrales de faible chute ; les piles à combustible (conversion de l'énergie chimique en électricité) ; la fusion nucléaire ; les pompes à chaleur ; l'hydrogène, etc.

Appliqués à l'énergie, les termes **nouvelle, redécouverte, douce, renouvelable** et **de remplacement** diffèrent peu. C'est souvent une question de choix personnel ou de contexte. Les énergies redécouvertes sont également renouvelables et appartiennent en outre à la panoplie des énergies de remplacement, celles auxquelles nous faisons de plus en plus appel en vue de diversifier nos sources d'énergie.

Énergies nouvelles

S'opposent aux énergies classiques ; on y fait maintenant appel en raison de la hausse du prix des énergies classiques, le pétrole notamment.

Énergies redécouvertes

Énergies oubliées, la révolution industrielle ayant mis l'accent sur le pétrole, le gaz, le charbon et l'électricité.

Énergies douces

S'opposent aux énergies dures, polluantes ou qui exigent des équipements complexes et de grande envergure (charbon, par exemple).

Énergies renouvelables

Énergies qui ne s'épuisent pas, au contraire d'un puits de gaz, par exemple.

Énergies de remplacement

Énergies et technologies nouvelles qui permettent de diversifier les ressources, de les utiliser plus efficacement et de réduire ainsi la dépendance énergétique.

Solange Lapierre
Fin juin 1985

Sources consultées
ANTHONY, P.J., *La recherche sur les énergies nouvelles*, 1980.
Énergie de remplacement, rapport du Comité spécial de l'énergie de remplacement du pétrole présenté au Parlement du Canada, Approvisionnements et Services Canada, 1981.
WORLD ENERGY CONFERENCE, *Energy Terminology. A Multi-lingual Glossary*, 1983.
VAUGÉ, C., *Lexique des énergies renouvelables*, 1980.

Conservation d'énergie ou économie d'énergie ?

Longtemps, on ne pouvait imaginer une croissance économique sans un accroissement de l'utilisation de l'énergie. Cependant, à mesure qu'on prenait conscience des limites des sources d'énergie et du risque d'un épuisement éventuel de plusieurs d'entre elles, il a bien fallu penser à des moyens d'en rationaliser la consommation. C'est ainsi qu'on en est venu à parler d'**économie** et de **conservation d'énergie**. Mais qu'en est-il exactement ? Ces deux expressions désignent-elles une même réalité ou s'agit-il de réalités différentes ?

L'usage

• En 1975, *L'Actualité terminologique*[1] recommande **économie d'énergie** plutôt que conservation d'énergie comme équivalent de *conservation of energy*, sauf dans le domaine de la thermodynamique. La tendance se maintient quelques années pendant lesquelles on retrouve plus souvent l'expression **économie d'énergie**. Par exemple, un rapport de 1977 d'Énergie, Mines et Ressources Canada intitulé *Économies d'énergie au Canada : programmes et perspectives*.

• Depuis les années 80, les expressions **conservation d'énergie** et **économie d'énergie** semblent utilisées indifféremment. Ainsi, dans le *Programme énergétique national* (faits saillants), il y a un paragraphe où l'on peut lire : « *La conservation : Économiser l'énergie, c'est la façon la plus propre, la plus durable et souvent la moins coûteuse de réduire notre dépendance à l'égard du pétrole importé et de parvenir à l'équilibre de notre bilan énergétique.* »

Il apparaît de ce qui précède que le sens de conservation et d'économie a évolué à mesure que les applications se précisaient.

Les dictionnaires

La Conférence mondiale de l'énergie[2] définit **conservation de l'énergie** de la façon suivante :

Terme appliqué à des politiques englobant les actions à entreprendre pour garantir l'utilisation la plus efficace des ressources énergétiques limitées. **Des exemples de telles actions sont les économies d'énergie**, la substitution d'une forme d'énergie à une autre (par ex. le remplacement de l'énergie fossile par l'énergie solaire, éolienne ou géothermique, etc.).

Le *Grand Dictionnaire encyclopédique Larousse*[3] donne :

Conservation des ressources naturelles, **ensemble des mesures** visant à assurer la consommation optimale et l'entretien du stock des ressources naturelles.

D'autre part, la Conférence mondiale de l'énergie[2] définit **économies d'énergie** :

Mesures ou **effets des mesures** prises par des producteurs et des utilisateurs d'énergie pour éviter les gaspillages d'énergie. De telles mesures peuvent être passives (par ex. l'isolation), actives (par ex. l'utilisation des rejets thermiques ou du gaz pouvant brûler à la torche) ou organisationnelles (par ex. changement du système du transport).

tandis que le *Grand Dictionnaire encyclopédique Larousse*[3] donne :

Économie d'énergie : **gain sur la consommation d'énergie** d'installations industrielles ou domestiques, obtenu grâce à une utilisation optimale de l'énergie, à une amélioration des rendements des dispositifs énergétiques, ainsi qu'à une diminution des déperditions thermiques.

Il ressort de ces définitions que **conservation** est le terme général englobant **économie** qui est un type de conservation d'énergie. L'expression conservation d'énergie appartient au domaine abstrait alors qu'économie d'énergie fait plutôt référence à des mesures concrètes : systèmes de régulation, gestion plus raisonnable du chauffage, limitation de vitesse, etc.

Signalons enfin que certains auteurs privilégient la graphie plurielle **économies d'énergie** afin d'éviter toute confusion avec le domaine de l'économie de l'énergie.

Marie Archambault
Fin janvier 1985

Références
1. CANADA, Secrétariat d'État, Bureau des traductions, *L'Actualité terminologique*, vol. 8, nº 4, avril 1975.
2. WORLD ENERGY CONFERENCE, *Energy Terminology. A Multi-lingual Glossary*, 1983.
3. *Grand Dictionnaire encyclopédique Larousse*, 1982.

Autres sources consultées
LAVIGNE, Jean-Claude, POLLET, Gérard, *Vocabulaire de l'énergie. Les économies d'énergie : les apports du gaz et de l'électricité pour une meilleure utilisation de l'énergie dans le bâtiment*, 1982.
MOREAU, Max, *L'économie de la polyénergie*, 1981.

Personne-ressource
MARTEL, Jacques, directeur, Institut national de la recherche scientifique (INRS) – Énergie.

Qu'est-ce qu'une électrotechnologie ?

Dans l'industrie, on utilise traditionnellement des combustibles fossiles (charbon, gaz, pétrole) pour des opérations telles que le chauffage, le séchage ou la fusion des métaux.

Or, ces procédés industriels peuvent fonctionner aussi bien, sinon mieux, au moyen de l'électricité. Une **électrotechnologie** est donc un équipement ou un système dont la source d'énergie est électrique. Dans bien des cas, les électrotechnologies permettent aux industriels de réduire leurs coûts de production, d'augmenter leur productivité et d'améliorer la qualité de leurs produits ainsi que les conditions de travail et la sécurité.

Il existe de nombreuses électrotechnologies. En voici quelques-unes.

Résistances électriques

Description sommaire
Un courant électrique est injecté dans un conducteur appelé résistance, qui dégage alors de la chaleur.

Exemples d'applications
Fusion des métaux, traitements thermiques, cuisson de céramiques et de verres, séchage, cuisson d'aliments, etc.

Rayonnement infrarouge

Description sommaire
Une résistance est amenée à une température très élevée. Elle émet alors des rayonnements qui chauffent les pièces à traiter. Les émetteurs infrarouges sont constitués, par exemple, de lampes ou de tubes au quartz.

Exemples d'applications
Métaux, fonderie, plastiques, alimentation, textile, verrerie, caoutchouc, céramique, émaux, papier, etc.

Pompes à chaleur

Description sommaire

Elles fonctionnent à l'inverse d'un réfrigérateur ordinaire et produisent de la chaleur plutôt que du froid.

Exemples d'applications

Récupération des rejets thermiques d'industries, séchage, opérations de chauffage/refroidissement (comme le séchage à froid du café et la réfrigération du lait), etc.

Plasmas

Description sommaire

Le plasma est obtenu par ionisation d'un gaz au moyen de l'électricité. Les machines à plasma, fours ou torches, permettent d'obtenir des températures allant jusqu'à 10 000 °C.

Exemples d'applications

Fonte et affinage des métaux, séchage, fabrication du verre et du ciment, destruction des déchets, soudage, découpage, etc.

Arcs électriques

Description sommaire

Un arc électrique est créé lorsqu'un courant passe entre deux électrodes dans un milieu gazeux ionisé. Ce mode de chauffage est utilisé, entre autres, dans les fours. On parle alors de **four à arc rayonnant** ou de **four à arc submergé**.

Exemples d'applications

Fonte et affinage des métaux, traitements thermiques, fusion du verre, etc.

Micro-ondes

Description sommaire

Un matériau non conducteur d'électricité est soumis à un champ électrique à très hautes fréquences. Le matériau est alors chauffé à cœur.

Exemples d'applications

Industries alimentaires, industries du bois, du plastique, du caoutchouc, du textile, du papier, industrie chimique, etc.

Osmose

Description sommaire
Procédé qui sert à séparer deux liquides de concentrations différentes au moyen d'une membrane semi-perméable. L'électricité est utilisée pour créer une pression plus élevée d'un côté de la membrane.

Exemples d'applications
Concentration du lait, des jus de fruits ou des effluents, etc.

Laser

Description sommaire
Dispositif qui émet un faisceau de lumière extrêmement intense.

Exemples d'applications
Micro-usinage, forage, découpage en micromécanique et en électronique, découpage de matériaux divers, etc.

Renée Lévy
Fin septembre 1985

Source consultée
HYDRO-QUÉBEC, *Les électrotechnologies et l'industrie*, 1985.

Électrisation ou électrocution ? En termes de sécurité, voilà un choc de trop

Depuis le début du siècle, le courant électrique s'est fait graduellement plus présent dans le quotidien des Québécois. Tout le monde s'est accoutumé à le savoir circuler à proximité, avec tout ce que cela comporte d'avantages comme de risques.

Le confort auquel l'électricité nous a habitués peut, en certaines occasions, tourner rapidement au danger. Ainsi, lorsqu'un objet conducteur entre accidentellement en contact avec une installation électrique sous tension, on le dit **électrisé**. Il en va de même du corps humain ; ses propriétés conductrices en font un véhicule qu'empruntera volontiers le courant électrique advenant un contact.

Le **choc électrique** que subit la victime peut alors être sans gravité notable, comme il peut être fatal. En médecine, on appelle **électrisation** l'accident aux conséquences non mortelles alors qu'on réserve le terme **électrocution** pour désigner l'accident qui provoque la mort de la victime.

Soucieuse de prévenir les accidents d'origine électrique, Hydro-Québec consacre chaque année de nombreux efforts pour inciter tout le monde à être « *prudent sur toute la ligne* ». L'objectif visé : que les gens soient suffisamment renseignés sur les dangers de l'électricité pour agir et réagir en tout temps selon les règles fondamentales de la sécurité.

Cette prise de conscience nouvelle a entraîné, ces récentes années, l'apparition de mots tels sécuritaire et sécuritairement.

Fort de ses nombreuses occurrences, l'adjectif **sécuritaire** est entré dans la langue par la grande porte le 2 octobre 1981, lorsque l'Office de la langue française en a recommandé l'usage[1]. Mais attention, il n'est pas convenable de le glisser à tout propos dans nos communications. Cet adjectif « *s'emploie pour signifier l'absence relative de danger matériel pour un usager* » ; il ne doit jamais servir à qualifier une personne ou un état d'esprit. **Sécuritaire** nous permet ainsi de qualifier uniquement des objets considérés sur le plan de leur efficacité. On réserve d'autre part le syntagme **de sécurité** à l'objet qualifié sur le plan de sa conception. Voyons un exemple. Des lunettes **de sécurité** protègent les yeux d'une façon efficace et sont donc **sécuritaires**. Vu ?

En terminant, signalons que l'adverbe *sécuritairement* s'utilise de plus en plus mais qu'aucune sanction ne l'a encore officiellement rangé parmi les grands de cette langue. En effet, nulle autorité linguistique ne l'a consigné à ce jour. Or, entre-temps, si vous avez un conseil à formuler à quelqu'un qui vous tient à cœur, rappelez-lui simplement qu'en agissant **d'une manière sécuritaire**, ou **en toute sécurité**, il évitera qu'une forme courante d'énergie ne vienne l'**électriser** ou l'**électrocuter**.

Qui s'y frotte... s'y choque.

Daniel Beauchemin
Fin avril 1985

Référence

1. OFFICE DE LA LANGUE FRANÇAISE, *Répertoire des avis linguistiques et terminologiques*, 1982.

Autres sources consultées

ASSOCIATION FRANÇAISE DE NORMALISATION, *Installations électriques à basse tension – Règles*, NF C 15-100.

BUREAU INTERNATIONAL DU TRAVAIL, *Encyclopédie de médecine, d'hygiène et de sécurité du travail*, 1973.

CENTRE NATIONAL DE LA RECHERCHE SCIENTIFIQUE, *Trésor de la langue française*.

ÉLECTRICITÉ DE FRANCE, service Prévention et Sécurité, *Vigilance*.

HYDRO-QUÉBEC, direction Distribution, *Étude terminologique : électrocution et électrisation*, mai 1980.

SIZAIRE, Pierre, *Dictionnaire technique de la construction électrique*, 1968.

Sûreté et sécurité

Partout de nos jours, et surtout à Hydro-Québec, on met l'accent sur la sécurité. Ou faudrait-il dire sur la sûreté ? Quelle est la différence entre ces deux termes ?

Dans le domaine technique, les ouvrages qui traitent d'énergie nucléaire établissent une distinction claire entre les deux termes. Le *Dictionnaire des sciences et techniques nucléaires*[1] définit la **sûreté nucléaire** comme suit :

> Ensemble des techniques utilisées pour évaluer les risques inhérents aux installations nucléaires et pour les supprimer ou, à défaut, réduire leur probabilité d'apparition et l'importance de leurs conséquences à des niveaux acceptables aux termes des règlements existants ou suivant un consensus officiellement défini.

Les *Techniques de l'ingénieur*[2] donnent une définition de **sûreté nucléaire** qui peut s'appliquer à d'autres domaines techniques.

> L'objectif de la sûreté nucléaire est de s'assurer qu'à tout instant le niveau de risque est suffisamment bas pour être acceptable, tant vis-à-vis des travailleurs, des installations que vis-à-vis du public et de l'environnement.

La **sûreté** est donc l'ensemble des moyens que l'on prend pour qu'une installation, un appareil, etc. fonctionnent bien. Ce sont des mesures préventives. Un bâtiment moderne, par exemple, construit à l'épreuve des incendies présente toute sûreté à cet égard.

Par ailleurs, la **sécurité** est l'ensemble des mesures que l'on prend lorsqu'un incident ou un accident se produit. Encore une fois, les *Techniques de l'ingénieur*[2] illustrent bien la distinction entre les deux termes.

> ... c'est à la suite d'une première analyse [de sûreté] que le constructeur définit les dispositifs de sécurité nécessaires pour parer aux différents risques analysés.

Enfin, la définition ci-après résume très bien la différence entre **sûreté** et **sécurité** dans le domaine technique.

> Un dispositif de sûreté met à l'abri de tel ou tel danger, un dispositif de sécurité fonctionne si un accident vient à se produire[3].

Par ailleurs, au cours de nos recherches, nous avons aussi découvert une distinction d'ordre général : le terme **sûreté** s'applique aux installations et le terme **sécurité** a très souvent rapport à des personnes.

On ne peut dire qu'il s'agit d'une règle, mais il est intéressant de signaler cette distinction. Le mot **sécurité** a tendance à remplacer **sûreté** pour signifier l'état d'une personne qui est à l'abri du danger. Sur la route, par exemple, on est **en sécurité** parce que les routes et les véhicules sont **sûrs**. *L'Actualité terminologique*[4] établit la distinction suivante :

> La **sûreté** est un état des choses ; la **sécurité**, un état d'esprit inspiré par celui des choses.

En conclusion, nos recherches nous ont permis de découvrir une distinction entre **sûreté** et **sécurité** à deux niveaux de langue : premièrement dans le domaine technique et deuxièmement, en général, dans la langue courante. Cependant, il n'existe pas de contradiction entre ces deux niveaux. Au contraire, les deux distinctions vont dans le même sens. Donc, en résumé :

La **sûreté** est un ensemble de mesures préventives : on doit utiliser ce terme lorsqu'on parle d'appareils, d'installations, etc. Il désigne un état de choses.

La **sécurité** est un ensemble de mesures que l'on prend si quelque chose d'anormal se produit ; ces mesures visent à protéger les personnes. Ce terme désigne aussi l'état d'esprit de ces personnes.

Renée Lévy
Mi-mai 1980

Références

1. COMMISSARIAT À L'ÉNERGIE ATOMIQUE, *Dictionnaire des sciences et techniques nucléaires*, 1975.
2. *Techniques de l'ingénieur*, B 3800-5 et B 3810-1, 1978.
3. BÉNAC, Henri, *Dictionnaire des synonymes,* « Sécurité », 1956.
4. CANADA, Secrétariat d'État, Bureau des traductions, *L'Actualité terminologique*, vol. 3, n° 7, août-septembre 1970.

SUJETS D'INTÉRÊT GÉNÉRAL

Propos de comités

Le personnel de l'entreprise, quel que soit son domaine d'activité, doit un jour ou l'autre utiliser la terminologie des comités et des réunions. Dans un bref tour d'horizon, nous essaierons de mettre en lumière les principaux anglicismes qui se glissent parfois dans ce domaine.

L'une des premières activités du comité est sans contredit l'établissement de son **calendrier (programme** ou **plan) de travail**. Ce document n'est pas une *cédule*, terme qui s'applique aux domaines juridique ou fiscal et qui, en français, n'a pas le même sens que le *schedule* anglais.

Aux dates déterminées dans ce calendrier, se réunissent les personnes qui **siègent au comité** ou, si on préfère, qui **en font partie**, qui **en sont membres.** *Être sur* un comité et *siéger sur* un comité sont deux traductions littérales de l'anglais *to be on a committee.*

Au cours des réunions, les membres abordent différentes questions inscrites **à l'ordre du jour** (ou **au programme**) de la réunion. C'est à tort qu'on utilise en ce sens *agenda.* En effet, l'agenda est le petit livret, ou carnet, présentant quelque peu l'aspect d'un calendrier et destiné à prendre note de l'emploi du temps prévu pour les jours et les semaines à venir.

Les membres du comité, donc, munis de **l'ordre du jour** se rencontrent le jour fixé par le **calendrier**. Et la réunion **débute, commence par** l'étude du premier **point** (et non *item*) inscrit au **programme**. À ce propos, il faut se garder de dire que quelqu'un ou quelque chose *débute la réunion*, car débuter est un verbe qui n'a jamais de complément direct : **quelque chose peut débuter** mais on ne peut *débuter quelque chose*, pas plus une réunion que des discussions. D'idée en projet, on passe à la **proposition** qu'un des membres voudra bien **appuyer**. Encore une fois, c'est sous l'influence de l'anglais qu'on *seconderait une proposition*. En effet, dans le sens français actuel, seconder, c'est servir d'aide à quelqu'un ou favoriser son action. Dans le même ordre d'idées, il faut noter qu'*endosser une décision* n'est pas davantage correct. Là encore, c'est le terme **appuyer** qui s'applique.

D'autre part, toute proposition risque de soulever des contestations. Certains **douteront de l'à-propos d'une déclaration, la mettront en doute, la contesteront**. Il ne faudrait pas dire alors qu'ils *questionnent la proposition, la déclaration faite*, car on ne peut questionner que des personnes, jamais des idées, des suggestions, des affirmations.

Après avoir **délibéré** ou encore discuté des sujets à l'ordre du jour et proposé des solutions aux questions soulevées, des décisions sont prises. Celles-ci sont en général non pas *finales*, mais **définitives** ou **sans appel**. Par conséquent, elles auront souvent **une portée (des répercussions, des conséquences** ou **des effets)** plus ou moins considérable. C'est par l'une ou l'autre de ces expressions qu'il y aurait lieu de remplacer le terme *implications* qui ne s'applique pas dans ce cas.

Pour résumer nos propos, disons que les personnes qui **siègent à un comité** se réunissent en fonction d'un **calendrier de travail** établi. Une fois que la **réunion a débuté**, les membres étudient les points à **l'ordre du jour**. Certaines **déclarations sont contestées**, des **propositions sont appuyées** et des **décisions définitives** sont adoptées qui auront des **répercussions** sur les activités du service ou de l'entreprise.

Nicole April
Fin avril 1982

Sources consultées
CAJOLET-LAGANIÈRE, Hélène, *Le français au bureau*, 1982.
CLAS, André, HORGUELIN, Paul A., *Le français, langue des affaires*, 1979.
DAGENAIS, Gérard, *Dictionnaire des difficultés de la langue française au Canada*, 1967.
DUBUC, Robert, *Objectif 200 – 200 fautes de langage à corriger*, 1971.

Pot-pourri

Comptes rendus et procès-verbaux

Qui n'a pas, un jour ou l'autre, été nommé secrétaire (volontaire ou non) d'une réunion ou d'un comité ?

La tâche du secrétaire est de rapporter les faits et les décisions de la façon la plus succincte mais la plus complète possible. Il ne doit pas transcrire les débats en détail ; il doit noter l'essentiel des discussions (en identifiant les intervenants) et les conclusions, et les consigner dans un **compte rendu** ou un **procès-verbal** (et non dans les *minutes*).

Bien que **procès-verbal** et **compte rendu** soient souvent considérés comme des synonymes, on peut, dans la pratique, faire la distinction suivante. Le **procès-verbal** est rédigé par un secrétaire qui n'intervient pas dans le débat, tandis que le **compte rendu** est établi par une personne qui participe à la discussion. Et ce dernier présente un caractère moins officiel que le procès-verbal.

Voici les éléments essentiels d'un **procès-verbal** ou d'un **compte rendu** :
- Nom du comité ou désignation de la réunion.
- Lieu, date et heure de la réunion.
- Liste des participants (et mention des personnes absentes).
- Résumé des discussions.
- Heure où la séance a été levée et, s'il y a lieu, date, lieu et heure de la prochaine réunion.
- Signatures du président (s'il y a lieu) et du secrétaire.

En général, les **procès-verbaux** et les **comptes rendus** sont rédigés au présent.

Sigle ou symbole ?

« Le **symbole** d'Hydro-Québec figure sur l'en-tête des formules. »

Il s'agit bien d'un **symbole** et non d'un **sigle** comme on l'entend trop souvent. En effet, un **sigle** est l'abréviation du nom d'un organisme par les initiales des mots qui la composent. HQI est le sigle d'Hydro-Québec International.

Quant au **symbole**, c'est une image graphique qui sert à évoquer une idée ou à identifier une entreprise. « On identifie Hydro-Québec à son **symbole**. »

Hydroélectrique ou hydro-électrique ?

La majorité des dictionnaires écrivent ce mot avec un trait d'union. Par contre, l'Association française de normalisation (AFNOR) l'écrit sans trait d'union. L'usage est tellement flottant qu'Électricité de France, dans un de ses rapports d'activité, écrit tantôt *hydro-électrique*, tantôt *hydroélectrique*.

Ce mot est en fait le seul de la série des mots en *hydro* sur lequel l'usage hésite. Tous les autres, d'hydroacoustique à hydroxyde, sont soudés.

Étant donné l'instabilité de l'usage et la tendance actuelle vers une simplification de l'orthographe et la soudure des mots composés, ce mot devrait s'écrire sans trait d'union. À Hydro-Québec, on écrit d'ailleurs **hydroélectrique** depuis longtemps ; à preuve, la Loi établissant la Commission hydroélectrique de Québec de 1944.

Françoise Lafontaine
Fin août 1975

Sources consultées
CLAS, André, HORGUELIN, Paul A., *Le français, langue des affaires.*
MORIN, Victor, *Procédure des assemblées délibérantes.*
RYAN, Claude, *Les comités : esprit et méthodes.*

Un item à *oublier*

Item est un adverbe latin qui signifie de même que, en outre, en plus.

En français, on le trouve tel quel (c'est-à-dire comme adverbe et sous sa forme latine) dans les comptes et dans les énumérations où son emploi est toutefois vieilli. Exemple : « J'ai acheté trois paires de gants, **item** deux paires de chaussures. »

À l'encontre de son homonyme anglais que l'on trouve dans bon nombre de documents administratifs ou comptables, **item** ne s'emploie comme substantif en français que dans des domaines bien spécialisés, à savoir l'enseignement programmé, la linguistique, la psychologie et l'informatique. Il prend alors la marque du pluriel. Dans le premier cas, **item** désigne un élément d'un test dont il faut choisir la réponse parmi un nombre donné de solutions. Ainsi, les questions du type choix multiple sont des **items**. En linguistique, on appelle **item** un élément d'un ensemble lexical ou grammatical.

En comptabilité, on emploie **poste** ou **inscription** (et non *item*) pour désigner les opérations et les articles consignés dans un livre comptable.
Le bilan comporte divers **postes** ; le journal est un livre qui reçoit des **inscriptions**.

Toujours en comptabilité, mais au chapitre du budget cette fois, on nomme **articles** ou **postes budgétaires** les rubriques où sont inscrites des dépenses ou des recettes diverses, selon les exigences de l'exploitation. On peut aussi parler d'**articles** ou de **postes** du budget (à ne pas confondre toutefois avec les postes prévus au budget).

Pour désigner les éléments qui figurent à l'ordre du jour d'une réunion, on parlera tantôt de **points**, d'**articles**, de **sujets** ou de **questions**. Par ailleurs, les divers éléments d'une liste sont des **articles**, des **postes** ou des **rubriques**.

Comme on le voit, les équivalents ne manquent pas pour rendre le terme anglais *item.* Pour compléter notre liste, voici quelques expressions anglaises formées du mot *item* et leurs équivalents français.

– *assets item*
  actif ou élément d'actif
– *cash item*
  article de caisse
– *contract item*
  article d'un contrat
– *credit* (ou *debit*) *item*
  article de crédit (ou de débit) ; poste créditeur (ou débiteur)
– *inventory item*
  article du stock
– *item on an order*
  article d'une commande
– *item on a program*
  numéro d'un programme
– *ledger item*
  écriture de grand livre
– *liabilities item*
  passif ou élément de passif
– *news item*
  faits divers (d'un journal)
– *small items*
  menus frais
– *to tick off items*
  pointer les articles (d'un compte)

Pour résumer, disons qu'**item**, adverbe, s'emploie rarement tandis qu'**item**, substantif, est réservé au vocabulaire spécialisé. Dans le langage courant, les termes **article, poste, point** et **rubrique** sont les plus aptes à nous dépanner lorsqu'il s'agit de trouver un équivalent à **item**.

Françoise Lafontaine
Mi-avril 1977

Propos d'argent

Défrayer

On ne défraie pas des dépenses ; on défraie quelqu'un **de** ses dépenses. Dans l'ancien français, frayer voulait dire faire les frais, autrement dit : assumer les frais. Ce mot est aujourd'hui disparu mais il nous reste **défrayer** qui veut dire, en toute logique, « débarrasser » ou « décharger des frais ».

Ajoutons qu'on ne peut défrayer quelqu'un de n'importe quoi. Ce verbe ne convient qu'aux frais de déplacement, de repas, de logement, bref, aux dépenses d'entretien personnel.

Souhaitons que cette chronique défraie les conversations.

Créditer et débiter

Dans la même veine, rappelons qu'on **crédite** (et on **débite**) **quelqu'un** ou un **compte**. *On ne crédite pas une somme ; on ne la débite pas* non plus.

On peut **passer** une somme au **débit** ou au **crédit** d'un compte, l'**inscrire** ou la **porter** au **débit** ou au **crédit**.

Facturer

Facturer souffre du mal inverse. On facture quelque chose **à** quelqu'un. *On ne facture pas quelqu'un* (à moins d'être marchand d'esclaves).

Encourir

Encourir ne s'emploie pas à propos d'une dépense déjà faite ou d'une dépense connue d'avance. Donc, plus de *dépenses encourues*, de *frais encourus* ou de *pertes encourues*. On **engage** des **frais** ou des **dépenses**, on **subit** des **pertes** ou on les **éprouve**.

Si l'on tient à encourir quelque chose, il faut se résigner à encourir des sanctions, des réprimandes, des reproches, voire des frais exagérés ; c'est malheureusement le seul usage où ce verbe déprimant se complaît.

Monétaire

Attention à ce mot. Son sens est très restreint. Il s'emploie pour désigner « ce qui a trait à la monnaie » en tant que valeur d'échange. Et ce n'est pas tous les jours qu'on parle d'un sujet semblable.

Lorsqu'on a besoin d'un adjectif pour dire « qui a rapport à l'argent » ou « qui consiste en argent », on dispose, selon le contexte, de **pécuniaire** (les clauses pécuniaires d'un contrat), de **financier** (des problèmes financiers), de **salarial** (clause salariale d'une convention), en **argent**, en **espèces**, etc.

Estimé

Le substantif *estimé* n'EXISTE PAS. Il faut parler de **prévisions budgétaires**, de **prévision de dépenses**, de **budget**, de **crédits**, d'**estimation**, d'**évaluation**, d'**appréciation**, de **devis estimatif**.

Avec votre remise

Voici une erreur curieuse. Une **remise** est un rabais, une diminution de prix, une réduction. N'importe quel dictionnaire peut le confirmer. Or, probablement sous l'influence de l'anglais *remittance*, on en est venu à employer **remise** pour désigner tout simplement un paiement.

La phrase *Veuillez retourner ce coupon avec votre remise* n'a donc aucun sens. Pourtant, elle figure sur les factures de grandes entreprises, sur les comptes de taxes scolaires et municipales.

Une bouffée d'air frais en terminant : la facture d'Hydro-Québec parle bien correctement de « joindre ce coupon à votre paiement ». Bravo !

Claire Robichaud
Fin avril 1977

À titre d'information
L'Institut canadien des comptables agréés a publié un ouvrage fort utile, voire indispensable à toutes les personnes qui s'intéressent à la profession comptable : *Le Dictionnaire de la comptabilité (anglais-français)* de Fernand Sylvain. Il est à signaler que les équivalents français proposés dans cet ouvrage sont recommandés par l'Office de la langue française.

Franco ou *F.A.B. ?*

En principe, un vendeur et un acheteur sont libres de négocier toutes les conditions de leurs contrats, notamment le prix, les frais de transport et le moment où la propriété de la marchandise passera de l'un à l'autre. En pratique, ils ont recours à des types classiques de contrats dont les clauses ont l'avantage d'être connues et, souvent, d'avoir été interprétées par les tribunaux. Ces contrats font épargner beaucoup de temps aux parties en déterminant à l'avance quand se fera la délivrance matérielle et juridique de la marchandise et qui paiera les frais d'expédition. Le contrat de vente maritime F.A.B. (franco à bord), de l'anglais F.O.B. *(free on board)*, est de ceux-là. L'emploi généralisé en Amérique de l'abréviation F.O.B. justifie que nous nous y arrêtions un peu.

Origine de l'expression

Dans une vente **F.A.B.**, le vendeur s'engage à remettre la marchandise, **sans frais** ou **franco** pour l'acheteur, à bord du navire que ce dernier lui désigne. C'est l'acheteur qui affrète le navire ou loue l'espace qu'il lui faut et qui, s'il le veut, assure la marchandise. Le vendeur ne se préoccupe que d'emballer et de transporter jusqu'au navire la marchandise vendue. Cet acte accompli, celle-ci devient la propriété de l'acheteur qui devra désormais supporter les frais et risques du transport. En somme, le vendeur assume les frais et risques du transport jusqu'à la mise à bord ; l'acheteur, les frais et risques jusqu'à destination finale.

Extension au transport par air

Le transport aérien a emprunté au transport maritime le régime F.A.B. La mise à bord de l'appareil constitue le moment où la propriété de la marchandise passe à l'acheteur avec les risques du transport. Le vendeur règle les frais qu'occasionnent l'emballage et le chargement de la marchandise dans l'appareil. L'acheteur supporte tous les autres.

Extension aux autres modes de transport

Les Américains ont étendu *Free on board* au transport ferroviaire et routier. C'est probablement ce qui explique que l'usage de F.O.B. soit largement répandu dans le commerce nord-américain pour les quatre modes de transport en question et le Québec ne fait pas exception.

Le Québec

À ce jour, les efforts de francisation ont surtout porté sur l'abréviation elle-même : **F.A.B., FAB, fab, f. à b.**, sans que soit mise en question l'extension américaine au commerce ferroviaire et routier de l'expression **franco à bord**. La question se pose puisque l'usage français réserve généralement l'expression franco à bord au commerce maritime et, par extension, au commerce aérien (voir le *Lamy transport*, tome 2, p. 97). **Franco** est d'usage courant pour le transport ferroviaire et routier.

À ce propos, l'Office de la langue française du Québec a entériné trois propositions d'arrêtés ministériels que lui a soumis la Commission de terminologie du ministère de l'Économie et des Finances de France. Les voici :

Franco à bord (F.A.B.)

L'abréviation **F.A.B.**, suivie généralement du nom du port d'embarquement, est utilisée dans les contrats commerciaux pour préciser les conditions d'un prix convenu. Elle signifie que ce prix s'entend pour des marchandises livrées à bord du navire tous frais, droits, taxes et risques à charge du vendeur jusqu'au moment où ces marchandises ont passé le bastingage du navire (donc frêt et assurance maritime exclus).

Anglais : FREE ON BOARD (F.O.B.)

Note : Par extension, cette abréviation peut être suivie d'un point de destination convenu.

Franco wagon

Expression utilisée dans le commerce et signifiant que le prix convenu s'entend pour une marchandise chargée sur wagon, ou remise au chemin de fer (s'il s'agit d'un chargement inférieur à un wagon complet ou au poids nécessaire pour bénéficier des tarifs applicables aux charges par wagon) tous frais et risques étant, à partir de ce moment, supportés par l'acheteur. Cette expression est suivie du nom du point de départ de la marchandise ; si le point de prise en charge convenu est, par exemple, la gare du Nord, l'expression devient : FRANCO WAGON GARE DU NORD.

Anglais : FREE ON RAIL (F.O.R.)

Franco camion

Expression utilisée dans le commerce et signifiant que le prix convenu s'entend pour une marchandise chargée sur camion tous frais et risques étant, à partir de ce moment, supportés par l'acheteur.

Cette expression est suivie du nom du point de départ de la marchandise ; si le point de prise en charge convenu est, par exemple GARONOR, l'expression devient : FRANCO CAMION GARONOR.

Anglais : FREE ON TRUCK (F.O.T.)

Conclusion

De toutes les abréviations, **F.A.B.** est celle que nous avons rencontrée le plus souvent et qui semble avoir la faveur de la Commission de terminologie du ministère de l'Économie et des Finances de France ainsi que de l'Office de la langue française du Québec.

Par ailleurs, l'approbation des termes **franco wagon** et **franco camion** par l'OLF indique son penchant pour l'introduction et la généralisation éventuelles du terme **franco** au Québec dans le transport ferroviaire et routier.

François Béland
Mi-mai 1979

Affaire classée...

Nos bureaux sont souvent remplis de machins, de trucs, de choses pour ci et de choses pour ça. Ces petits mots passe-partout nous servent généralement à désigner des objets dont nous ne connaissons pas le nom exact ou dont nous ne connaissons parfois que le nom anglais. Afin d'enrichir notre mémoire et notre vocabulaire, voyons ensemble comment s'appellent quelques-uns de ces objets.

D'abord, les **classeurs**. Les classeurs sont des meubles généralement compartimentés qui servent à ranger des dossiers, des documents, des dessins, etc. Il y a les **classeurs à tiroirs**[1], les **classeurs à clapets**[2] dont les tablettes peuvent être fixes ou coulissantes, les **classeurs à plans** pour le **classement horizontal** ou le **classement à plat**[3] et pour le **classement vertical** ou **suspendu**[4], les **bacs de classement**[5] et, enfin, les **chariots**[6] utilisés pour le rangement des dossiers suspendus.

Le terme *filière* est fréquemment utilisé pour désigner les classeurs. Il s'agit d'une faute, car ce terme a plusieurs sens, mais pas celui de classeur. C'est probablement sous l'influence du verbe anglais *to file*, qui signifie classer, qu'il est entré dans notre vocabulaire pour désigner des meubles de classement.

Rappelons que les meubles servant au classement des **fiches** (petit carton sur lequel on inscrit des renseignements en vue de les classer) sont des **fichiers**. Les plus répandus sont les **fichiers à tiroirs**[7] et les **fichiers rotatifs**[8] ou **à tambour(s)**[9]. Chaque tiroir est habituellement muni d'un **porte-étiquette**[7A] qui permet d'identifier son contenu.

Les fichiers communément appelés *Kardex* sont des **fichiers à fiches visibles**. Le mot *Kardex* est le nom d'une marque déposée et doit être réservé aux fichiers de cette marque.

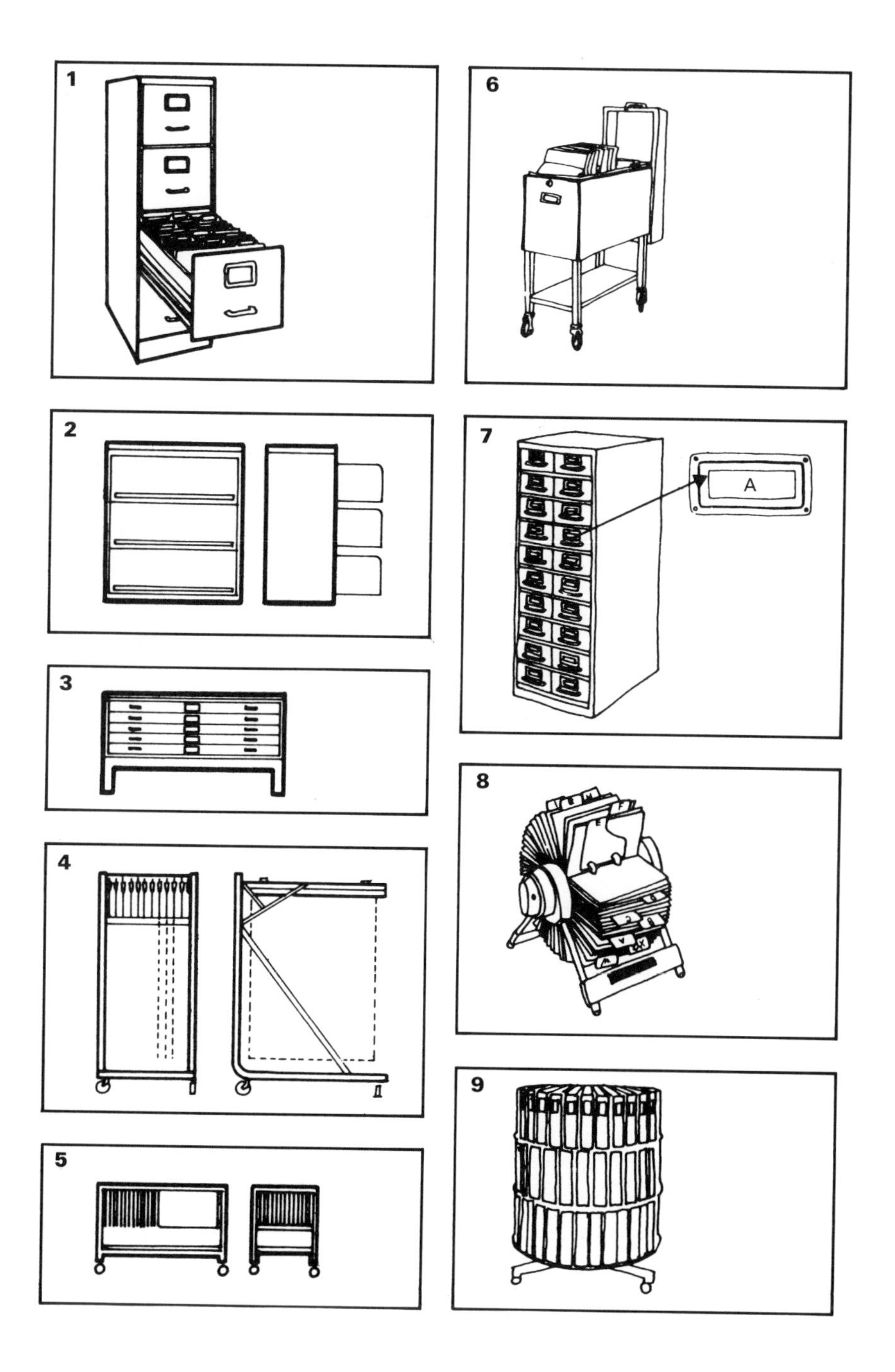
1
2
3
4
5
6
7
A
8
9

La **chemise de classement**[10] est une feuille de papier fort pliée en deux, ou un cartonnage léger, servant à classer des documents. Elle se présente dans les formats 215 mm x 280 mm et 215 mm x 355 mm, appelés respectivement **format commercial** et **grand format**.

La chemise de classement fait partie de la famille des dossiers qui regroupe également les **dossiers suspendus**[11], les **pochettes classeurs**[12] aussi appelées **chemises à soufflet**, les **dossiers à rabats** ou **pochettes**[13], les **boîtes classeurs**[14] et, enfin, les **reliures**[15], qui sont également appelées **classeurs** lorsque leur dos est très large.

Il existe des **reliures à anneaux**[16], des **reliures à sangle**[17], des **reliures à glissière**[18], des **reliures à pince**[19], des **reliures à ressort**[20] et des **reliures spirales**[21]. À noter que le mot « cartable » désigne le sac dans lequel les écoliers mettent leurs cahiers, leurs livres, etc.

À l'intérieur des reliures, comme dans les tiroirs des **classeurs** et des **fichiers**, les documents sont séparés en tranches par des **guides de classement**[22] à **index numérique** ou **alphabétique**. Pour une identification plus détaillée des documents, on peut aussi se servir d'**onglets ordinaires**[23] ou d'**onglets à fenêtre**[24] que l'on fixe à des **feuillets intercalaires**[25] et auxquels on ajoute une **étiquette** portant les mentions désirées.

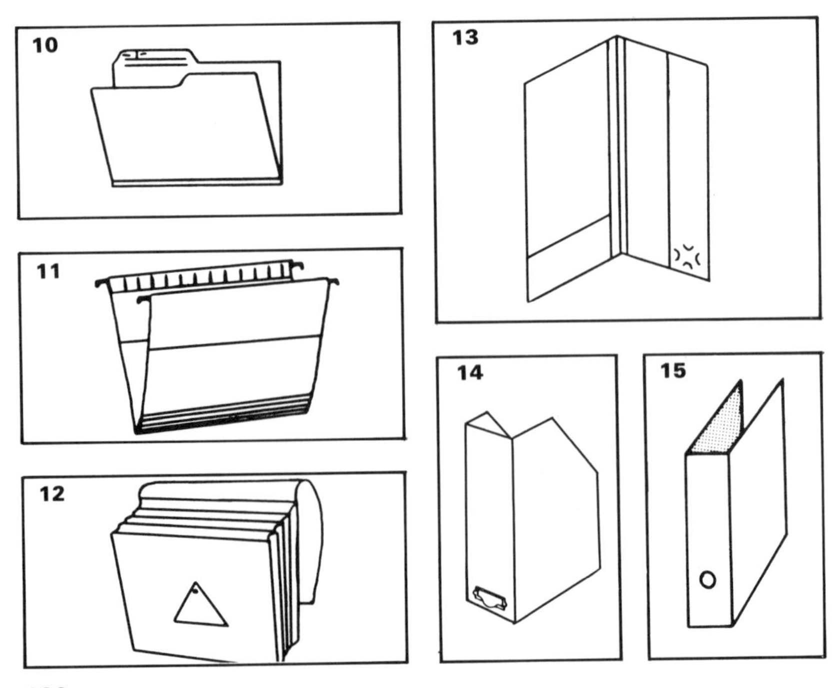

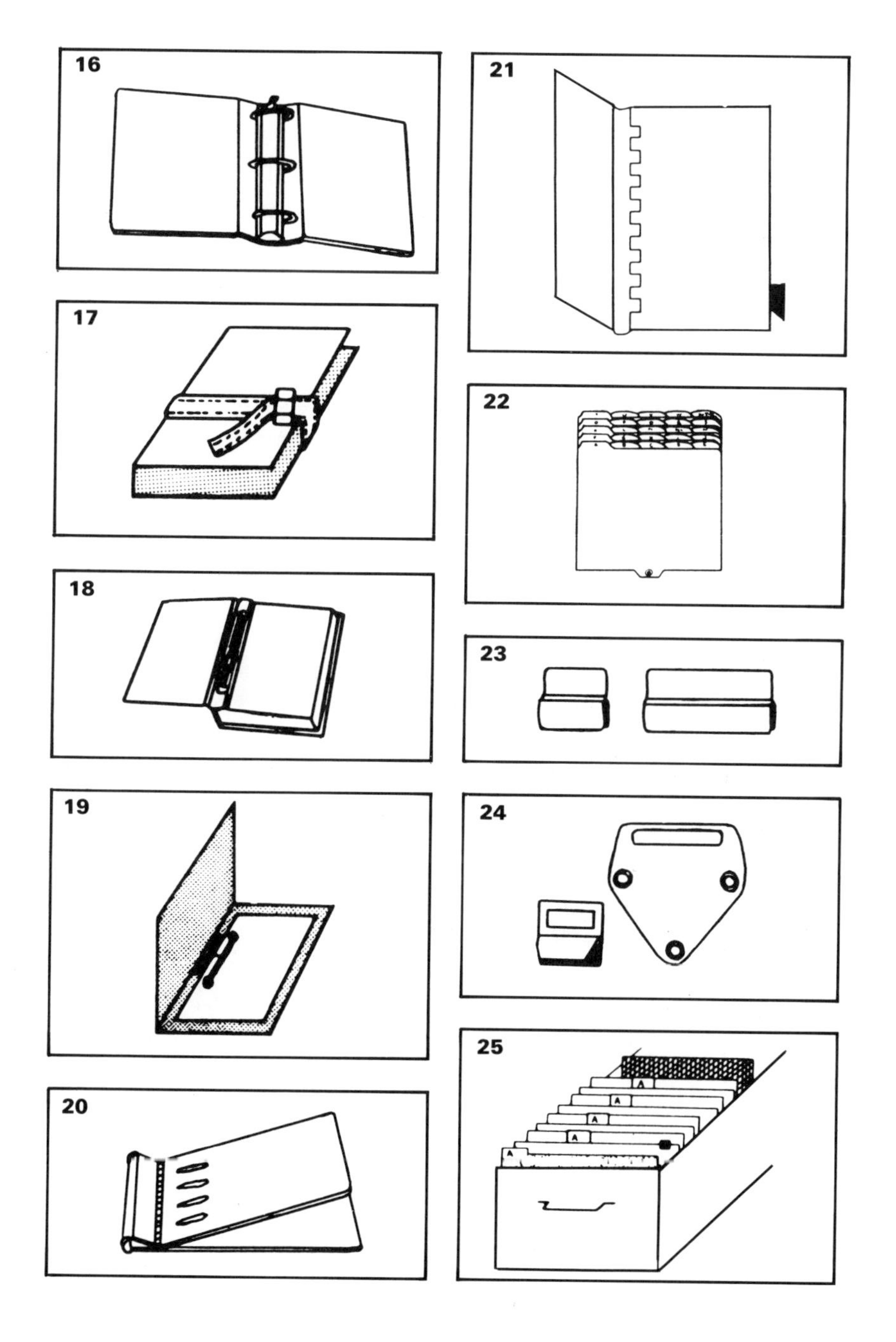
16
17
18
19
20
21
22
23
24
25

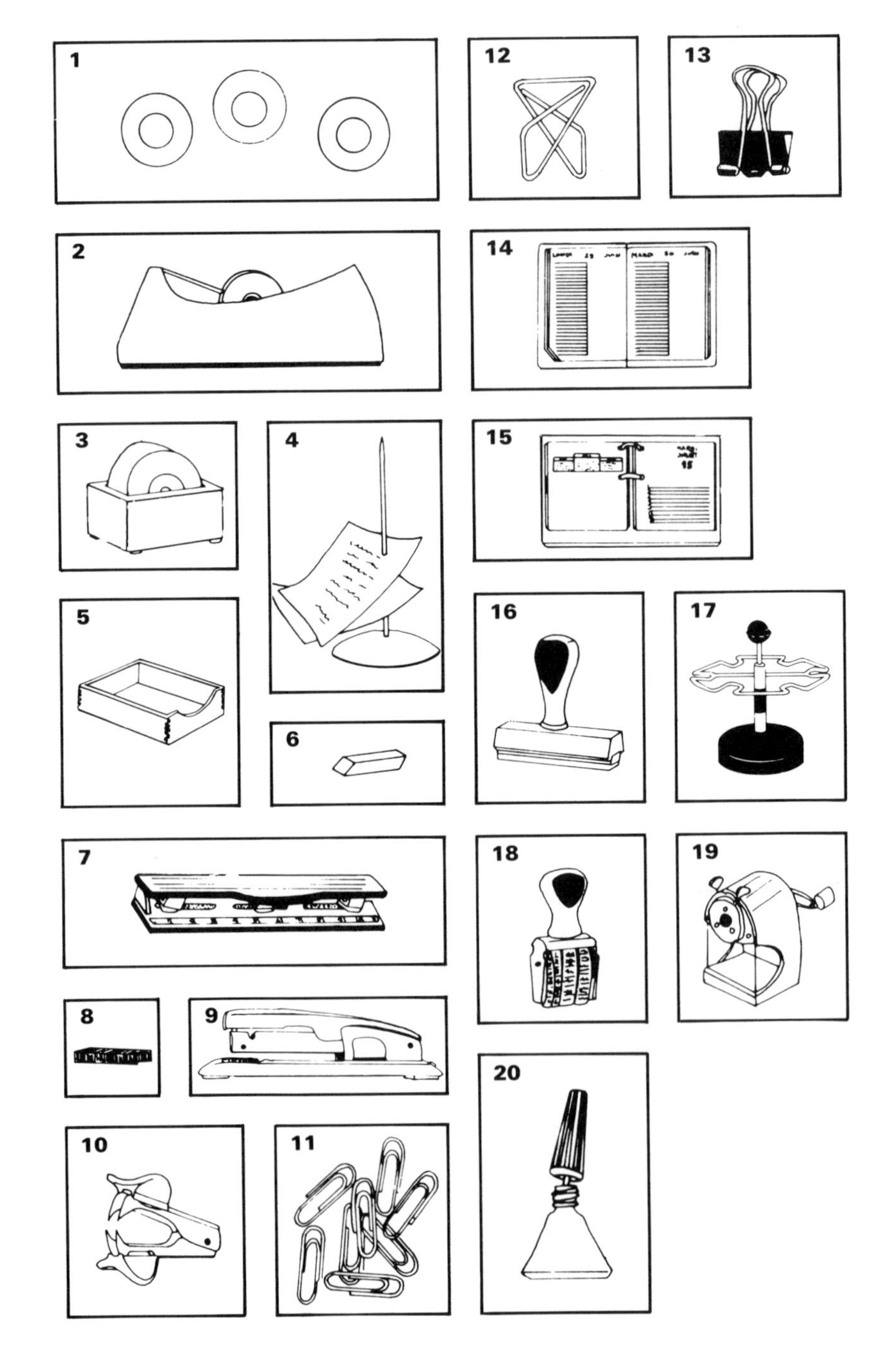
1
12
13
2
14
3
4
15
5
16
17
6
7
18
19
8
9
20
10
11

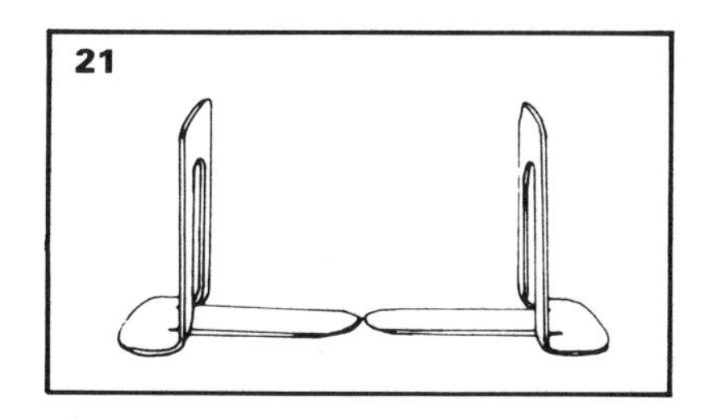

Pour compléter notre tour d'horizon terminologique, il reste à voir la terminologie du matériel de bureau. À cette fin, nous vous proposons un petit test. Vous trouverez ci-dessus des illustrations d'objets que l'on trouve sur presque tous les bureaux. Essayez de les désigner correctement. La SOLUTION présentée ci-dessous vous permettra de vérifier si le nom que vous avez donné à chaque objet est le bon.

1. Oeillets gommés. 2. Dévidoir de ruban adhésif. 3. Mouilleur. 4. Pique-notes. 5. Corbeille à courrier. 6. Gomme (à effacer). 7. Perforateur (à 1, 2 ou 3 emporte-pièce). 8. Agrafes. 9. Agrafeuse. 10. Dégrafeuse. 11. Trombones. 12. Attache. 13. Pince-notes. 14. Agenda. 15. Calendrier ou éphéméride (fém.). 16. Timbre de caoutchouc. 17. Porte-timbres. 18. Timbre dateur. 19. Taille-crayon. 20. Liquide correcteur. 21. Serre-livres. 22. Répertoire téléphonique.

Claire Saint-Louis
Mi-juin, juillet et mi-août 1979

Sources consultées

ASSOCIATION FRANÇAISE DE NORMALISATION, norme D 67-002.
Bureaux de France, n° 138, novembre 1978.
GIRAULT, O., *Matériels et classement de bureau*, 1973.
Grand Larousse encyclopédique, 1960.
LEROY, Thérèse, *La technique du classement*, 1981.
Manufrance, catalogue 1978.
OFFICE DE LA LANGUE FRANÇAISE, *Le français au bureau*, 1977.
RADIO-CANADA, Comité de linguistique, *C'est-à-dire*.
——, *Fiches de terminologie*.
ROBERT, Paul, *Dictionnaire alphabétique et analogique de la langue française*, 1978.

La flotte d'Hydro-Québec

Nombreux sont ceux qui utilisent le mot *flotte* pour désigner l'ensemble des véhicules appartenant à l'entreprise. En réalité, il ne s'agit pas d'une *flotte*, mais d'un **parc de véhicules**.

Le terme **flotte** est réservé à « une réunion plus ou moins considérable de navires de guerre ou de commerce navigant ensemble, destinés aux mêmes opérations ou se livrant à la même activité », et, par extension, à l'ensemble des avions et des hélicoptères appartenant à un pays ou à une entreprise.

On peut dire qu'Hydro-Québec a ajouté deux nouveaux hélicoptères à sa **flotte aérienne**, mais il faut dire qu'elle a ajouté deux voitures à son **parc de véhicules**. Aurait-on idée de parler de la flotte de centrales plutôt que du parc de centrales ?

Claire Saint-Louis
Mi-septembre 1976

Sources consultées

ROBERT, Paul, *Dictionnaire analogique et alphabétique de la langue française*, 1975.
Grand Larousse encyclopédique, 1960.
RADIO-CANADA, Comité de linguistique, *Fiches de terminologie*.

Alignons-nous !

Géométrie de la direction

De plus en plus, nous pouvons apercevoir sur les panneaux-réclame des stations de service et des garages les expressions **réglage de la géométrie de la direction** et **équilibrage des roues**. Ces expressions remplacent deux termes fautifs profondément ancrés dans notre vocabulaire, soit *alignement* et *balancement des roues*. Voyons ensemble ce qui a motivé ce changement.

Équilibrage des roues

Dans l'expression *alignement des roues*, qui est un calque de l'anglais *wheel alignment*, le mot alignement est mal utilisé. En effet, le verbe **aligner** signifie disposer des objets de façon qu'ils soient en ligne droite. On imagine mal une voiture avec quatre roues disposées en ligne droite.

En réalité, lorsqu'un garagiste procède à ce que l'on nomme en anglais *wheel alignment*, il exécute quatre opérations distinctes, à savoir :

1. le réglage du parallélisme,
2. le carrossage,
3. l'inclinaison latérale,
4. le réglage de l'angle de chasse.

Le **réglage du parallélisme** est effectué par le **pincement** (*toe-in* en anglais) ou par l'**écartement** (*toe-out*) des roues, selon qu'il s'agit d'une voiture classique à propulsion arrière ou d'une traction avant. Il a pour but de faire converger ou diverger les roues de la voiture à l'arrêt de sorte qu'une fois en marche et sous l'action de la force centrifuge, l'avant des roues s'écarte ou se rapproche pour que les roues deviennent rigoureusement parallèles.

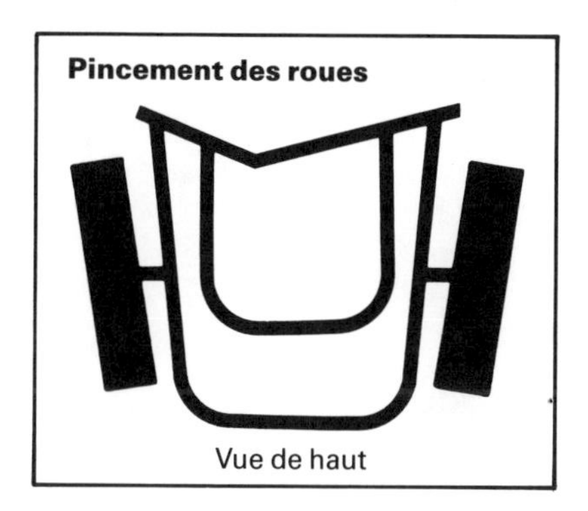

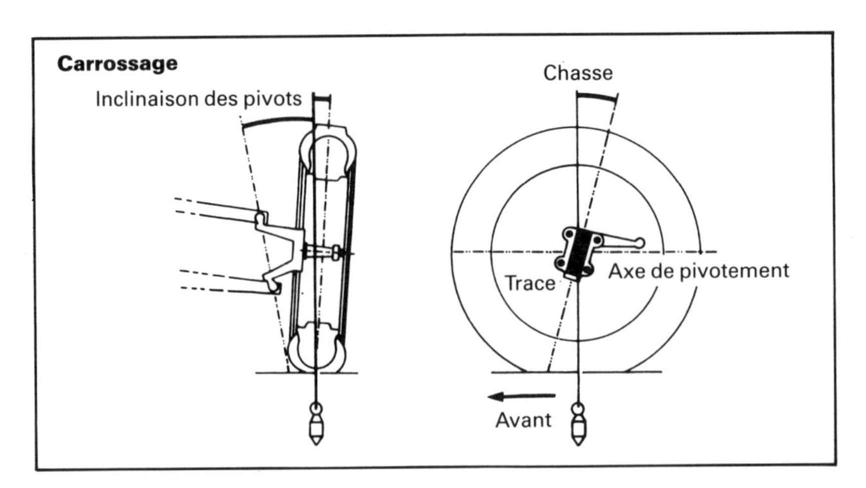

La deuxième opération s'appelle **carrossage** (*camber*). Elle consiste à écarter le haut des roues pour qu'en marche et toujours sous l'effet de la force centrifuge, le bas ne s'écarte pas trop fortement. Le **carrossage** prévient l'usure anormale des pneus.

La troisième opération est l'**inclinaison latérale** (*steering-axis inclination*). Elle consiste à régler l'angle que fait l'axe de pivotement avec la verticale.

Enfin, la dernière opération est le **réglage de l'angle de chasse** (*caster*). Ce réglage stabilise la direction et facilite le freinage. Il faut que la trace de l'**axe de pivotement** soit située en avant du centre de la surface de contact du pneu.

Tout cela est bien technique, mais ce qui importe, c'est de comprendre que le mot *alignement* ne peut pas désigner l'ensemble des quatre opérations décrites ci-dessus.

Lorsque vous vous présenterez chez votre garagiste, demandez-lui plutôt de vérifier la **géométrie de la direction** ou, si vous préférez une expression plus simple, de **régler la direction**.

Soulignons, enfin, que l'expression *wheel balancing* se traduit par **équilibrage des roues** et non pas *balancement*. L'équilibrage a pour but de remédier aux **oscillations**, dites **flottement** ou **shimmy**.

Claire Saint-Louis
Mi-juin 1977

Sources consultées

CHAGETTE, J., *Manuel pratique de réparation, dépannage et entretien de la voiture*, 1969.
GUERBER, Roger, *L'automobile, châssis et carrosserie*, 1947.

À titre d'information

L'Office de la langue française a publié quatre fascicules du *Vocabulaire de l'automobile* (français-anglais) : *Le moteur, L'entretien et la réparation, La transmission* ainsi que *Le châssis et la carrosserie*. Ces publications ont été rédigées par Anne-Marie Baudoin de l'OLF, assistée d'un comité de spécialistes recrutés dans le monde de l'automobile.

Les « jouets » de l'hiver

Si vous êtes de ceux qui conduisent une voiture en hiver, vous pouvez effectuer plusieurs vérifications vous-même périodiquement au moyen de certains instruments. Il existe aussi de nombreux accessoires qui s'avèrent indispensables au cours de la saison froide. En voici quelques-uns.

pèse-antigel à billes[1] ou à flotteur[2]

Ce petit instrument vous permet de vérifier la concentration de l'antigel dans le radiateur. Profitez de l'occasion pour vérifier aussi le niveau de l'antigel.

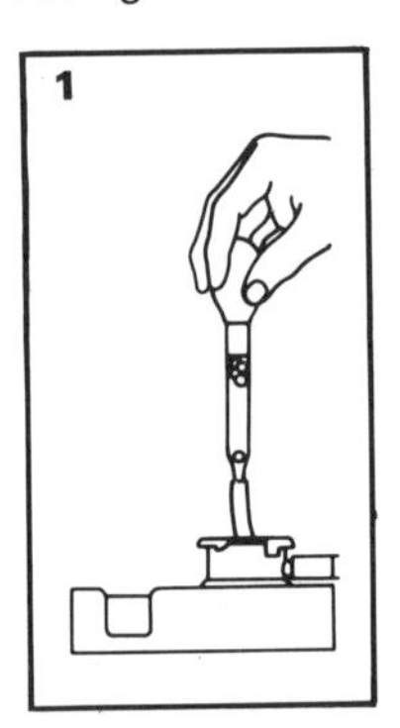

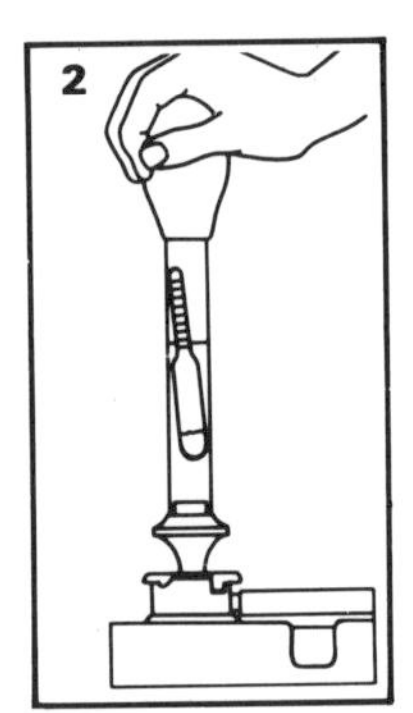

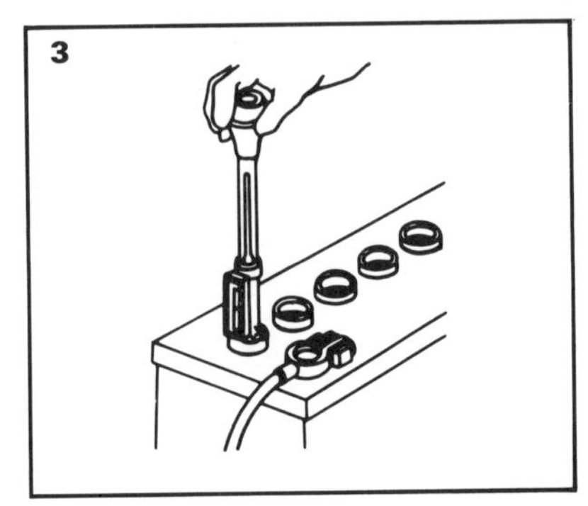

pèse-acide[3]

Cet instrument mesure la charge de la batterie. Il suffit d'aspirer le liquide d'un élément, de prendre la lecture, puis de remettre en place le liquide.

liquide de lave-glace

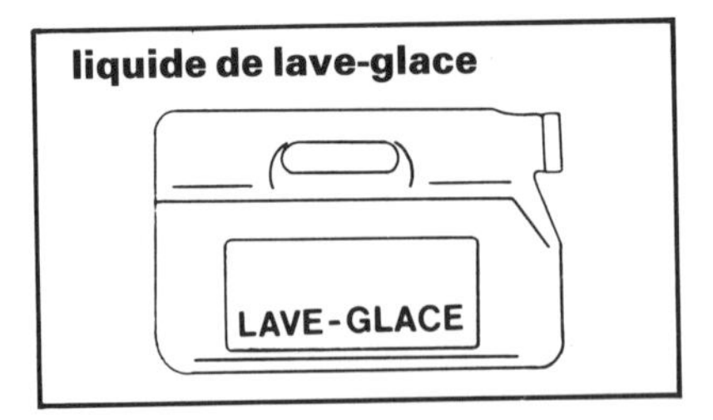

grattoir

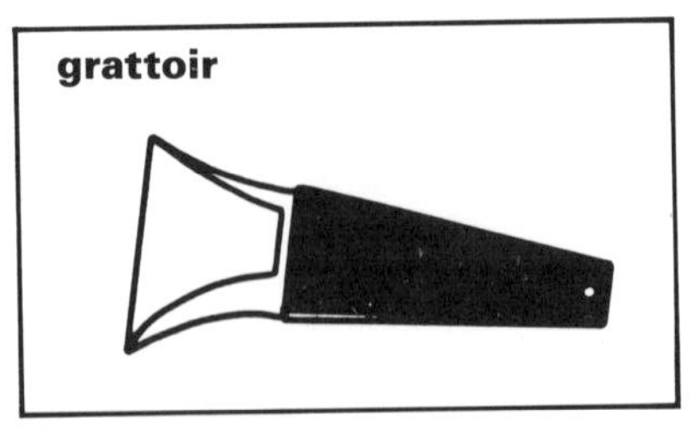

chauffe-moteur[4]

Ce dispositif garde le moteur chaud et facilite les démarrages.

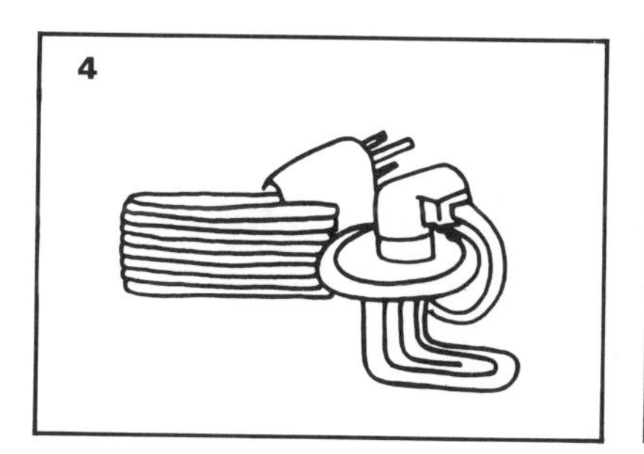

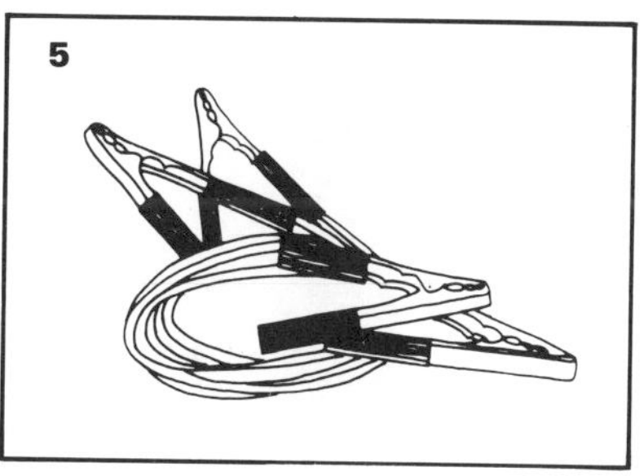

câbles d'appoint ou **câbles volants**[5]

Si votre batterie est à plat, ces câbles peuvent vous aider à démarrer.

contrôleur de pression[6]

La pression des pneus baisse par temps froid. N'oubliez pas de la vérifier régulièrement.

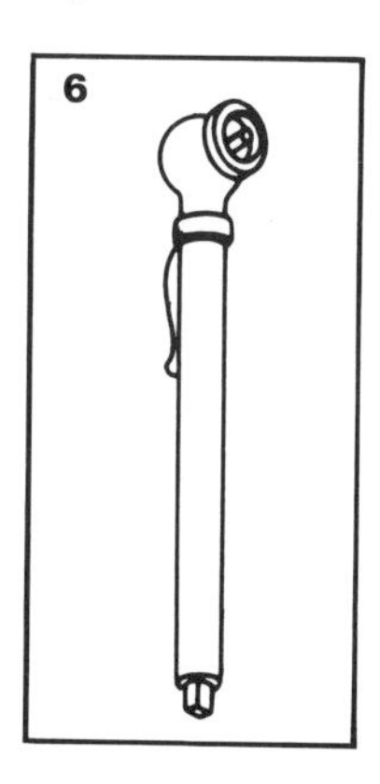

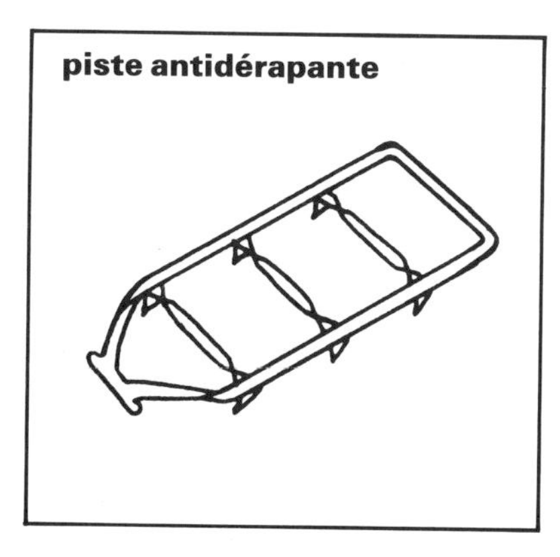

pneus d'hiver ou **pneus à neige**[7]

Attention : ne dites pas *pneus de neige* car cela signifie que les pneus sont faits en neige ! Ce n'est pas pratique : ils fondent au printemps...

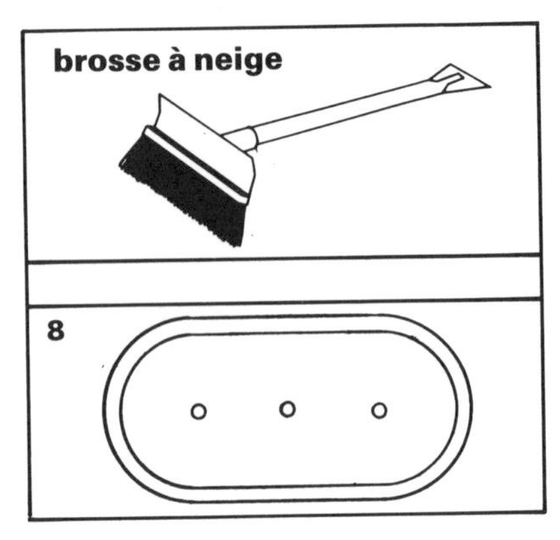

écran antibuée[8]

Matière plastique transparente que l'on colle sur la lunette arrière ou sur les vitres latérales.

couvre pare-brise[9]

Il empêche la glace et la neige de s'accumuler sur le pare-brise.

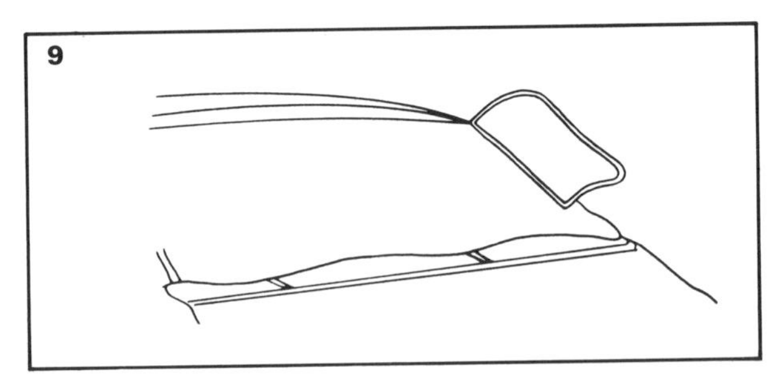

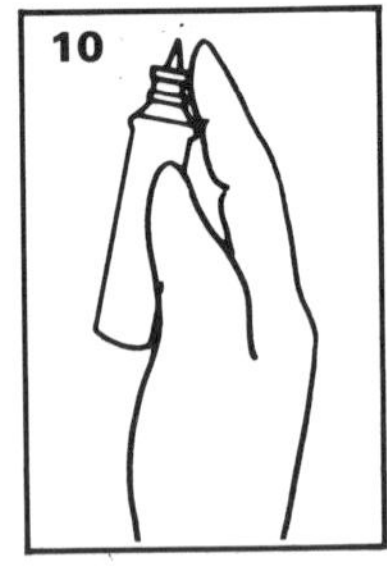

dégèle-serrures (en aérosol)[10]
La bombe est munie d'un injecteur spécial que l'on introduit dans le trou de la serrure lorsque cette dernière est gelée.

Renée Lévy
Fin octobre 1983

Sources consultées

*Manuel complet de l'automobile**, Montréal, Sélection du Reader's Digest (Canada) et Association canadienne des automobilistes, 1982.
OFFICE DE LA LANGUE FRANÇAISE, *Vocabulaire de l'automobile*, Fascicule II : l'entretien et la réparation, n° 27, 1977.
Canadian Tire, catalogue hiver 1981-1982.
Manufrance, catalogue 1978.

***À titre d'information**
Nous aimerions attirer l'attention des lecteurs sur cet ouvrage. Il est très bien fait, complet, illustré et comprend un index ainsi qu'un glossaire.

Un peu de géographie

Comment désigner les rives d'un cours d'eau ?

Doit-on parler de la rive droite et de la rive gauche d'un fleuve, d'une rivière, etc. ? Ou peut-on dire la rive sud et la rive nord ou la rive est et la rive ouest, selon le cas ? Lorsqu'on consulte les dictionnaires, on constate que seules les expressions rive droite et rive gauche sont mentionnées. Les ouvrages techniques en géographie et en hydrologie que nous avons consultés emploient exclusivement ces deux expressions. Elles ont l'avantage de bien désigner les rives d'un cours d'eau, quels que soient son orientation et son sens d'écoulement. En effet, la **rive droite** est la rive qui est située sur la droite d'un observateur regardant en aval et la **rive gauche**, celle qui est sur la gauche.

Dans le cas du Saint-Laurent, on constate que l'emploi des termes **rive sud** et **rive nord** est très répandu. Ces expressions sont géographiquement correctes et expriment une réalité, car le fleuve est dans un axe approximativement est-ouest. Selon la Commission de toponymie du Québec, cet usage est acceptable dans des textes à caractère général, mais, dans des textes techniques, on doit obligatoirement employer les termes **rive droite** et **rive gauche** pour tous les cours d'eau, y compris le Saint-Laurent.

Jean-Marc Lambert
Fin avril 1981

Sources consultées

GEORGE, Pierre, *Dictionnaire de la géographie*, 1974.
Grand Larousse de la langue française, 1971-1977.
ORGANISATION INTERNATIONALE DE NORMALISATION, norme 772-1978.

Personne-ressource

BONNELLY, Christian, responsable du service de l'Analyse et du Contrôle, Commission de toponymie, Gouvernement du Québec.

Altitude, cote, élévation

Dans les rapports techniques et sur les plans, on utilise souvent à tort le terme *élévation* pour désigner l'altitude ou la cote. Voyons un peu quelle est la signification de chacun de ces termes.

Le mot **altitude** désigne la hauteur d'une certaine position ou d'un point de la surface terrestre par rapport au niveau de la mer. Selon le système SI, on exprime l'altitude en mètres. Ex. : un avion vole à une altitude de 10 500 m ; la ville de Mexico est à 2 277 m d'altitude.

Le mot **cote** désigne le nombre exprimant l'altitude positive ou négative d'un point par rapport au niveau de la mer. Comme l'altitude, la cote se donne en mètres. Ainsi, on dira que la cote du réservoir est de 389, c'est-à-dire de 389 mètres (voir figure).

Quant au terme **élévation**, il désignait anciennement la hauteur. De nos jours, il a perdu ce sens. Dans le domaine de l'ingénierie et de l'architecture, le mot **élévation** doit être utilisé exclusivement pour désigner une vue verticale d'un bâtiment, d'un ouvrage ou d'un composant (voir figure).

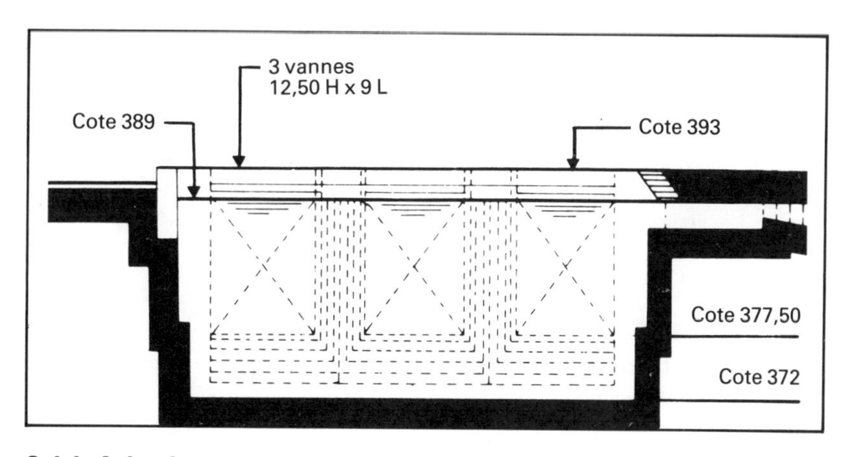

Sylvie Achard
Fin avril 1981

Sources consultées
GEORGE, Pierre, *Dictionnaire de la géographie*, 1974.
Dictionnaire multilingue de la Fédération internationale des géomètres.
ORGANISATION INTERNATIONALE DE NORMALISATION, Recommandation R 1046.

Roc ou roche ?

Dans un texte technique, portant notamment sur les barrages, la construction, la géologie, la géomorphologie, la mécanique des sols et le terrassement, doit-on parler de **roc** ou de **roche** au sens de masse minérale homogène et de constituant de l'écorce terrestre ?

Roc

D'après les dictionnaires généraux, dans la langue courante, le mot **roc** est une forme masculine de roche et il désigne une masse de matière minérale dure. Toutefois, ces dictionnaires ne donnent aucun exemple d'emploi de ce mot dans les domaines scientifique et technique. À noter que **roc** est souvent employé au figuré comme symbole de dureté, de solidité et de fermeté. Par ailleurs, le mot **roc** ne figure dans aucun des dictionnaires techniques, des revues et des ouvrages spécialisés que nous avons consultés.

Roche

Lorsqu'on consulte les dictionnaires généraux, au mot **roche**, on constate que, dans la langue courante, il a sensiblement le même sens que **roc**. Par contre, dans la langue scientifique ou technique, ces mêmes dictionnaires nous indiquent que seul le mot **roche** est employé pour désigner une masse minérale homogène et un constituant de l'écorce terrestre. C'est d'ailleurs ce terme que nous trouvons dans les dictionnaires techniques spécialisés.

Il figure également dans des ouvrages et des revues qui traitent de fondations, de pieux, de mécanique des sols, de terrassement, de souterrains, de barrages et de géomorphologie.

De plus, la Commission de terminologie géographique de la Commission de toponymie du Québec a retenu le mot **roche** pour ses études des termes à utiliser dans le domaine de la toponymie.

Nous avons en outre consulté l'Office de la langue française, le Secrétariat d'État et l'Université de Montréal. Leurs avis ont confirmé le résultat de nos recherches.

Il résulte de ce qui précède que le terme **roc** peut fort bien s'employer dans la langue courante mais que, dans les textes scientifiques, seul le mot **roche** doit être utilisé au sens de masse minérale homogène et de constituant de l'écorce terrestre.

Jean-Marc Lambert
Fin février 1982

Sources consultées

BAULIG, Henri, *Vocabulaire franco-anglo-allemand de géomorphologie*, 1970.
DERRUAU, M., *Précis de géomorphologie*, 1965.
FOUCAULT, Alain et RAOULT, Jean-François, *Dictionnaire de géologie*, 1980.
GALABRU, Paul, *Traité de procédés généraux de construction*.
GEORGE, Pierre, *Dictionnaire de la géographie*, 1974.
Grand Larousse de la langue française, 1971-1977.
ROBERT, Paul, *Dictionnaire alphabétique et analogique de la langue française*, 1981.

Personnes-ressources

BÉLAND, Jacques, professeur de géologie, Université de Montréal.
GODBOUT, Gilles, Office de la langue française, Québec.
VERGE-BEÏQUE, Marylin, terminologue, Secrétariat d'État, Montréal.

Mais qu'est-ce que c'est ?

Le rehaussement des eaux des réservoirs touchera de grandes étendues de pessières à cladonies ainsi que les écotones riverains et leur faune variée : lagopède, bernache, corégone, etc.

Du chinois ? du grec ? du russe ! Non. C'est du français, et du bon. Il s'agit de termes que l'on trouve très fréquemment dans les rapports sur les études d'avant-projet des grands complexes hydroélectriques. Ces termes peuvent paraître mystérieux pour le commun des mortels ; alors nous avons cru bon d'expliquer ici les plus étranges d'entre eux*. Préparez-vous : vous aurez des surprises !

Anadrome
Adj. Qualifie un poisson qui remonte de la mer vers les eaux douces (saumon, esturgeon).

Avifaune
N.f. Ensemble des oiseaux, de la faune ailée.

Batholite
N.m. Masse de roches profondes dont la matière vient des profondeurs de l'écorce terrestre.

Bernache
N.f. Oie sauvage à bec court, vivant dans l'extrême nord.

Bétulaie
N.f. Forêt claire où dominent les bouleaux.

Cariçaie
N.f. Groupement d'herbes de type *Carex* qui poussent en milieu humide.

Catadrome
Adj. Qualifie les poissons qui vivent dans les eaux douces et se reproduisent en mer (anguilles).

Cladonie
N.f. Genre de lichens qui sert de nourriture au caribou.

Corégone
N.m. Genre de poisson de lac.

Dulçaquicole
Adj. Qualifie la faune et la flore des eaux douces.

---

*Le présent article a pour but de renseigner le lecteur et non de normaliser les termes ni leurs définitions. Certains de ces termes sont traités en profondeur dans le *Vocabulaire des études d'impact sur l'environnement*, de la direction Environnement.

Écotone
N.m. Zone de transition entre deux milieux ; c'est le cas des rivages, des lisières de forêts, etc.

Esker
N.m. Accumulation de sédiments mis en place au cours de la récession d'un glacier.

Ichtyofaune
N.f. Ensemble des poissons d'une région donnée.

Inéquienne
Adj. Se dit d'une forêt composée d'arbres d'âges différents.

Lagopède
N.m. Oiseau de taille moyenne dont les pieds et les doigts sont couverts de plumes.

Moraine
N.f. Débris de roche entraînés par un glacier.

Necton
N.m. Ensemble des organismes nageant activement dans l'eau, par opposition au plancton qui flotte passivement.

Pessière
N.f. Peuplement d'épicéas, c'est-à-dire d'épinettes.

Riparien, ripicole, riverain
Adj. Qui croît ou vit au bord d'une rivière ou d'un fleuve.

Mais dans la vie de tous les jours, me diriez-vous, à quoi peuvent servir tous ces termes ? Eh bien, retenez-en quelques-uns et un soir, chez des amis, vous pourrez toujours glisser dans la conversation, mine de rien : « *J'ai l'intention de construire mon chalet dans une bétulaie inéquienne où la cladonie ripicole abonde...* » Vous allez sûrement vous faire remarquer !

Renée Lévy
Fin juillet 1981

C*lôture à mailles de chaîne ou clôture grillagée ?*

Peut-on employer l'expression *clôture à mailles de chaîne* pour désigner les clôtures en treillis métallique ?

Tant du point de vue de la langue que du point de vue technique, cette expression n'est pas souhaitable. En effet, *maille de chaîne* est un calque de l'anglais *chain link*. En outre, les dictionnaires généraux définissent chaîne comme un organe déformable servant à transmettre des efforts de traction et constitué par des éléments rigides (anneaux, mailles ou maillons) reliés en série les uns aux autres de façon à permettre une relative liberté de mouvement. La clôture que l'on veut nommer étant constituée d'un treillis plutôt que d'une chaîne, il paraît évident que l'on ne peut utiliser l'expression *clôture à mailles de chaîne*.

L'expression juste pour désigner *chain link fence* est plutôt **clôture grillagée**. En effet, le matériau utilisé pour construire ce type de clôture est un grillage, c'est-à-dire un treillis plus ou moins serré de fils de fer, utilisé pour protéger ou obstruer une ouverture, pour enclore un terrain, pour fabriquer des cages, etc.

À la lumière de ce qui précède, il convient donc d'utiliser l'expression **clôture grillagée**.

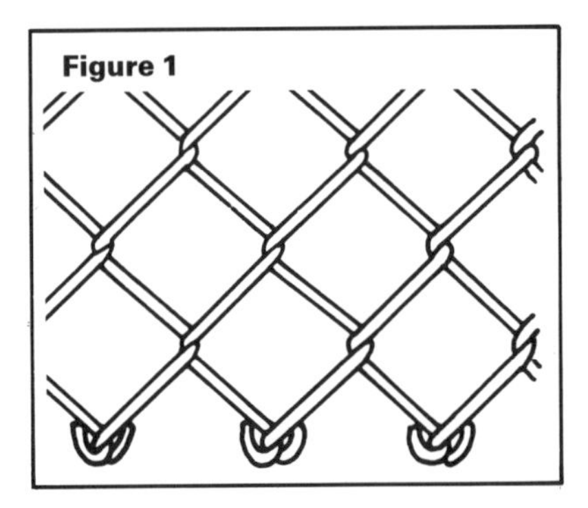

Figure 1

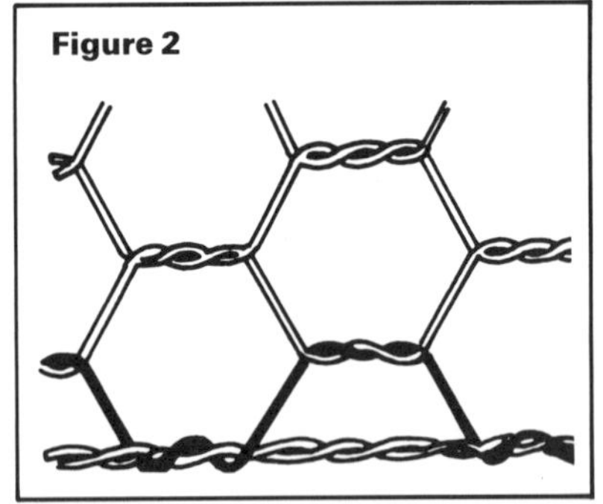

Figure 2

Enfin, la consultation de documentation spécialisée nous permet de constater qu'il existe deux types de grillages, soit le **grillage (à) simple torsion** (figure 1) et le **grillage (à) triple torsion** (figure 2). Les mailles qui constituent le grillage (à) simple torsion peuvent être **carrées, losangées** ou **rectangulaires**, tandis que les mailles du grillage (à) triple torsion sont nécessairement **hexagonales**.

Marie Archambault
Fin août 1981

Sources consultées

AMERICAN NATIONAL STANDARD, normes F 552-78 et A 491-80.
ASSOCIATION FRANÇAISE DE NORMALISATION, normes NF E 84-005 et E 84-003.
Catalogue Davum.
Catalogue Manufrance.
Encyclopaedia Britannica.
Grand Larousse encyclopédique, 1960.
MOREAU, J., *Dictionnaire technique américain-français de construction*, 1960.

L'ordinateur à votre portée

L'informatique fait déjà partie de nos loisirs et elle a désormais sa place dans le monde de l'éducation. Le temps n'est peut-être pas si loin où le micro-ordinateur sera aussi indispensable que le téléphone ou la télévision dans notre vie quotidienne... Familiarisons-nous dès maintenant avec la terminologie propre à ce domaine !

Qu'est-ce qu'un **ordinateur** ? C'est un appareil qui sert à traiter les informations (ou **données**) : il les reçoit, les emmagasine dans sa mémoire, les classe, les transforme et communique le résultat de ses calculs. Il est remarquable par sa rapidité d'exécution et par sa précision.

Le **micro-ordinateur** est un petit ordinateur constitué principalement d'un microprocesseur et d'une mémoire qui emmagasine l'information. À ces éléments viennent s'ajouter les organes périphériques qui assurent les échanges d'information entre l'extérieur et l'ordinateur. Les périphériques forment, avec le microprocesseur et la mémoire, le **matériel** du système (en anglais *hardware*). Cependant, le micro-ordinateur ne peut effectuer aucune opération ni traiter aucune donnée sans les **logiciels** (*software*).

Le matériel

Le **microprocesseur** est le cerveau du système. Il contrôle le flot des données qui entrent dans l'ordinateur et en sortent, le répartissant aux endroits appropriés dans les circuits de la machine, aux moments opportuns.

Reliée au microprocesseur, la **mémoire** emmagasine l'information nécessaire au fonctionnement de l'ordinateur. On distingue deux types de mémoires. La **mémoire morte** (ou **fixe**) contient des instructions nécessaires au fonctionnement de l'ordinateur ; elles sont inscrites par le fabricant et ne peuvent être effacées. La **mémoire vive** (ou **effaçable**) est utilisée d'abord pour emmagasiner les instructions du système d'exploitation (s'il n'est pas en mémoire morte), puis les langages ou programmes utilisés, et enfin les données soumises au traitement. Contrairement à la mémoire morte, cette mémoire n'est pas permanente : dès que l'appareil est mis hors tension, le contenu en est effacé.

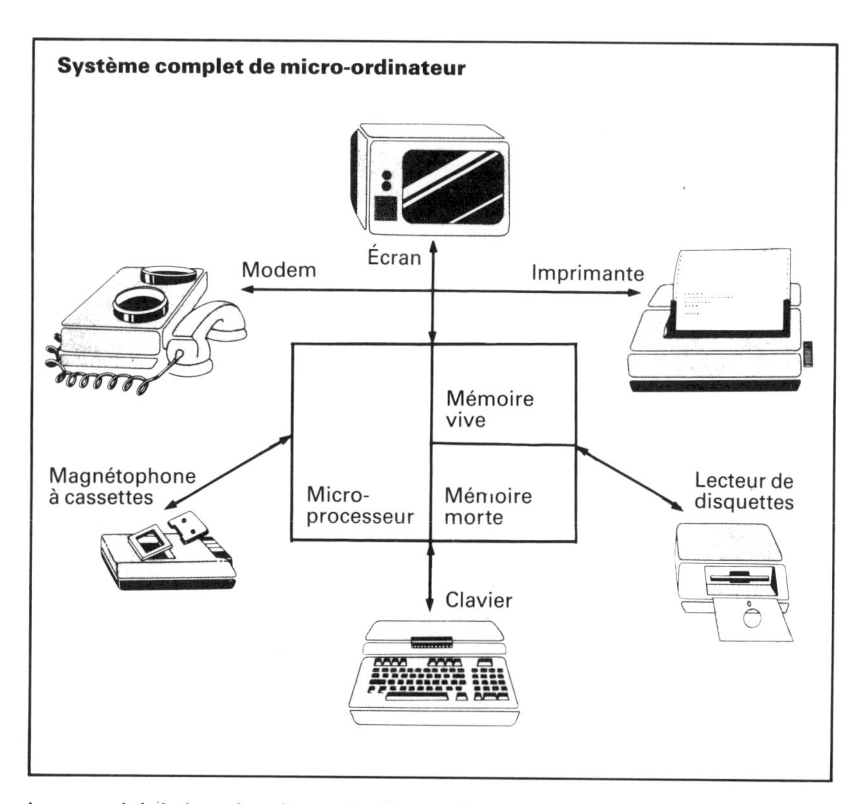

Système complet de micro-ordinateur

La capacité de la mémoire varie d'un ordinateur à l'autre. On la mesure en **kilo-octets** (abréviation : **K** ou **Ko**). Un kilo-octet équivaut à 1 024 octets. Un octet correspond à un caractère (c.-à-d. un chiffre, une lettre, un signe de ponctuation ou même un espace). Donc, lorsqu'un ordinateur possède une mémoire vive de 640 Ko, cela signifie qu'il peut emmagasiner 655 360 caractères.

Passons aux périphériques. Les **organes d'entrée** permettent l'introduction des données et des instructions dans l'ordinateur ; le **clavier** est un dispositif d'entrée manuel. Les **organes de sortie** fournissent les résultats élaborés par l'ordinateur ; ces résultats peuvent être projetés sur un **écran** (**écran cathodique** ou téléviseur) et restitués sous forme d'états imprimés (appelés **listages**) à l'aide d'une **imprimante**. Le **magnétophone à cassettes** permet de lire et d'enregistrer les programmes et les fichiers dans les systèmes de bas de gamme. Le **lecteur de disquettes** joue le même rôle que le magnétophone à cassettes mais de façon plus efficace ; la **disquette** est un petit disque magnétique flexible. Le **disque dur** est constitué d'un support rigide et inamovible, et il a une capacité supérieure à celle de la disquette. Le **modem** (MODulateur-DÉModulateur) permet de transposer les signaux numériques envoyés d'un ordinateur vers un autre en signaux analogiques et vice-versa, de façon qu'ils soient transmis sur une ligne téléphonique ; les utilisateurs peuvent ainsi échanger de l'information et consulter des banques de données éloignées.

Les logiciels

On peut définir les logiciels comme étant tout ce qui n'est pas matériel dans le système. Ce sont essentiellement les programmes utilisés par l'ordinateur.

Un **programme** est un ensemble ordonné d'instructions codées dans un **langage** donné, qui permettent à l'ordinateur d'effectuer un travail. Le premier langage qu'on apprend en micro-informatique est le **BASIC**, sigle de *Beginner's All Purpose Symbolic Instruction Code*.

Nous avons fait le tour des principaux éléments d'un système de micro-ordinateur. Les définitions proposées ici sont très générales. Il va sans dire qu'il existe sur le marché un large éventail de produits possédant des caractéristiques propres.

Johanne Charland
Fin juin 1983
Révisé

Sources consultées

TRUDEL, Denys, « Un ordinateur à la maison, est-ce pour vous ? », *Protégez-vous*, avril 1983.
LETHUILLIER, Jacques, *Informatique*, 1982.
GINGUAY, Michel, *Dictionnaire d'informatique*.
Dictionnaire encyclopédique Quillet, 1977.

Personne-ressource

ÉLIE, Frédéric, conseiller en formation, direction Planification et Projets informatiques, vice-présidence Administration.

L'imprimante, de la magie ou presque

Les bonnes vieilles machines à écrire ? Préhistoriques à côté des imprimantes. Rapides, efficaces, ces appareils sont de plus en plus perfectionnés : les derniers-nés utilisent la technologie du laser... L'éventail du matériel offert sur le marché s'élargit sans cesse et il est difficile de s'y retrouver.

Les imprimantes diffèrent d'abord selon le mode d'impression : **imprimantes caractère par caractère** (les caractères sont inscrits un par un), **imprimantes ligne par ligne** (tous les caractères d'une ligne sont imprimés en une seule fois) et **imprimantes page par page** (la page entière est traitée en une seule fois). La vitesse d'impression s'exprime en **caractères par seconde**, en **lignes par minute** ou en **pages par minute**, selon le cas.

On peut également classer les imprimantes en deux grandes catégories selon le principe d'impression. Les **imprimantes à impact** : l'impression résulte de l'empreinte produite sur le papier par un ruban encreur, par suite de l'action mécanique (frappe ou percussion) d'un dispositif présentant en relief le caractère à imprimer. Les **imprimantes sans impact** : l'impression est basée sur la réalisation d'un phénomène physique ou chimique plutôt que sur une action mécanique.

Parmi les imprimantes à impact, on distingue les **imprimantes à caractères préformés** et les **imprimantes par points**. Les imprimantes à caractères préformés utilisent des caractères gravés en relief sur un support mobile dur (en plastique ou en métal) et souvent interchangeable : une **boule**, une **tulipe**, une **roue** ou **marguerite**, un **cylindre**, etc. Les imprimantes par points ont un dispositif d'impression qui trace les caractères par points ; c'est le cas des **imprimantes à aiguilles**, où le dispositif d'impression est formé d'aiguilles et où le caractère est tracé par une **matrice de points**.

Les imprimantes sans impact se distinguent selon le procédé d'impression. Les **imprimantes thermiques** utilisent un papier chimiquement sensible à la chaleur ; un élément chauffant provoque un changement de couleur aux points d'échauffement, ce qui réalise le dessin du caractère. Les **imprimantes électrostatiques** utilisent un papier chargé l'électricité ; le passage du papier dans un bain d'encre spéciale provoque l'attraction des particules d'encre, ce qui réalise le dessin du caractère. Les **imprimantes à jet d'encre** utilisent un procédé d'impression analogue à celui des imprimantes à aiguilles (**impression matricielle**), sauf que les points sont obtenus par projection sur le papier de gouttes d'encre très fines. Les **imprimantes à laser** utilisent un procédé **xérographique** : les caractères sont tracés par le laser sur un tambour photoconducteur similaire à celui d'un photocopieur, puis transférés sur papier. Enfin, deux types d'appareils utilisant aussi le procédé xérographique viennent d'être lancés sur le marché : les **imprimantes à cristaux liquides** et les **imprimantes à diodes électroluminescentes**.

Les **imprimantes à barillet** n'appartiennent ni à la catégorie des imprimantes à impact, ni à celle des imprimantes sans impact. La tête d'impression est constituée d'un barillet portant quatre pointes de stylo de couleur différente.

Certaines imprimantes sont exclusivement **alphanumériques** (elles n'impriment que des chiffres et des lettres). D'autres, appelées **imprimantes graphiques**, sont aussi capables de tracer des courbes et de reproduire des graphiques et des dessins. Enfin, les **tables traçantes** et autres **traceurs** peuvent reproduire – et en couleurs – les dessins les plus sophistiqués... Magique, non ?

Johanne Charland
Août 1986

Sources consultées

HUBERMAN, Alain, MENEAU, Jean-Christophe, *Le traitement de texte*, 1983.
GINGUAY, Michel, *Dictionnaire d'informatique*.
KOCH, Catherine, LURQUIN, Georges, « La terminologie des imprimantes », *L'Actualité terminologique*, vol. 18, n° 6, 1985.
OFFICE DE LA LANGUE FRANÇAISE, Comité interentreprises de la bureautique, *Vocabulaire du traitement de textes*, Fascicule 1, éd. provisoire, 1985.
MÉRY, Marie-Christine, TRUBERT, Pascal, DEFOREIT, Laurent, *Guide pratique de la micro-informatique*.

L'imprimante, du connecteur au texte justifié

Dans la chronique « L'imprimante, de la magie ou presque », nous avons jeté un coup d'oeil sur les termes qui permettent de désigner les différents types d'imprimantes. Nous poursuivons maintenant notre exploration de la terminologie de ces appareils en nous intéressant à d'autres termes qui s'appliquent à la plupart des modèles, sinon à tous. Pour ce faire, nous allons cheminer de l'amont à l'aval, c'est-à-dire de la sortie de l'ordinateur à la feuille de papier.

L'interfaçage

L'imprimante échange des instructions avec l'ordinateur par l'intermédiaire d'un **câble**. On parle d'**interface série** (**RS-232-C**) ou d'**interface parallèle** (**Centronics, IEEE 488**) selon que les signaux sont transmis à la file dans ce câble ou bien octet par octet. L'**octet** est un **code** formé de huit symboles binaires. Il correspond à un caractère alphanumérique ou à une instruction élémentaire relative à l'impression d'un document.

L'introduction des instructions dans l'imprimante se fait par un **connecteur** fréquemment appelé **porte d'accès, entrée** ou **port**. L'imprimante utilise cette même porte pour répondre aux instructions de l'ordinateur.

Il est utile que l'imprimante soit dotée d'une **mémoire intermédiaire** capable de recevoir et d'emmagasiner les instructions nécessaires à l'impression. Cela permet de libérer l'ordinateur pour une autre tâche pendant que l'imprimante poursuit la sienne. La mémoire intermédiaire qu'on appelle également **mémoire tampon** ou tout simplement **tampon** (en anglais : *buffer*) peut être intégrée à l'imprimante ou se présenter comme un élément indépendant.

La préparation de l'impression

Les instructions reçues sont décodées par un **contrôleur** qui dirige le dispositif d'impression de façon à réaliser le travail commandé par l'ordinateur. La première instruction vise souvent à **initialiser** l'imprimante, c'est-à-dire à la ramener à l'état dans lequel elle doit être pour commencer un travail. Notons ici que les imprimantes renferment de minuscules **interrupteurs, commutateurs** ou **sélecteurs** (*DIP switches*) qui servent à prédéterminer certaines des conditions qui composent cet état initial.

Nous ne reviendrons pas sur les différents dispositifs d'impression qui ont été passés en revue dans la dernière chronique.

Le papier sur lequel on imprime peut être entraîné dans l'imprimante par **traction** ou par **friction**. Dans le premier cas, on emploie du **papier continu** ou **en continu**, généralement **à pliage accordéon**. Le papier est déplacé par un **entraîneur à picots** au moyen de pointes (les picots) qui pénètrent dans les perforations des **bandes marginales d'entraînement** (**bandes Caroll**), ces bandes habituellement détachables qui sont situées de chaque côté des feuilles. Dans le second cas, le papier est entraîné par la pression du rouleau. Il s'agit alors le plus souvent de papier introduit **feuille à feuille**, de façon manuelle ou à l'aide d'un **alimenteur** qu'on peut aussi appeler **introducteur**.

L'impression

Si vous utilisez une imprimante munie d'un **chariot**, l'impression peut être **unidirectionnelle** ou **bidirectionnelle**. L'imprimante bidirectionnelle écrit une ligne de gauche à droite, puis la suivante de droite à gauche. Elle est plus rapide parce qu'elle évite les pertes de temps attribuables au retour du chariot. On peut également parler, pour ce qui la concerne, d'impression **aller-retour** ou **en lacet**. La vitesse d'impression s'exprime en **caractères par seconde** (de 12 à plus de 500 **cps** selon les modèles et les modes d'impression).

La plupart des imprimantes offrent aujourd'hui la possibilité d'utiliser différents **jeux de caractères**. Dans le cas des **imprimantes à caractères préformés**, les **polices de caractères** ou **fontes** se présentent sous la forme d'une **marguerite** ou d'un élément mécanique similaire. Dans les autres cas, elles sont inscrites définitivement dans les circuits de l'appareil ou chargées à partir d'une cartouche ou d'une disquette. Les **imprimantes matricielles** permettent souvent d'employer un jeu de caractères en mode **compressé** (**condensé**), **normal** ou **étendu** (**élargi**). Elles peuvent vous livrer un texte en **qualité brouillon** (*draft*) ou, pour certaines, en y mettant un peu plus de temps, en **qualité courrier approchée** (*near letter quality*). Le souci de qualité peut aller jusqu'à la production d'un texte **justifié**, imprimé en **espacement proportionnel**. Les lignes seront alors alignées à droite comme à gauche et chaque lettre occupera un espace déterminé en tenant compte de sa largeur propre.

Michel Bertrand
Fin septembre 1986

Sources consultées

GINGUAY, Michel, LAURET, Annette, *Dictionnaire d'informatique*, 1985.
KOCH, Catherine, LURQUIN, Georges, « La terminologie des imprimantes », *L'Actualité terminologique*, vol. 18, n° 6, 1985.
Le tout MICRO 85/86, Hachette.
OFFICE DE LA LANGUE FRANÇAISE, *Terminologie de l'informatique*, 1983.
Revues *Informatique et bureautique, L'Ordinateur individuel, Science & Vie Micro* (plusieurs numéros).

Une histoire de logiciel

Il était une fois un système informatique qui vivait heureux avec ses deux enfants : hardware *et* software. *Vint le jour où ceux-ci voulurent gagner un pays où l'on parlait français. Chacun pouvait bien se présenter :* hardware *avait un caractère plutôt figé avec son imposant assemblage de circuits remplissant chacun une fonction particulière ;* software, *pour sa part, avait une nature souple, modifiable et groupait les moyens destinés à permettre et à faciliter la mise en oeuvre de son frère et complément* hardware. *Mais comment les nommer en français ? Leurs nouveaux amis proposèrent* ***matériel*** *et* ***programmerie*** *ou* ***logiciel****. On préféra* ***logiciel****. Voyons comment celui-ci évolua...*

Il est important, au départ, de faire la distinction entre **programme** et **logiciel**. Un **programme** est une suite ordonnée d'instructions destinées à être exécutées par un ordinateur. Un **logiciel** est un ensemble comprenant les programmes, les procédés, les règles, et parfois la documentation, relatifs au fonctionnement d'un ensemble de traitement de l'information.

On distingue :
1. le **logiciel de base**, qui facilite l'exploitation de l'ordinateur ;
2. le **logiciel d'application**, qui traduit en langage informatique les méthodes de résolution de problèmes posés par les utilisateurs.

Le **logiciel de base**, souvent fourni par le constructeur, se divise en deux principaux systèmes :

• le **système d'exploitation**, comme MS-DOS ou UNIX, indispensable au fonctionnement d'un ordinateur mais indépendant des applications. Il assure en outre des fonctions telles que l'ordonnancement des travaux, les opérations d'entrée et de sortie sur les périphériques, etc. ;

• le **système de programmation** constitué par la réunion des langages de programmation, comme BASIC ou COBOL, et du logiciel qui permet leur mise en oeuvre (programmes interprétatifs et compilateurs notamment).

Le **logiciel d'application** comporte deux types de programmes : les **programmes spécifiques** et les **progiciels**.

Les **programmes spécifiques** sont généralement écrits pour une application précise et unique. Ils sont élaborés par l'usager ou par des informaticiens. Les programmes spécifiques répondent à des besoins particuliers et sont adaptés aux fonctions demandées par le type de travail de l'utilisateur.

Les **progiciels**, contrairement aux programmes spécifiques, sont conçus pour une application commune à plusieurs utilisateurs, soit tels quels, soit avec certaines adaptations mineures (le système de la paie par exemple). Le terme **progiciel** est relativement nouveau, et vient de PROduit plus loGICIEL. Il remplace l'expression programme-produit utilisée auparavant pour traduire *package* et désigne un ensemble cohérent et indépendant, constitué de programmes, de services, de supports de manipulations d'information (bordereaux, langages, etc.) et d'une documentation. Un progiciel peut être utilisé de façon autonome par un usager après une mise en place et une formation limitées.

Il existe des **progiciels utilitaires** ou **progiciels** dits **systèmes** : aide à la conception, à l'analyse et à la programmation, aide à la gestion des données, aide à l'exploitation d'un centre de calcul ; et des **progiciels d'application** : tableur (LOTUS 1-2-3), traitement de textes (ÉDITEXTE), documentation automatique (STAIRS), gestion immobilière, processeurs de machines-outils, etc.

Et ce n'est rien. Cette histoire de famille ne fait que commencer. À preuve, notre ami logiciel est maintenant l'heureux père de **didacticiel**, *l'aîné, qui se consacre à l'enseignement assisté par ordinateur ou par micro-ordinateur et de* **ludiciel**, *le cadet, qui s'occupe de... jeux. Ses intentions ne sont pas clairement dévoilées, mais paraîtrait-il qu'il a l'intention d'élever une famille nombreuse. Très nombreuse, dit-on.*

Marie Archambault
Fin novembre 1986

Sources consultées

ASSOCIATION FRANÇAISE DE NORMALISATION, NF Z 61-000.
GINGUAY, Michel, LAURET, Annette, *Dictionnaire d'informatique*.
LE GARFF, André, *Dictionnaire de l'informatique*, 1975.
LETHUILLIER, Jacques, *Informatique*, 1982.
MINISTÈRE DE L'ÉCONOMIE, DES FINANCES ET DU BUDGET, *Terminologie de l'informatique de gestion*, 1985.
MORVAN, Pierre, *Dictionnaire de l'informatique*, 1976.
Techniques de l'ingénieur, H 4390.

Personnes-ressources

BERNIER, Jean-Guy, chef de service, Services aux usagers, direction Services informatiques, groupe Finances et Ressources.
FORTIER, Gilles, chargé de planification technique, direction Planification et Développement, VP Planification et Développement.

Le *traitement de textes : adieu pot de colle et ciseaux !*

Vous devez souvent reprendre vos textes ou les mettre à jour, et vous savez vous servir astucieusement d'un pot de colle et de ciseaux ? Vos méthodes sont complètement dépassées ! Il existe une machine à écrire « intelligente » qui peut mémoriser les textes, les afficher pour faciliter les corrections puis les imprimer : la machine de traitement de textes. À vous de l'apprivoiser...

Qu'il s'agisse d'une machine dédiée ou d'un micro-ordinateur à usages multiples, une machine de traitement de textes comprend généralement quatre éléments : un clavier, un écran, une imprimante et un moyen de stockage. Ces éléments sont groupés autour d'une unité centrale.

Le clavier

Le **clavier** est le dispositif d'entrée d'information : introduction du texte ou **saisie** et introduction d'ordres nécessaires à la sélection et à l'exécution des fonctions de traitement du système. Il comprend des touches alphanumériques semblables à celles d'une machine à écrire et des touches de commande (appelées couramment touches de fonction), soit : retour à la ligne, majuscule/minuscule, déplacement du curseur, etc. Chaque système de traitement de textes est particulier quant à la disposition et au nombre de ses touches. Le clavier peut former un bloc avec l'écran ou être amovible.

L'écran

L'**écran cathodique**, semblable à celui d'un téléviseur, est le dispositif qui permet de voir le texte tel qu'il est entré dans la mémoire et de l'afficher après la saisie pour le modifier. S'il est séparé du clavier, il peut être **orientable** et **inclinable**. La plupart des systèmes ont un **écran monochrome**, à caractères blancs, verts ou ambre sur fond noir, mais il existe aussi des **écrans couleurs**. Pour améliorer le confort d'utilisation, les écrans peuvent être **anti-reflets** et **sans scintillements**.

La **capacité d'affichage**, c'est-à-dire le nombre de lignes que l'on peut lire à la fois, varie selon les systèmes ; les écrans les plus répandus affichent 25 lignes de 80 caractères. Il existe des écrans **pleines pages**, qui affichent une page complète de texte (66 lignes), et des écrans **doubles pages**.

Un caractère lumineux particulier, le **curseur** (rectangle ou trait de soulignement qui clignote sur certains appareils), marque sur l'écran l'emplacement où se fera l'opération suivante. Le **curseur** peut être déplacé rapidement à l'aide des touches de fonction spécialisées.

L'imprimante

L'**imprimante** est le dispositif utilisé pour imprimer le texte sur papier. Deux classifications principales peuvent être établies selon le procédé d'impression : les **imprimantes à impact** (l'impression est basée sur une action mécanique) et les **imprimantes sans impact** (l'impression est basée sur un phénomène physique ou chimique). On les distingue aussi selon le mode d'impression : impression caractère par caractère, ligne par ligne ou page par page.

Le moyen de stockage

Les supports de stockage les plus courants pour les systèmes de traitement de textes sont le **disque souple** (ou **disquette**) et le **disque dur**. Le disque est **lu** ou **écrit** par la **tête de lecture/écriture** à l'intérieur de l'**unité de disques**.

L'unité centrale

L'**unité centrale** est le véritable chef d'orchestre du système. C'est elle qui contrôle et dirige l'ensemble des opérations effectuées par la machine. Elle est souvent logée avec la mémoire et l'unité de disques.

Le traitement de textes permet de revenir indéfiniment sur un texte mémorisé. Les trois opérations de base, **effacement, insertion** et **substitution**, peuvent être effectuées rapidement sur un caractère, un mot, une phrase. Mais la révision des documents est loin d'être le seul point fort du traitement de textes : de nombreuses fonctions automatiques facilitent considérablement le travail en améliorant la qualité du document. Si le traitement de textes avait existé à son époque, Flaubert n'aurait peut-être pas mis cinq ans à écrire *Madame Bovary* !

Johanne Charland
Fin octobre 1984

Sources consultées
HUBERMAN, Alain, MENEAU, Jean-Christophe, *Le traitement de texte*, 1983.
GINGUAY, Michel, *Dictionnaire d'informatique*.
GLATZER, Hal, *Introduction au traitement de texte*, 1983.
BOYER, Marc, « Le B-A BA du traitement de texte », *Science et Vie*, décembre 1983.

Un nouveau tic... la bureautique

La bureautique s'inscrit dans le cadre de l'informatisation de l'entreprise et fait depuis peu partie de notre environnement de travail. Cette nouvelle science utilise une terminologie de pointe souvent absente des dictionnaires. Voici donc quelques termes qui vous permettront de vous familiariser avec le domaine.

Base de données

Ensemble de données ou d'informations logiquement reliées entre elles et accessibles au moyen d'un logiciel. Généralement propre à une entreprise, sert à mémoriser les données relatives aux clients, fournisseurs, etc.

Bureautique

Ensemble intégré de moyens et de procédures qui sont appliqués aux activités de bureau, notamment au traitement et à la communication de la parole, de l'écrit ou de l'image, et qui font appel aux techniques de l'électronique, de l'informatique, des télécommunications et de l'organisation administrative.

Classement électronique

Ensemble de procédés et de matériels permettant de mémoriser et de repérer par mots clés les documents enregistrés sous forme photographique ou numérique sur des supports magnétiques ou optiques. L'expression s'applique aux documents actifs et se distingue de l'archivage électronique qui désigne le traitement des documents inactifs.

Impression électronique

Procédé d'impression utilisant les microprocesseurs ou le laser et qui permettent d'imprimer directement sur papier des données numérisées (textes, graphiques, images, formules). Se caractérise par sa vitesse, sa qualité et son adaptabilité aux besoins (impression recto verso, réduction, papier à en-tête, etc.).

Infographie

Ensemble de méthodes et de techniques qui permettent la conception assistée de schémas, graphiques, histogrammes, etc., à l'aide de tables traçantes, d'écrans de visualisation ou d'imprimantes.

Messagerie électronique/ courrier électronique

Technique qui permet de créer, stocker et transmettre à distance des messages alphanumériques ou vocaux à un ou plusieurs destinataires au moyen de terminaux reliés par réseau de télécommunications à un équipement de commutation de messages.

Photocomposition

Procédé de composition de textes au moyen de la photographie ou de programmes informatiques, permettant de reproduire des caractères ou des symboles.

Reconnaissance vocale/ reconnaissance de la parole

Ensemble des techniques électroniques et informatiques permettant la reconnaissance automatique de mots prononcés par un utilisateur à partir d'analyses et de comparaisons avec des mots existants déjà en mémoire.

Traitement de l'image

Ensemble de méthodes et de techniques informatiques qui permettent de classer, de repérer et de diffuser des images codées enregistrées sur supports magnétiques ou optiques.

Traitement de textes

Ensemble de techniques informatiques permettant la saisie, la mémorisation, la correction, l'actualisation, la mise en forme et la diffusion des textes.

Vidéotex

Ensemble de systèmes et de services de transmission de textes de type interactif ou non qui permettent à l'usager de commander par clavier numérique l'affichage d'informations (pages de magazine, graphiques, dessins) sur un poste récepteur de télévision.

Francine Doray
Fin octobre 1985
Révisé

Sources consultées
BLASIS, Jean-Paul de, *Les enjeux-clés de la bureautique*, 1982.
BUFFE, J., LOCHARD, J., « Vocabulaire de l'informatique », *Techniques de l'ingénieur*.
GINGUAY, Michel, LAURET, Annette, *Dictionnaire d'informatique*.
OFFICE DE LA LANGUE FRANÇAISE, Comité interentreprises de la bureautique, *Vocabulaire du traitement de textes*, éd. provisoire, 1985.

Personnes-ressources
MARTEL, Raymond, chef de division, Bureautique et Micro-informatique, direction Services informatiques.
NGUYEN, Ngoc Lan, conseiller, service Planification de l'informatique, direction Planification et Développement de l'informatique.

Affiche, enseigne, étiquette, pancarte, panneau ou plaque ?

Comment faire la distinction entre une affiche, une enseigne, une étiquette, une pancarte, un panneau et une plaque ? Les quelques définitions qui suivent devraient permettre d'y voir clair.

L'**affiche** est généralement une feuille imprimée, en papier souple et de format assez grand. On s'en sert pour transmettre des conseils de prudence – affiches de sécurité (figure 1), pour annoncer des films, des spectacles, etc., ou pour diffuser des règlements.

L'**enseigne** permet de repérer et d'identifier un établissement commercial. Elle est fabriquée en bois, en métal, en plastique ou en tout autre matériau et elle peut être lumineuse. L'enseigne porte le nom ou le symbole de l'établissement. On se souvient de l'air connu : « À l'enseigne de confiance ESSO, à l'enseigne des bons voyages » (figure 2).

Figure 1 – Affiche

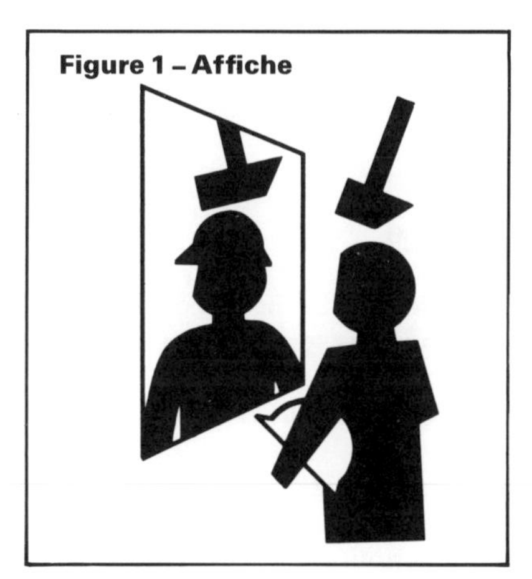

Figure 2 – Enseigne

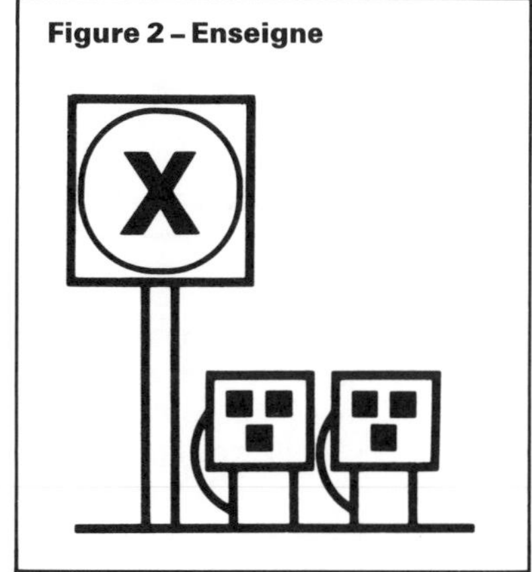

L'**étiquette** est essentiellement un petit morceau de papier, de carton, etc. qui porte une inscription courte et précise et qui est fixé à un objet pour en indiquer la nature, le contenu, le prix, la destination, le possesseur, etc. Ainsi, dans les magasins, les articles en vente portent une étiquette de prix. On utilise également des étiquettes pour adresser des lettres, des périodiques et des colis (figure 3).

La **pancarte** est un écriteau en bois, en carton ou en métal qui porte un avis, un message ou une inscription. La pancarte est généralement assez rigide et on peut l'apposer sur un mur, un panneau, ou la porter au bout d'un bâton comme on le fait dans des assemblées ou des manifestations (figure 4).

Figure 3 – Étiquette

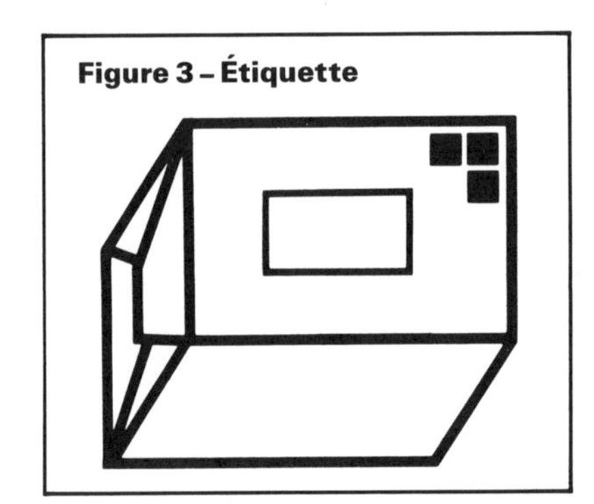

Figure 4 – Pancarte

Hydro-Québec utilise des **pancartes d'interdiction de monter sur les supports de lignes** (figure 5). Ces pancartes servent à mettre le public en garde contre les risques d'électrocution par contact avec les pièces sous tension et contre les risques de chute pouvant résulter de l'ascension des supports de lignes de transport.

Le **panneau** est une surface plane en bois, en métal ou en toile tendue destinée à servir de support à des inscriptions. Le panneau a généralement des dimensions plus grandes que celles de la pancarte. Lorsqu'il porte des indications le long des routes, on le nomme **panneau de signalisation** (figure 6). Lorsqu'il porte un message publicitaire, c'est un **panneau-réclame** (figure 7).

Figure 5 – Pancarte d'interdiction de monter sur les supports de lignes

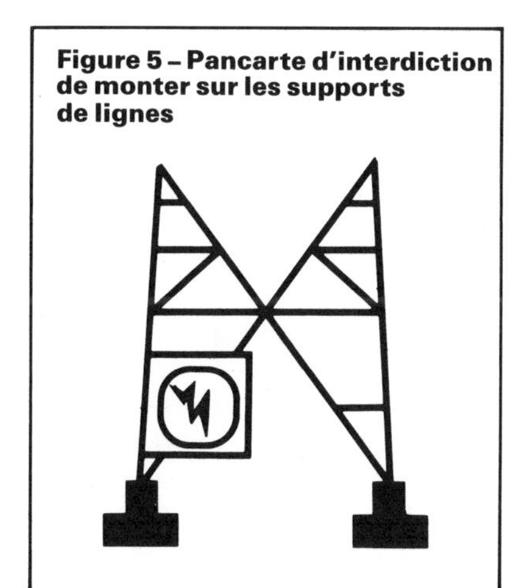

Figure 6 – Panneau

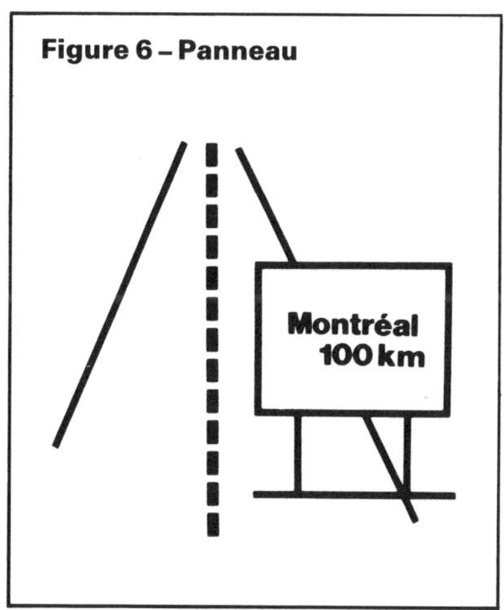

Figure 7 – Panneau-réclame

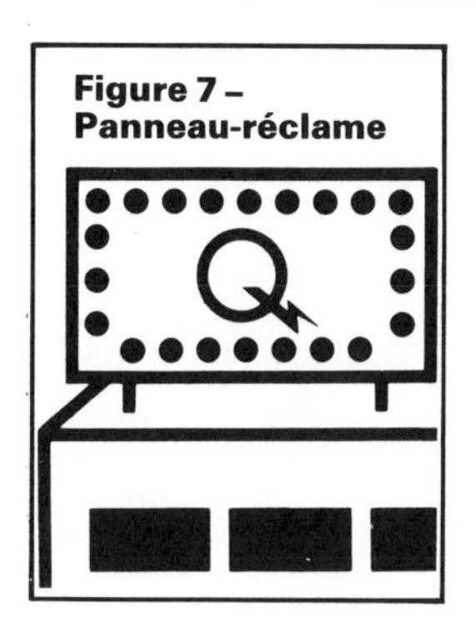

Figure 8 – Plaque d'immatriculation

Figure 9 – Plaque signalétique d'un compteur

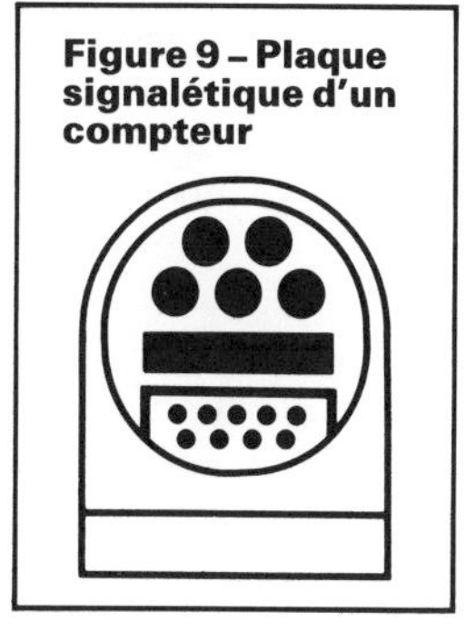

Une **plaque** est une feuille d'une matière rigide, plate et peu épaisse. Comme exemples très connus, on peut mentionner la **plaque d'immatriculation** d'une automobile (figure 8) et la **plaque signalétique** d'une machine ou d'un appareil (figure 9).

Jean-Marc Lambert
Fin septembre 1975

Sources consultées

ASSOCIATION FRANÇAISE DE NORMALISATION. *Normes françaises.*
Grand Larousse encyclopédique, 1960.
RÉGIE DE LA LANGUE FRANÇAISE, *Fichier de terminologie.*
ROBERT, Paul, *Dictionnaire alphabétique et analogique de la langue française*, 1973.

Tableau, table, figure, schéma, diagramme, courbe, graphique

Il n'est pas toujours facile de faire la distinction entre un tableau, une table, une figure, un schéma, un diagramme, une courbe ou un graphique. Afin d'y voir un peu plus clair, nous allons définir chacun de ces termes en donnant quelques exemples.

Le **tableau** est une composition typographique qui comporte généralement un certain nombre de colonnes et sur laquelle des données ou les matières d'un sujet sont rangées méthodiquement sous une forme synthétique. À noter que, dans un texte, la numérotation des tableaux est indépendante de celle des figures.

La **table** est un recueil où des résultats de mesure ou de calculs sont consignés et groupés de façon rationnelle, afin qu'ils puissent être consultés rapidement et commodément. Comme exemples, signalons les **tables de logarithmes** et les **tables de multiplication**.

La **figure** est une représentation matérielle, une illustration d'un objet quelconque. **Figure** est le terme générique qui s'emploie pour désigner toute illustration : schéma, diagramme, courbe, graphique.

Le **schéma** est un dessin donnant une représentation simplifiée et fonctionnelle d'un objet, d'un processus, des éléments d'un bâtiment, d'une installation, des différentes parties d'un réseau électrique, d'un ensemble d'appareils ou d'un appareil, et qui montre les relations mutuelles des différentes parties et les moyens de liaisons employés. Quelques exemples : le **schéma de réalisation** qui est destiné à guider l'exécution et la vérification des connexions d'une installation ou d'un équipement électriques ; le **schéma des circuits** ou **schéma de principe** qui représente par des symboles une installation ou une partie d'installation avec les connexions électriques et les autres liaisons qui interviennent dans son fonctionnement ; le **schéma éclaté** (figure 1) dans lequel les différentes parties d'un objet sont séparées les unes des autres, tout en restant dans l'ordre

Figure 1 – Schéma éclaté

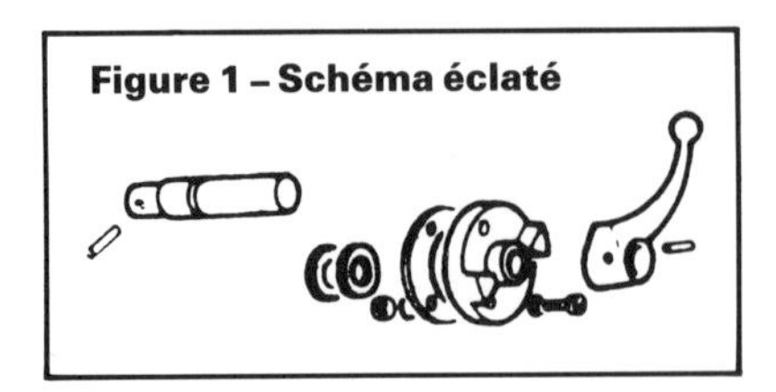

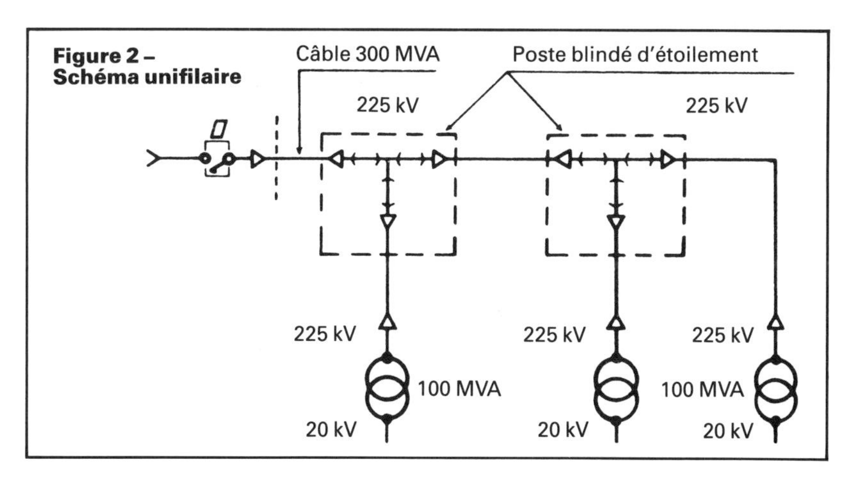

Figure 2 – Schéma unifilaire

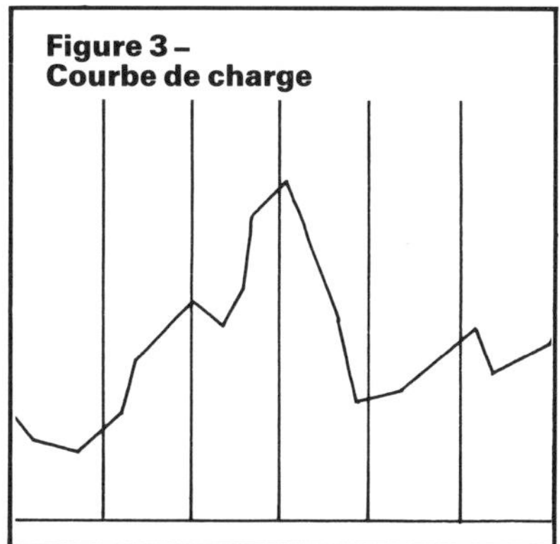

Figure 3 – Courbe de charge

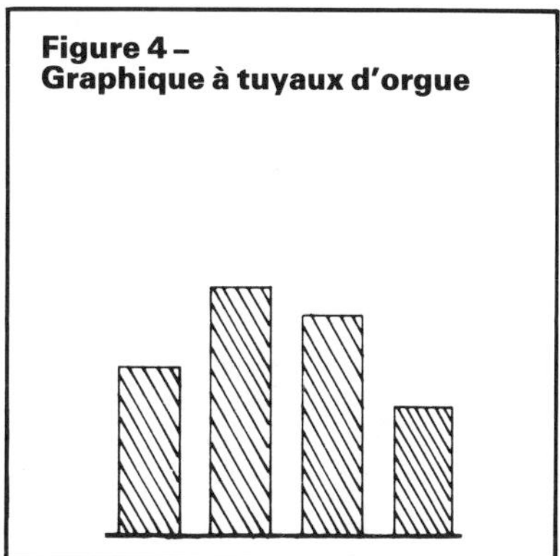

Figure 4 – Graphique à tuyaux d'orgue

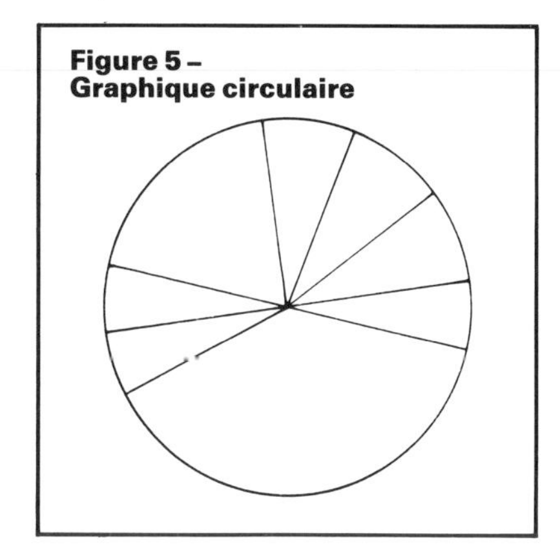

Figure 5 – Graphique circulaire

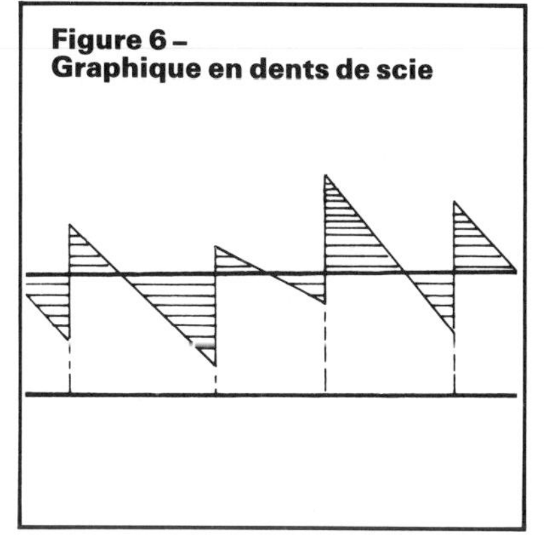

Figure 6 – Graphique en dents de scie

normal où elles se présentent ; le **schéma fonctionnel**, relativement simple, destiné à faire comprendre le fonctionnement et qui représente, par des symboles ou des figures simples, une installation électrique ou une partie d'installation ainsi que ses interdépendances fonctionnelles, sans qu'il soit nécessaire de représenter toutes les liaisons qui sont matériellement réalisées ; le **schéma unifilaire** (figure 2) dans lequel deux ou plusieurs conducteurs électriques sont représentés par un trait unique.

Le **diagramme** est un tracé qui montre les relations entre différents éléments.

La **courbe** est une ligne déterminée par une abscisse et une ordonnée et représentant les variations d'un phénomène. Ainsi, pour un réseau électrique, la **courbe de charge** (figure 3) est la représentation de l'évolution de la charge en fonction du temps.

Le **graphique** est une représentation simplifiée d'un phénomène, obtenue par le dessin et par des signes et des symboles. Voici quelques exemples : le **graphique à tuyaux d'orgue** ou **à bâtons** (figure 4) dans lequel les valeurs sont représentées par des rectangles horizontaux ou verticaux (tuyaux d'orgue) dont les hauteurs sont proportionnelles à ces valeurs, les bases des rectangles ayant toutes la même longueur ; le **graphique circulaire** (figure 5) dans lequel les valeurs sont représentées par des secteurs de cercle dont les surfaces sont proportionnelles à ces valeurs ; le **graphique en dents de scie** ou **en Z** (figure 6) utilisé pour l'étude d'un phénomène subissant des variations successives de sens contraires.

À la lecture de ce qui précède, on constate que **diagramme, courbe** et **graphique** sont synonymes et qu'il peut être assez facile de les confondre. Pour distinguer ces trois termes, ajoutons que **diagramme** est le terme générique et qu'il désigne toute figure linéaire destinée à faciliter une démonstration et à rendre sensibles des chiffres statistiques ; que **courbe** désigne généralement un diagramme en forme de ligne courbe représentant l'évolution d'un phénomène ; et que **graphique** désigne le plus souvent un diagramme en forme de tableau destiné à mettre en lumière la marche d'un phénomène ou les variations d'une fonction mathématique.

Jean-Marc Lambert
Juillet, mi-août 1977

Sources consultées

BÉNAC, Henri, *Dictionnaire des synonymes*, 1956.
COMMISSION ÉLECTROTECHNIQUE INTERNATIONALE, publication 113-1, *Schémas, diagrammes, tableaux.*
SIZAIRE, Pierre, *Dictionnaire technique de la construction électrique*, 1968.
TEZENAS, J., *Dictionnaire de l'organisation et de la gestion*, 1971.

Un peu de tout

Manuel d'instructions ou notice technique ?

Comment désigner les documents qui concernent l'installation, la mise en service, l'entretien et le dépannage des matériels industriels ? **Manuel d'instructions** ou **notice technique** ?

Ces deux expressions ont longtemps été utilisées l'une pour l'autre, probablement parce que manuel et notice ont des sens voisins.

Un **manuel** est un ouvrage d'un format maniable, renfermant les notions essentielles d'un art, d'une science, d'une technique. Une **notice** est un écrit succinct sur un sujet quelconque et, par extension, une explication précisant les conditions d'emploi d'un produit, d'un outil, etc.

Aujourd'hui, l'expression **manuel d'instructions** est en perte de vitesse au profit de **notice technique**. En effet, dans les traités techniques, les documents de normalisation et les publications des constructeurs, l'usage de **notice technique** (parfois abrégé en **notice**) s'impose actuellement et c'est celui que nous recommandons.

À l'heure du système international (SI)

On nous demande souvent comment rendre en français les expressions *soft conversion* et *hard conversion*. Les expressions adoptées par le Conseil canadien des normes sont : **conversion arithmétique** et **conversion fondamentale**.

En bref, la **conversion arithmétique** qui est le type de conversion le plus élémentaire, consiste en une conversion d'unités de mesures d'un système à un autre sans modification des objets auxquels elles s'appliquent. C'est le cas, par exemple, de la pinte d'huile sur laquelle on note 1,14 litre.

Par contre, la **conversion fondamentale** adopte immédiatement de nouveaux formats, ce qui permet d'inscrire sur les produits des chiffres arrondis. C'est ainsi que l'on achète maintenant un litre de lait ou un kilo de sucre.

Qu'est-ce que l'*ampacity* ?

Ampacity, voilà un néologisme américain qui a beaucoup fait parler de lui.

Il est formé des mots *ampere* et *capacity* et signifie le courant admissible dans un conducteur dans certaines conditions de température. Certains ont déployé beaucoup d'efforts pour trouver un équivalent en français. Or, pourquoi inventer un terme nouveau qu'il faudra expliquer et implanter lorsqu'il existe déjà une dénomination claire et bien établie en français, à savoir **courant admissible d'un conducteur** que l'on peut d'ailleurs abréger en **courant admissible** lorsque le contexte est explicite.

Nycole Bélanger
Mi-mai 1977

En vrac

Démontage ou démantèlement ?

Faut-il parler de **démontage** ou de **démantèlement** des transformateurs lourds dont on enlève certains éléments pour faciliter le transport ?

1. **Emploi de démontage**

Le **démontage** est l'action de séparer ou de désassembler les diverses parties d'une machine, d'un appareil ou d'un instrument. On trouve le terme **démontage** dans des articles de revues traitant de la manutention et du transport de machines lourdes ainsi que dans des notices techniques qui décrivent en détail l'expédition de transformateurs.

2. **Emploi de démanteler**

Les seuls sens de **démanteler** sont les suivants :

– sens propre : démolir les murailles, les fortifications d'une ville, d'une place forte ;

– sens figuré : abattre, détruire, désorganiser une institution, un réseau d'espionnage, etc. ;

– en géomorphologie : destruction d'une couche de terrain par l'érosion.

Nous recommandons donc l'emploi du terme **démontage** pour désigner l'action de retirer certaines pièces d'un transformateur afin d'en faciliter le transport. Si l'on désire préciser qu'il ne s'agit pas de désassembler complètement l'appareil, nous suggérons d'utiliser l'expression **démontage partiel**.

Autoneige et motoneige

L'**autoneige** et la **motoneige** sont deux véhicules différents.

L'**autoneige** est un véhicule à cabine qui peut transporter plusieurs personnes. Elle sert par exemple au transport d'équipes de travail sur des chantiers isolés. La **motoneige** est le véhicule ouvert, à deux places, que l'on connaît bien.

Autoneige et motoneige s'écrivent sans trait d'union et prennent la marque du pluriel : des **autoneiges**, des **motoneiges**.

À propos de *car pool* et de *pool*

En français, on désigne par l'expression **transport coopératif** ou **covoiturage** le fait pour plusieurs personnes ayant à effectuer régulièrement un parcours commun, de voyager ensemble dans la voiture de l'une d'entre elles.

L'expression **transport coopératif** s'applique également à l'utilisation de voitures par des parents qui assurent à tour de rôle le transport des écoliers.

Et puisque nous parlons de mise en commun de ressources ou de moyens, rappelons que le terme *pool* est un mot passe-partout que l'on retrouve dans une foule de domaines. Selon les contextes et l'objet auquel il est destiné, il se traduit par diverses expressions.

Par exemple, pour désigner un groupe de sténodactylos auquel on peut faire appel en cas de besoin, on parlera, selon le cas, de **central** (masc.) **sténographique** ou **dactylographique** ou encore de **centre** ou de **service de dactylographie**.

Lorsque différents spécialistes forment un *pool* pour travailler à un projet ou à une recherche, ils constituent un **groupe de travail**.

Enfin, la mise ou l'enjeu déposé par des amateurs de sport avant une partie ou une compétition est une **poule**.

Les chambres d'Hydro-Québec

Nous avons remarqué dans les couloirs du siège social l'apparition de petites plaques indicatrices portant la mention *chambre xxx*.

Les employés d'Hydro-Québec sont sans doute des gens détendus. Mais il est malheureusement impossible que leurs bureaux soient des chambres. Mis à part certains sens spécialisés comme chambre noire, chambre à gaz, chambre froide, Chambre des Communes, etc., une chambre est une pièce où l'on dort ; ce n'est pas un endroit où l'on travaille. Il faut dire : **bureau, pièce** ou **suite**, de préférence **bureau** dans le cas d'Hydro-Québec.

Le xe plancher

Si les bureaux d'Hydro-Québec ne sont pas des chambres, les étages ne sont pas non plus des planchers. Le **plancher** est l'ouvrage de charpente qui sépare les étages et sur lequel on marche ; l'**étage**, c'est l'espace compris entre deux planchers.

Par conséquent, à moins de vouloir parler menuiserie, il est fautif de dire que M. Untel travaille au xe plancher. Il faut dire : M. Untel travaille au xe étage.

Draperie, tenture ou rideau ?

Les termes **draperie** et **tenture** sont utilisés à Hydro-Québec pour désigner un rideau de tissu épais. Certains voudraient bannir **draperie** qu'ils soupçonnent de flirter avec l'anglais *drapes*. Mais **tenture** est-il plus exact ? Et **rideau** ?

La **tenture** est une pièce de tissu ou de tout autre matériau, fixée ou non au mur, et servant d'élément de décoration. Les tentures sont souvent utilisées pour tapisser les murs. Lorsqu'une tenture de tissu est drapée, elle peut prendre le nom de **draperie**. Les fenêtres sont parfois garnies d'une draperie ; il s'agit alors d'un tissu drapé, fixe, qui sert d'encadrement à la fenêtre.

Une pièce d'étoffe à plis (ou pouvant former des plis), généralement mobile, destinée à intercepter la vue ou la lumière est un **rideau**. On distingue deux sortes de rideaux : des rideaux d'étoffe légère que l'on nomme **voilage** ou **voile** et des rideaux en tissu épais que l'on appelle **doubles rideaux** parce qu'ils recouvrent le plus souvent des rideaux transparents. S'ils ne recouvrent rien, comme c'est le cas à Hydro-Québec, on peut les appeler **doubles rideaux** ou tout simplement **rideaux**, mais PAS *tentures* ou encore moins *draperies*.

En résumé, la **tenture** et la **draperie** sont des éléments de décoration et le **rideau**, un moyen de voiler plus ou moins parfaitement la lumière.

Le vivre et le couvert

Il y a plusieurs années qu'on emploie l'expression **le vivre et le couvert** à Hydro-Québec dans les règlements touchant les indemnités de déplacement. Il s'agit, on le sait, de la nourriture et du logement.

Rappelons toutefois, au profit de ceux qui ont besoin de morceler l'expression, que **vivre** désigne la nourriture et **couvert**, le logement, contrairement à ce qu'on pourrait penser de prime abord. On comprend dès lors pourquoi gîte et couvert que certains emploient est une création absurde : ces deux mots veulent dire la même chose.

Étant donné les difficultés de compréhension que pose vivre et couvert et le caractère littéraire de cette expression, il vaudrait peut-être mieux la remplacer par des termes plus spontanément accessibles comme **logement**, **chambre**, **nourriture** et **repas**.

Claire Robichaud
Gigi Vidal
Fin février, mi-mars et fin mars 1977
Révisé

LA DOCUMENTATION ET LES OUVRAGES RECOMMANDÉS

Le Centre de documentation

La petite histoire

Il était une fois, à Hydro-Québec, une modeste division qui oeuvrait dans l'ombre ; ses voisins n'ont jamais pu cerner son activité avec précision, se contentant d'apprécier sa présence discrète.

Mais ce petit réseau besogneux ne faisait que creuser son nid, tailler sa place au soleil d'Hydro-Québec.

En ces temps-là, la nationalisation était dans l'air, les politiciens fourbissaient leurs armes... électorales, et bientôt la population entérina le projet d'une électricité bien à elle, d'une Hydro-Québec à son image.

C'était donc, dans l'entreprise, le règne du français qui s'instaurait. La Haute direction entrevoyait déjà un avenir exaltant tant du côté français que du côté technique.

(À ce propos, il fait bon se rappeler la série d'articles de la journaliste Renaude Lapointe, dans *La Presse*, sous la rubrique « Le colosse en marche ».)

Cependant que les gestionnaires de l'entreprise retrouvaient un second souffle dans une Hydro-Québec à l'échelle provinciale, la division des Manuels poursuivait ses démarches pour se constituer un fonds de documentation française à la mesure de ses objectifs, ceux d'Hydro-Québec en matière de français.

Mais quels étaient (et sont toujours) ces objectifs ?

« Aider les unités administratives à produire, dans un français de qualité, des documents administratifs ou techniques, qu'ils soient d'usage interne ou destinés à des organismes de l'extérieur. »

Pour « produire dans un français de qualité », il fallait que la division des Manuels, bientôt promue service des Manuels, comptât du personnel qualifié et une documentation française adéquate.

Les personnes déjà sur place possédaient la compétence nécessaire pour mener à bien les tâches de rédaction qui leur étaient confiées. À la condition, toutefois, de pouvoir s'appuyer sur une documentation française à la fois diversifiée et faisant autorité, sur une terminologie administrative et technique sans faille.

Mais où se procurer un tel fonds documentaire sinon chez la mère-patrie et les pays francophones satellites. Eh oui, par-delà la grande mare, il a fallu trouver des correspondants efficaces et sympathiques à la cause, nouer des liens durables avec Électricité de France, l'entreprise-soeur (aînée !), s'assurer certaines collections de normes essentielles, frapper à la porte d'organismes importants en matière de sécurité (les besoins étaient très grands en ce domaine), et se débrouiller pour obtenir, par les *Journaux officiels* de Paris, certaines publications officielles de la République française.

Enfin, il a fallu découvrir la France technique. Moins célèbre et moins célébrée que la France des vins et des parfums, elle n'en constitue pas moins une Terre promise pour le Québec, en particulier, par l'abondance de ses documents de qualité, côté fond et côté forme.

Grâce à Dieu et avec la bénédiction du directeur général du personnel de l'époque, il fut possible au service de continuer à alimenter son fonds documentaire en Europe francophone. Il le fit si bien que toute cette belle documentation « qui avait beaucoup voyagé » se retrouva un jour en pleine crise de croissance. Les méthodes artisanales et la bonne volonté ne suffisaient plus.

On créa un poste de documentaliste. Deux grandes lignes conductrices : ordre et extension. Quelques années plus tard, une seconde documentaliste apporte du renfort.

Et c'est ainsi que le service Rédaction et Traduction* – son nom depuis 1972 – dispose aujourd'hui d'un véritable Centre de documentation**, d'une terminologie incomparable qui fait l'envie des chercheurs-visiteurs.

Hydro-Québec connaît-elle bien ce Centre de documentation ?

Aujourd'hui

Aujourd'hui « adulte », le Centre de documentation est devenu un foyer d'intérêt pour Hydro-Québec et un élément indispensable à la poursuite des travaux du service Rédaction et Traduction.

À la diversité de ces travaux, doivent correspondre une documentation quasi universelle, une terminologie à la fine pointe de l'actualité administrative et technique.

Mais comme il lui est impossible de détenir toute la documentation française souhaitable sur tous les champs d'activité d'une entreprise telle qu'Hydro-Québec, le Centre de documentation doit pouvoir s'appuyer sur des ouvrages de base, sur des documents officialisés et actualisés, sur des petites bibles quoi ! Or, ces petites bibles, ce sont, dans une large mesure, les normes et les encyclopédies spécialisées.

Au fait, une norme, c'est quoi au juste ?

« Une formule qui définit un type d'objet, un produit, un procédé technique en vue de simplifier, de rendre plus efficace et plus rationnelle la production. » (*Petit Robert*)

De là à affirmer que la norme s'applique particulièrement bien à Hydro-Québec, il n'y a qu'un pas, puisqu'il est reconnu que « le secteur de l'électricité est de beaucoup le plus développé en profondeur parmi les secteurs de la normalisation ».

Ainsi en a décrété la plus haute autorité française en la matière : la toute respectée et respectable Association française de normalisation.

---

*Devenu le service Rédaction et Terminologie en 1981.

**Le Centre de documentation relève du service Terminologie et Diffusion depuis mai 1988.

Association française de normalisation

AFNOR pour les intimes, l'Association française de normalisation, créée en 1920, couvre des milliers de sujets. Selon ses besoins, on peut passer du jus d'abricot à la spectrographie, de l'automobile à l'appareillage électrique (surtout si l'on est Hydro-Québécois !).

La collection des normes AFNOR, par sa valeur – fond et forme –, l'importance de sa rubrique sur l'électricité et une mise à jour régulière, constitue pour le service Rédaction et Traduction un pilier, une mine d'or.

Avec la Régie de la langue française du Québec, il est le seul détenteur québécois de la collection complète des normes AFNOR. REEF (Recueil des éléments utiles à l'établissement et à l'exécution des projets et marchés du bâtiment en France) publié par le CSTB (Centre scientifique et technique du bâtiment). Un peu long à décortiquer, mais tout y est. REEF : partenaire de l'AFNOR dans le domaine du bâtiment, autorité en la matière, outil de travail précieux, un *must*.

Normes EDF – Service de la normalisation

D'Électricité de France à Hydro-Québec, grosse circulation dans le monde des publications. Côté documentation technique, les normes EDF forment un apport de valeur, un morceau de choix. Là aussi, fond et forme se conjuguent.

Au rayon des encyclopédies spécialisées, la plus importante : les *Techniques de l'ingénieur*. « Elles représentent pour l'ingénieur, le technicien ou même souvent le dirigeant d'entreprise, le complément, le lien entre l'école et le maître, les sciences fondamentales et appliquées, la formation permanente et la formation initiale. »

Voilà les *Techniques de l'ingénieur* vues par elles-mêmes. Rien à y ajouter sinon que, parmi plusieurs autres secteurs de pointe, l'électricité occupe une place prépondérante. Collection considérable et essentielle pour l'ensemble d'Hydro-Québec.

De France, un autre « plat de résistance » : *Encyclopédie des équipements de bureau et matériels d'informatique*. Cinq cahiers, une mise à jour, un bulletin, un univers.

Il y a aussi la brochette des *Lamy: Lamy fiscal, Lamy sociétés, Lamy social, Lamy transport* (4 tomes). Un annuaire des législations et des règlements français. Une documentation hors pair, d'utilité quotidienne.

Ses richesses

Quand on est un service qui « fait » dans la rédaction et la traduction, il va de soi qu'on cherche à consulter, à vérifier, à se référer à une autorité.

À des autorités, puisque les travaux du service présentent un éventail très large de sujets, de nature technique et administrative.

En retournant quelques années en arrière (1970), il serait peut-être intéressant de citer un extrait du *Mémoire présenté par la Commission hydroélectrique de Québec à la Commission d'enquête sur la situation de la langue française et sur les droits linguistiques au Québec* et portant particulièrement sur le service Rédaction et Traduction :

... Il possède une abondante documentation en langue française sur la plupart des secteurs d'activité d'Hydro-Québec. Cette documentation, en permettant de découvrir le mot juste et le bon usage de la langue dans ces divers domaines, prend en quelque sorte un caractère de « jurisprudence linguistique ».

Pour atteindre ce but, il était essentiel que le Centre de documentation possédât des documents de première main en terminologie française.

Aujourd'hui, toute cette belle documentation *made in France* et acquise au fil des années constitue un fonds de grande valeur et pour le service et pour l'ensemble d'Hydro-Québec.

Aussi bien l'avouer carrément : le Centre de documentation est un véritable arsenal de vocabulaires spécialisés, glossaires, lexiques et dictionnaires. De quoi « armer » toutes les unités administratives de l'entreprise !

À côté de cette kyrielle de dictionnaires ou vocabulaires proprement dits, foisonnent d'excellents ouvrages français, techniques ou autres, qui s'ajoutent aux ressources terminologiques du Centre.

Ainsi, certains bouquins français sur la sécurité contiennent des descriptions, définitions et illustrations d'appareils, de produits, etc. Ils deviennent donc, dans un domaine particulier, des mini-encyclopédies insoupçonnées et insoupçonnables.

Également, le *Journal officiel de la République française* – l'équivalent de notre *Gazette officielle* – revêt une autre dimension en terre québécoise. Sous le jargon juridique, se découvrent le mot juste, l'expression correcte, la terminologie pertinente. En France, le *Journal officiel*, c'est le texte d'une loi ; chez nous, c'est la terminologie d'une loi.

Toujours en France, EDF-la-bien-nantie continue d'être une source intarissable de terminologie.

De plus, d'autres publications de qualité, qui émanent d'entreprises françaises oeuvrant dans des secteurs de pointe, sont aussi un apport précieux au Centre. Si les dépliants et brochures Berliet, pour un Français, c'est de la publicité commerciale, pour un Québécois, il s'agit d'un thésaurus, ou presque, sur les camions.

Au Québec même, certaines grandes entreprises (Radio-Canada, CIL, CN, entre autres) publient, depuis de nombreuses années, soit des vocabulaires, soit des séries de bulletins ou de fiches linguistiques. Ce « butin » national enrichit la documentation en présentant l'aspect supplémentaire du contexte nord-américain.

Enfin, il y a toute cette flopée de dictionnaires et d'ouvrages de consultation courante que le rédacteur professionnel consulte à longueur de journée. Ces dictionnaires pourraient aussi bien servir à la secrétaire qu'au chercheur du mot juste ou encore à l'employé amateur de mots croisés.

À titre d'information : *Le Petit Robert, Les difficultés de la langue française* (THOMAS), *Le bon usage* (GREVISSE), *Le Dictionnaire du français contemporain* (LAROUSSE), *Le dictionnaire des mots nouveaux* (P. GILBERT), *Le Dictionnaire des mots et des idées* (U. LACROIX), *Le dictionnaire des synonymes* (BÉNAC), *Le français, langue des affaires* (CLAS et HORGUELIN), entre beaucoup d'autres, constituent des conseillers sûrs, des amis de tous les jours.

Et voilà ! Ainsi se termine le survol – très incomplet – du Centre de documentation. Libre à vous de poursuivre vos découvertes, si le coeur vous en dit : l'admission est gratuite !

Thérèse Duval
Fin septembre 1976
Mi-octobre 1976
Fin octobre 1976

S'équiper pour écrire... pourquoi pas ?

Qu'il s'agisse de secrétaires ou de non-secrétaires, de patrons ou de non-patrons, à peu près tout le monde dans l'entreprise est amené à écrire, un jour ou l'autre, quand ce n'est pas régulièrement.

Même en présumant que vous mettiez en pratique la célèbre citation de Boileau : *« Ce que l'on conçoit bien s'énonce clairement, et les mots pour le dire arrivent aisément »*, il n'en reste pas moins que vous rencontrez, à ce moment-là, des difficultés inhérentes à toute communication écrite, c'est-à-dire des problèmes de langue, de vocabulaire, de grammaire, d'orthographe, de ponctuation, etc.

Heureusement, pour affronter autant de « grands maux », il existe tout un arsenal de dictionnaires, de lexiques, de manuels que les spécialistes du métier appellent les « outils » de la langue.

Parmi ces outils, se trouvent des ouvrages absolument indispensables à tous ceux et celles qui ont à rédiger, ne fût-ce qu'une note de service, et qu'il faut garder à portée de la main.

D'abord, un bon dictionnaire de langue : *Le Petit Robert*[1] est l'ouvrage de base par excellence. Il permet, à lui seul, de régler la majorité des problèmes de langue les plus courants. Pourquoi ? Parce que non seulement vous y trouverez la définition du mot que vous cherchez, mais aussi les contextes dans lesquels il doit être employé, avec des exemples à l'appui.

En outre, *Le Petit Robert* vous donne, pour chaque mot, les synonymes et les antonymes appropriés, vous permettant d'aller plus loin dans la connaissance (et l'emploi) de l'expression elle-même. C'est ce qui rend ce dictionnaire si précieux pour ceux qui écrivent ; c'est aussi ce qui le différencie du *Petit Larousse*[2] qui, cependant, demeure utile pour une vérification rapide du sens et de l'orthographe d'un mot. Sans compter que le *Petit Larousse* est un dictionnaire encyclopédique, illustré et qu'il comporte une section « Arts, Lettres, Sciences ».

Ensuite, pour répondre aux questions que vous vous posez en écrivant, le *Dictionnaire des difficultés de la langue française*[3] s'impose d'emblée. Ce dictionnaire regroupe les difficultés portant sur l'orthographe, la prononciation, le genre et le nombre, la grammaire, la ponctuation, les barbarismes, les synonymes, les paronymes, les pléonasmes, etc. Le *Thomas*, comme on l'appelle couramment, est le « dépanneur » par excellence et il a l'avantage d'être publié également en format de poche.

Par ailleurs, si vous éprouvez des difficultés avec vos conjugaisons françaises, il existe, pour vous tirer d'embarras, *L'Art de conjuguer* appelé aussi *Le Nouveau Bescherelle*[4] avec sous-titre « Dictionnaire des douze mille verbes usuels ».

Deux autres ouvrages de consultation simple et pratique : d'abord « Un traité de français commercial sérieux et étoffé », *Le français, langue des affaires*[5], puis *Le français au bureau*[6] qui permet d'utiliser une langue commerciale et administrative précise, exacte et bien française.

Pour compléter cette liste d'ouvrages essentiels à la rédaction en bon français, je vous suggère la brochure *Pour bien se comprendre*, extraits de la chronique « Pour bien se comprendre » d'*Hydro-Presse*, du service Rédaction et Traduction. Entre autres principes élémentaires concernant la rédaction, vous y trouverez un « Mini-guide de correspondance » qui vous sera certainement utile.

Thérèse Duval
Décembre 1980

Références

1. ROBERT, Paul, *Dictionnaire alphabétique et analogique de la langue française*, Paris, Société du Nouveau Littré, 1979, 2172 p.
2. *Petit Larousse illustré,* Paris, Larousse, 1981, 1799 p.
3. THOMAS, Adolphe V., *Dictionnaire des difficultés de la langue française*, Paris, Larousse, 1974, 436 p.
4. BESCHERELLE, *L'Art de conjuguer*, Montréal, Hurtubise, 1980, 157 p.
5. CLAS, André, HORGUELIN, Paul A., *Le français, langue des affaires*, 2e éd., Montréal, McGraw-Hill, 1979, 391 p.
6. OFFICE DE LA LANGUE FRANÇAISE, *Le français au bureau*, Québec, Éditeur officiel du Québec, 1977, 112 p. La deuxième édition a été publiée en 1982.

Le Guide du rédacteur : *un ouvrage de référence pour tous*

Vous arrive-t-il à l'occasion d'hésiter, le crayon en main, devant une bête question de ponctuation, de disposition, d'abréviation, de majuscule ? Dans ce cas, vous pestez, vous demandez à vos collègues, mais, le plus souvent, vous restez dans l'embarras.

Voici un ouvrage qui peut vous dépanner : le *Guide du rédacteur de l'administration fédérale*[1]. Ne vous laissez pas tromper par le titre : pour le trouver utile, point n'est besoin d'être rédacteur professionnel, ni encore moins fonctionnaire fédéral. Il suffit de vouloir régler ces petits détails dont l'importance est relative par rapport au contenu du texte, mais qui déterminent l'agrément que l'on prend à la lecture.

La table des matières et l'index sont extrêmement détaillés. Vous vous reporterez à l'un ou à l'autre, selon les scénarios suivants :

Vous cherchez une réponse rapide à une question très précise (quand met-on des majuscules à premier ministre ?) : consultez l'index.

Vous voulez une explication raisonnée (à quoi sert l'italique ?). Reportez-vous à la table des matières, divisée comme suit :
- l'abréviation,
- la représentation des nombres,
- la majuscule,
- la division des mots,
- l'italique,
- la ponctuation.

L'originalité du *Guide*, c'est qu'il n'est pas simplement une accumulation de règles tatillonnes présentées sans justification. Il donne la plupart du temps le rôle des signes ou procédés typographiques. Ainsi, lorsqu'on ne trouve pas précisément l'exemple que l'on cherche, on peut fabriquer sa propre règle *ad hoc*, en faisant appel à la logique.

L'italique démystifié

Prenons par exemple le chapitre sur l'italique (articles 382 à 426). On y apprend que l'italique a trois grandes fonctions :

- l'**attestation** (pour souligner l'authenticité d'un titre de document, d'une expression en langue étrangère, etc.) ;

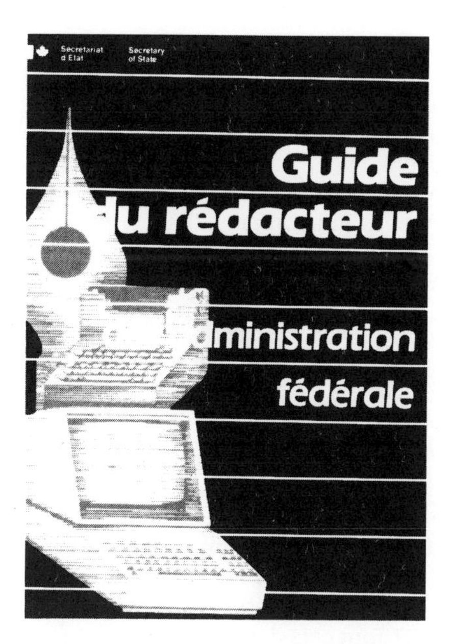

• la **disjonction** (pour les indications qui, sans faire partie du texte principal, l'explicitent ou le commentent) ;

• l'**insistance** (pour faire ressortir le mot qui est la clé d'un texte, ou la phrase qui le résume).

Chaque article donne de nombreux exemples d'emploi. Mais il n'est pas nécessaire de tout apprendre par cœur, puisqu'on peut souvent utiliser ces trois grands principes pour déduire la règle à suivre.

Tout sur les sigles

Tout ce que vous avez toujours voulu savoir sur les sigles se trouve aux articles 50 à 56, notamment :

• les règles d'écriture (suppression des points, emploi des majuscules, sauf pour les sigles comme *cégep* qui sont devenus des mots de la langue) ;

• le genre grammatical (*la* BBC, *le* GATT) ;

• le nombre (*les* ADAC sont des avions à décollage et atterrissage courts) ;

• la traduisibilité (en français comme en anglais, on écrit ISO, mais l'*ICAO* devient l'OACI).

Les énumérations

En prime, au chapitre sur les majuscules, des conseils précieux sur la disposition des énumérations (articles 237 à 239), dont on trouve plusieurs exemples dans le texte présent.

Doit-on choisir la présentation à l'horizontale ?
Prière de présenter : 1° sa carte d'identité ; 2° sa carte d'assurance ; 3° son permis de conduire.

Ou la présentation à la verticale ?
Le bon écrivain se méfie
de l'ampoulé,
du pompeux,
de l'ésotérique.

Doit-on commencer chaque élément par une minuscule ou une majuscule ? Doit-on démarquer les éléments par : des alinéas, des tirets, des chiffres, des lettres, des gros points (au début) ; des virgules, des points-virgules, des points (à la fin) ? Tout cela dépend de la longueur de l'énumération, de l'importance de chaque élément et de votre goût personnel. Mais le *Guide* vous fournira nombre d'exemples qui vous aideront à fixer votre choix.

Bref, malgré quelques réserves, notamment pour ce qui concerne les espaces qui précèdent ou suivent les signes de ponctuation (il vaut mieux dans ce cas se reporter à l'article « D'une espace à l'autre »), le *Guide du rédacteur* est bien fait et intelligemment construit. À recommander pour la clarté et la cohérence qu'il permet de donner aux récits.

Johanne Dufour
Fin novembre 1984

Référence

1. CANADA, Secrétariat d'État, *Guide du rédacteur de l'administration fédérale*, Ottawa, 1983, XXii-218 p.

Le français, langue des affaires

Certaines personnes ont une sorte de don inné pour écrire. Cette faculté est cependant réservée à un très petit nombre, et la plupart d'entre nous sont mal à l'aise lorsqu'ils ont à manier une plume.

Pourtant, rédiger correctement une lettre, un compte rendu ou un rapport est moins difficile qu'il n'y paraît, à condition de s'y exercer régulièrement et d'avoir quelque chose à dire[1].

Les auteurs

Le français, langue des affaires[1] est un traité commercial adapté aux usages nord-américains, qui a l'immense mérite de « réunir en un seul ouvrage de consultation pratique la plupart des renseignements qu'il faut habituellement puiser à plusieurs sources : dictionnaires, grammaires, traités de bon usage, formulaires commerciaux, codes typographiques, etc. »

Il s'adresse à toutes les personnes appelées à rédiger des lettres, des notes de service, des bordereaux de transmission, des procès-verbaux, des comptes rendus et des rapports.

Passons rapidement en revue le contenu de cet ouvrage, dont on vient de publier une deuxième édition, revue et corrigée :

1. Le poids des mots
2. L'assemblage des mots
3. Le code orthographique
4. Savoir écouter
5. Savoir lire
6. Savoir écrire
7. La langue des affaires
8. La correspondance commerciale
9. Rapports, notes et communications diverses
10. Savoir dire

En somme, les auteurs commencent par rappeler certaines notions pratiques de grammaire, de syntaxe et d'orthographe, puis ils passent à l'étude du français commercial proprement dit.

LE FRANÇAIS,
LANGUE
DES
AFFAIRES
ANDRÉ CLAS
PAUL A. HORGUELIN
Deuxième édition

Pour chaque type de communication écrite, ils donnent des principes de rédaction et de nombreux exemples. On trouve notamment des modèles de lettres pour toutes les occasions, depuis les offres et les demandes d'emploi jusqu'aux commandes et aux accusés de réception, en passant par les lettres de recouvrement et les réclamations. La section réservée aux rapports contient de précieux conseils sur la rédaction de ces documents (délimitation du sujet et choix des matériaux, plan, rédaction) de même que sur leur présentation matérielle (couverture, page de titre, lettre de présentation, table des matières, texte du rapport, signature, annexes, graphiques).

Chaque chapitre se termine par une abondante bibliographie. À la fin de l'ouvrage, on trouve une liste des abréviations usuelles (plus de 300) et un index détaillé permettant de repérer rapidement le sujet choisi.

Bref, *Le français, langue des affaires* est un ouvrage essentiellement pratique et de consultation facile. Nous le recommandons vivement à tous les Hydro-Québécois.

Claire Lamy
Mi-octobre 1979

Référence

1. CLAS, André, HORGUELIN, Paul A., *Le français, langue des affaires*, 2e éd., Montréal, McGraw-Hill, 1979, 391 p.

Un compagnon précieux, Le français au bureau

Pour aider les gens qui ont à rédiger, dans les bureaux ou ailleurs, il existe d'excellents ouvrages qui permettent de se rafraîchir la mémoire ou, tout simplement, d'acquérir des connaissances nouvelles en matière de grammaire et de vocabulaire français.

Parmi ceux-là, *Le français au bureau* de l'Office de la langue française (OLF), publié tout récemment en deuxième édition revue et augmentée (la première édition avait paru en 1977), s'impose avec force.

Pourquoi ?

D'abord parce que l'OLF, avant de rééditer cet ouvrage, a procédé à des consultations auprès de nombreux organismes (dont Hydro-Québec qui avait mandaté, pour la circonstance, le service Rédaction et Terminologie), afin d'être en mesure de répondre encore mieux aux besoins des Québécois. C'est donc dire que les différents thèmes traités par *Le français au bureau* tiennent compte du contexte québécois et de ses particularités. Voilà un élément important pour un livre de cette nature.

De plus, la Commission de terminologie de l'OLF a eu l'occasion, à maintes reprises, de donner son avis sur plusieurs points abordés dans cet ouvrage. Un autre critère de qualité.

Un des grands mérites de ce guide est, sans contredit, d'avoir fait le point sur une foule de problèmes afin d'en arriver à uniformiser la **correspondance d'affaires**. Ce chapitre occupe, d'ailleurs, une partie importante du livre.

Avant d'en aborder, à proprement parler, les thèmes principaux, on présente quelques **définitions** d'expressions connues de la correspondance d'affaires mais qui, souvent, n'en demeurent pas moins vagues et imprécises dans l'esprit des gens.

Puis, c'est la présentation de la lettre elle-même, des différentes formules d'introduction, de conclusion et de salutation qui ne manquent pas de causer bien des soucis dans les bureaux, comme chacun le sait.

Pour vous faciliter les choses, on a même jugé à propos de donner des exemples de lettres d'affaires courantes (réponse à une offre d'emploi, offre de service, convocation à une entrevue, acceptation d'une candidature, refus d'une candidature, avis de convocation, démission, etc.) ainsi qu'un modèle de curriculum vitae en bonne et due forme. Qui n'a pas eu, un jour ou l'autre dans sa vie professionnelle, la tâche (ardue) de se présenter par écrit ? *Le français au bureau* vous a préparé la voie.

Enfin, pour clore le chapitre sur la correspondance d'affaires, une section complète sur le **rapport**. D'abord, une bonne explication de chacune des opérations : la collecte des données, l'évaluation des documents, l'élaboration du plan et la rédaction. Six pages entières sont consacrées au rapport, aussi bien sous l'aspect de ses parties constituantes que de sa présentation matérielle.

La deuxième partie, intitulée « Vocabulaire et grammaire », relève les fautes de français les plus courantes dans les bureaux. En regard de la forme fautive, figure la forme correcte. Quelques exemples :

• mettre un ouvrage *à date*	mettre un ouvrage **à jour**
• *à l'année longue*	**à longueur d'année**
• *bénéfices marginaux*	**avantages sociaux**

Même relevé du côté des difficultés grammaticales qui se posent aux gens qui écrivent. Qui hésitent, notamment, quand il s'agit de l'accord du participe passé (des verbes pronominaux, des verbes transitifs ou intransitifs, entre autres), de l'accord du verbe après un nom collectif, ou de l'accord de **ci-joint, ci-inclus**, etc. Là encore, *Le français au bureau* éclaire leur lanterne.

Pour ajouter à l'intérêt du texte, vous aurez l'avantage de pouvoir consulter, en fin de chapitre, un **vocabulaire technique illustré** sur les divers articles du matériel de bureau. Comme ces objets-là vous sont tous familiers, ce vocabulaire devrait s'avérer fort utile au moment où vous devrez les identifier par leur vrai nom.

La troisième partie porte, elle, sur les **majuscules, abréviations** et **signes de ponctuation**, autant de sujets de grande perplexité, sinon de grandes recherches. Quand employer la majuscule, l'abréviation ? Comment utiliser les divers signes de ponctuation ?

Le français au bureau
Deuxième édition revue et augmentée
Hélène Cajolet-Laganière
Cahiers de l'Office de la langue française
Dévidoir de ruban adhésif
Machine à écrire
Timbre de caoutchouc

Le français au bureau vous aidera à répondre à ces questions et, par la même occasion, vous évitera des pertes de temps.

Le français au bureau, on le voit, est un ouvrage aux multiples usages. Aux multiples qualités aussi. Non seulement est-il un « traité » sérieux, mais il se présente bien et se consulte facilement (il comporte un index des sujets ainsi qu'un index des termes illustrés). Et il ne coûte que 7,95 $ (prix de 1987).

Le français au bureau : un compagnon précieux.

Thérèse Duval
Fin juin 1982

Si *l'avis vous intéresse...*

Avez-vous déjà attrapé des petits *poissons des chenaux* ? Oui ? Poisson d'avril ! car il s'agit de **poulamons**. Vous vous en voulez de vous être arrêté à la **beignerie** et d'avoir ingurgité tous ces **aliments vides**, mais il le fallait pour ne pas être en retard à votre *convention*, ou n'était-ce pas plutôt un **colloque** ou un **congrès** ? Dans un cas comme dans l'autre, les **spécialistes** qui vous ont entretenu de **centrales hydroélectriques**, de **postes de transformation**, etc. étaient à la hauteur de vos aspirations.

Fin du prélude qui ne se veut qu'un bref aperçu de la grande variété des termes traités dans le *Répertoire des avis linguistiques et terminologiques*[1] publié par l'Office de la langue française (OLF). Cette deuxième édition, revue et augmentée, rassemble tous les avis de recommandation et de normalisation parus dans la *Gazette officielle du Québec*, entre le 26 mai 1979 et le 19 octobre 1985.

Il est intéressant de distinguer avis linguistique et avis terminologique. En effet, le premier porte sur la langue et ses constituants, y compris le vocabulaire de la langue générale. À titre d'exemple, le nouveau sens d'**expertise**, le **féminin des titres**, les règles d'écriture concernant l'**indication de l'heure** et le **symbole du dollar ($)**. L'avis terminologique vise les vocabulaires de spécialité. Il fait plutôt référence à un usage terminologique admis de préférence à un autre. Ainsi, on traduira *bulldozer* par **bouteur** et on fera la différence entre un **bouteur à pneus**, un **bouteur inclinable**, un **bouteur léger** et un **bouteur biais**. Ou encore, on saura qu'un **écolier** est celui qui reçoit un **enseignement primaire**, un **élève** celui qui reçoit un **enseignement secondaire** ou **collégial** dans un **établissement privé** ou dans une **grande école**, tandis qu'un **cégépien** reçoit un **enseignement collégial** dans un **cégep** et enfin l'**étudiant**, un **enseignement universitaire**.

Une autre distinction s'applique aux deux types d'avis, selon qu'ils sont d'emploi obligatoire (avis de normalisation) ou non (avis de recommandation). En effet, il est important de rappeler, qu'en vertu de l'article 118 de la *Charte de la langue française*, l'emploi des termes normalisés par l'OLF devient **obligatoire pour l'Administration (dont fait partie Hydro-Québec)**. Le respect de ces avis s'impose : « *...dans les textes et documents émanant de l'Administration ainsi que dans les contrats auxquels elle est partie, dans les ouvrages d'enseignement, de formation ou de recherche publiés en français au Québec et approuvés par le ministère de l'Éducation ou par le ministère de l'Enseignement supérieur, de la Science et de la Technologie*[1]. » Les avis de recommandation, quant à eux, reconnaissent la valeur d'un terme ou d'un ensemble de termes et en préconisent l'usage.

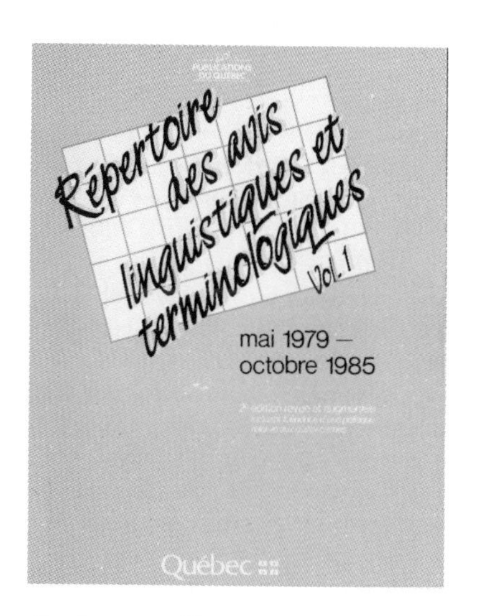

Espérons qu'il vous sera agréable de parcourir les 1 136 entrées de ce répertoire, que ce soit en empruntant une **autoroute** ou une **route express**. N'hésitez pas à vous détendre dans une des nombreuses **haltes routières**. Soyez vigilant car n'oubliez pas que, s'il vous intéresse, l'avis vous tient également à coeur !

Marie Archambault
Fin mars 1987

Remarque
Tous les termes en caractères gras ou en italique figurent dans le *Répertoire des avis linguistiques et terminologiques*.

Référence
1. OFFICE DE LA LANGUE FRANÇAISE, *Répertoire des avis linguistiques et terminologiques*, vol. 1, 2e édition revue et augmentée incluant l'*Énoncé d'une politique relative aux québécismes*, Québec, Les Publications du Québec, 1986, 179 p.

Nos régionalismes se francophonisent

Dinde avec confiture d'**atocas** et tarte à la **farlouche** avec **crème glacée**... sont-ce là mets dignes de figurer au menu d'un **souper** chez le **sous-ministre** ? Après le **coquetel**, bien entendu...

Mais n'allez pas vous offusquer trop tôt et croire que la chronique veut délaisser les difficultés lexicales et grammaticales pour se glisser dans votre assiette ou s'immiscer dans vos activités mondaines. Nous avons simplement cru pertinent de vous signaler, sans **parler à travers notre chapeau**, que le québécisme s'est inscrit au marché (mondial !) des valeurs langagières. Comme en témoigne la politique linguistique[1] établie à ce sujet par l'Office de la langue française (OLF). En plus des principes et des grandes règles visant à régir les québécismes en général, l'OLF a reconnu de façon officielle plus de cent mots (ou expressions, graphies ou sens différents de mots existants) appartenant au français régional du Québec.

La politique admettant l'utilisation des termes propres aux réalités spécifiques du Québec et ceux qui sont implantés dans nos habitudes langagières deviendra un guide appréciable dans les milieux de l'enseignement, de l'information et de la culture, par exemple. Cette politique vise par ailleurs à promouvoir la création néologique nécessaire à nos besoins. Ce sont là deux des objectifs énoncés. Mais l'OLF espère en outre par sa démarche conférer aux mots de chez nous le droit de figurer dans les dictionnaires français. À titre de québécismes. Et non plus affublés de l'étiquette moins flatteuse de régionalismes.

Farlouche ou **ferlouche, atoca, crème glacée, coquetel** (plutôt que cocktail), **sous-ministre, souper, parler à travers son chapeau** sont au nombre des québécismes reconnus par la politique.

Soulignons que certains termes de la liste appartenaient déjà à la terminologie hydro-québécoise : **budgéter, expertise, personne-ressource, piqueter** et autres dérivés de piquet (de grève), **relationniste, tablette** au sens de « fonctionnaire écarté de son poste ou de ses fonctions », **terminologue, vérificateur** et **vérificatrice**. Bon nombre proviennent du domaine de l'éducation : **cégep** et ses dérivés, **décrocheur, didacticiel, doubleur, préalable** (plutôt que prérequis), **polyvalente**, etc.

Office de la
langue française
Énoncé d'une politique linguistique relative aux québécismes
Québec

Sans écarter de la série les termes très spécialisés, l'Office a traité plusieurs mots du langage courant. C'est ainsi que **nordicitude, voyagiste** et **francophoniser** sont en bon voisinage avec l'humble (mais impérissable !) **brûlot**, la **bordée de neige, l'épluchette**, la **castonguette** et plusieurs autres. Tout en reflétant nos racines et nos particularités, le glossaire des québécismes tient compte des apports de nos différentes ethnies en définissant **souvlaki, brunch, Inuk, maskinongé**, etc.

La décision de l'Office permet encore au Québécois et à la Québécoise de **rêver en couleurs** et même de **capoter** tout à fait, sans complexe, dans leur langue, de porter la **tuque** pour passer la **souffleuse**, de **faire du pouce** ou **du canotage**, de **prendre le traversier**, de se balader en **raquettes** pendant la **fin de semaine**... Et même de **marier** qui bon leur semble avec le clin d'oeil complice des autorités.

Tripant ! Non ?

Nicole April
Fin mai 1986

Remarque
Tous les termes en caractères gras sont des québécismes officialisés.

Référence
1. OFFICE DE LA LANGUE FRANÇAISE, *Énoncé d'une politique linguistique relative aux québécismes*, Québec, 1985, 64 p.

Un dictionnaire avec lequel il faut compter

Le *Dictionnaire de la comptabilité et des disciplines connexes*[1], le *Sylvain* comme les usagers l'appellent, est vite devenu un *best-seller* dans son genre. Non seulement parmi les spécialistes de la comptabilité, mais également parmi tous ceux qui sont reliés de près ou de loin à cette discipline. Plusieurs raisons expliquent ce succès.

L'auteur lui-même, Fernand Sylvain, comptable agréé et professeur titulaire à la Faculté des sciences de l'administration de l'université Laval à Québec, parle au cours d'une entrevue d'une des caractéristiques de son livre : « *Le profane peut s'en servir pour se renseigner. Mais il est également utile pour le spécialiste, qui cherche l'équivalent français de termes anglais dont il connaît le sens ou qui est pris au dépourvu devant certains termes français, dont beaucoup ne sont pas encore courants ici*[2]. »

Il importe de signaler que le *Sylvain*, qui est un dictionnaire anglais-français, comporte aussi des définitions en français, ce qui le rend très pratique. Il sert à la fois de dictionnaire bilingue, de dictionnaire de synonymes, de sigles et d'acronymes.

Cette deuxième édition est fort différente de la première édition parue en 1977. En premier lieu, le nombre d'entrées est passé de 2 518 à 5 140. Ensuite, on trouve dans ce dictionnaire un grand nombre de termes relevant de disciplines autres que la comptabilité, ce qui justifie son nouveau titre : *Dictionnaire de la comptabilité et des disciplines connexes*. Pour aider le lecteur à identifier la nature des termes, les domaines d'emploi sont donnés au début de chaque définition, sauf pour les termes comptables. Si on ajoute à cela que l'ouvrage comporte un index français-anglais, des annotations ainsi qu'une indication des termes vieillis, on comprendra que le *Sylvain* soit à la fois facile à consulter et fort pratique.

Une autre qualité de ce dictionnaire, c'est son caractère international. Il indique l'usage des termes dans les divers pays francophones et fait mention, le cas échéant, des particularismes qui y existent. L'appendice C (pp. 651-655) présente les principales différences entre les terminologies en usage au Canada, en France et en Belgique.

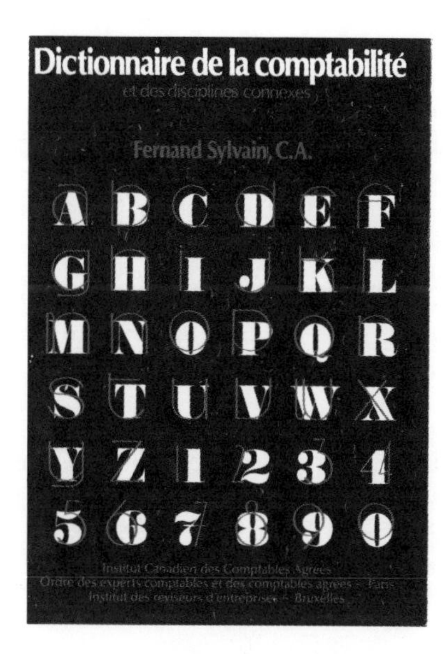

Enfin, le *Dictionnaire de la comptabilité et des disciplines connexes* est le fruit d'une étroite collaboration entre l'auteur et l'Ordre des comptables agréés du Québec, le Centre belge de normalisation de la comptabilité et du revisorat, l'Office de la langue française, le Bureau des traductions du Secrétariat d'État à Ottawa et de nombreux spécialistes tant du secteur privé que du secteur public.

En résumé, le *Sylvain* constitue une vraie bible pour tous ceux qui l'utilisent, aussi bien les traducteurs financiers que les rédacteurs et les professionnels de la comptabilité. Que dire de plus ?

Thérèse Duval
Fin février 1984

Références

1. SYLVAIN, Fernand, *Dictionnaire de la comptabilité et des disciplines connexes*, 2e éd., Toronto, Institut canadien des comptables agréés, 1982, 662 p.
2. AUCUIT, Claudine, DUFOUR, Johanne, « Fernand Sylvain, l'homme de la passion et de la rigueur », *Circuit*, n° 2, septembre 1983, pp. 11-12.

Le Vocabulaire du contrôle de gestion

À la suite de la réorganisation d'Hydro-Québec, divers mécanismes d'encadrement ont été mis en place. Dans cette perspective, les dirigeants ont estimé qu'il importait d'établir des politiques claires qui orientent les actions dans chacun des secteurs d'activité. En parallèle, il convenait de se donner des moyens pour présenter les résultats en données concrètes dans le but d'évaluer la performance de l'entreprise. *« Mesurer le rendement économique de l'entreprise et fournir aux dirigeants des données comparatives suffisantes... »*, tels sont les objectifs du contrôle de gestion, selon les termes mêmes de sa définition.

À la vice-présidence Contrôle du groupe Finances et Ressources, on a donné de nouvelles orientations en matière de contrôle dans l'entreprise. On a également prévu différents outils destinés à simplifier l'exercice du contrôle. Un vocabulaire spécialisé s'inscrit dans cet ensemble de moyens. Il s'agit d'une petite brochure contenant les définitions d'environ 40 termes parmi les plus courants du domaine. C'est le résultat d'une collaboration étroite entre les services Mesure de performance et Rédaction et Terminologie.

Mais en quoi un vocabulaire peut-il simplifier l'activité du contrôle ? D'abord, il offre aux gestionnaires une terminologie uniformisée à l'échelle de l'entreprise, ce qui facilite les discussions. Ensuite, il sert à préciser la signification de certains termes qui peuvent sembler ou trop vagues ou trop obscurs à plusieurs. Chaque gestionnaire comprend-il d'instinct par exemple que l'**indice** est un « chiffre qui sert d'instrument de comparaison pour apprécier la valeur d'un élément mesuré à une date donnée par rapport au même élément mesuré à une date antérieure servant de point de référence » ? Et la distinction qui existe entre le **contrôle budgétaire** et le **contrôle comptable** est-elle évidente pour tous ? Ces notions sont connues ? Fort bien ! Mais sait-on ce que désigne un **clignotant de gestion** ou un **tableau de bord** ? Non ? C'est donc le moment de consulter le vocabulaire. Il ne faudrait pas s'étonner par ailleurs d'y relever des termes qui semblent peu orthodoxes. **Efficience** par exemple, tenu pour

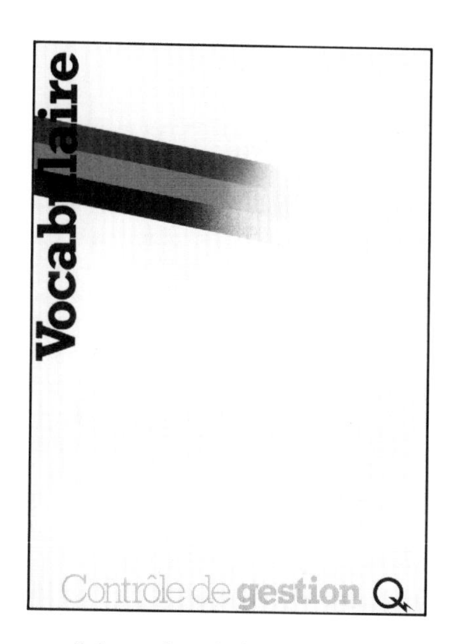

anglicisme dans la langue courante, prend, dans la terminologie spécialisée du contrôle de gestion, un sens particulier, à ne pas confondre avec **efficacité**. Il suffit pour s'en rendre compte de comparer les définitions qui suivent, extraites du vocabulaire.

Efficacité

Rapport entre les résultats obtenus et les prévisions établies.

Efficience

Rapport entre les résultats obtenus et les moyens humains, financiers et techniques mis en œuvre lorsqu'il y a économie de ces moyens et maintien du standard de qualité établi.

Les termes du *Vocabulaire du contrôle de gestion* proviennent surtout des domaines de la comptabilité et de la gestion. Leurs définitions sont inspirées d'auteurs et d'organismes réputés tant du point de vue professionnel que du point de vue linguistique. Elles ont été adaptées aux réalités et aux besoins d'Hydro Québec.

Nicole April
Fin novembre 1985

L'informatique... vous connaissez ?

Informatique[1] par Jacques Lethuillier. Ce livre s'adresse à tous ceux et celles qui voudraient connaître les concepts de base de cette science sans trop savoir par quel biais aborder un sujet que l'on croit réservé aux spécialistes. D'ailleurs, un des objectifs premiers de l'auteur a été de rendre accessible un domaine quelquefois rébarbatif pour les non-initiés.

Des vocabulaires fonctionnel et notionnel, des définitions qui s'enchaînent pour former un exposé cohérent, un découpage intelligent de la matière en sept chapitres traitant chacun d'un aspect fondamental de l'informatique, voilà les principales qualités du livre de Jacques Lethuillier, professeur agrégé à l'Université de Montréal. Il s'agit à la fois d'un ouvrage didactique et d'un précieux outil de consultation.

En effet, pour faciliter l'auto-apprentissage, chaque chapitre se termine par une série de récapitulations suivies de questions de contrôle. À la fin de l'ouvrage, on retrouve un double lexique anglais-français et français-anglais qui sert d'index, ainsi qu'une bibliographie très complète qui permettra à ceux qui veulent en savoir plus long sur le domaine de poursuivre leur étude.

Les nombreuses illustrations qui parsèment le texte aident le lecteur à bien visualiser les divers aspects de l'informatique qui font l'objet d'une explication : composants, unité centrale, périphériques, matériels autonomes, programmation et exploitation.

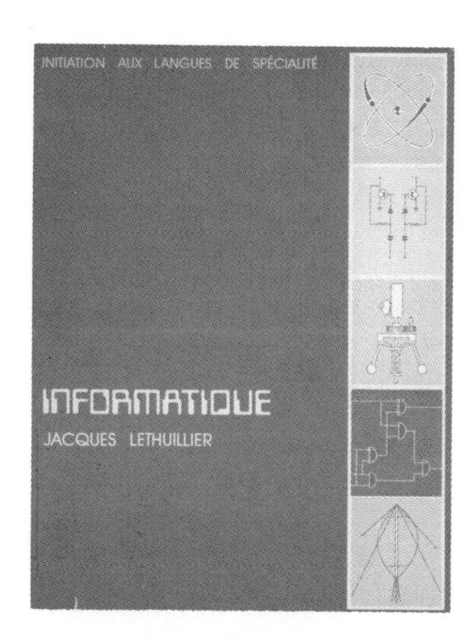

Cet ouvrage de 222 pages sera d'un très grand secours à tous ceux qui souhaitent s'initier au domaine de l'informatique. C'est donc un ouvrage à recommander pour sa bibliothèque.

Claudine Aucuit
Fin janvier 1983

Référence

1. LETHUILLIER, Jacques, *Informatique*, Sodilis, Montréal, 1982, 222 p.

Le Vocabulaire des marchés publics
Sans fruits ni légumes, par-dessus le marché !

Chaque jour, Hydro-Québec achète des biens et des services, passe des commandes, accorde des contrats. Des marchés d'intérêt public quoi ! Des pommes et des haricots bien sûr, mais surtout des transformateurs, des expertises, des véhicules, du bétonnage...

Tout ouvert que soit le troc, les échanges à conclure sont toujours soumis à des règles bien précises et, pour les consigner par écrit, il faut parfois plusieurs centimètres de documents. Une ambiguïté, une petite erreur et voilà que l'interprétation diffère selon le point de vue... et l'intérêt.

En 1978, en raison de la confusion constatée dans le domaine des marchés publics, l'Office de la langue française a mis sur pied un comité consultatif réunissant un groupe d'experts issus de différents organismes publics et parapublics. Le comité, auquel participait Hydro-Québec, avait pour mandat d'élaborer un vocabulaire normalisé des marchés publics.

Dès lors, une vaste entreprise de consultation s'enclenche. Dans un premier temps, quelques versions d'un document de travail sont soumises à plusieurs personnes intéressées. Une édition provisoire du vocabulaire fait ensuite l'objet d'un très large appel de commentaires, au-delà même des frontières du Québec. Les nombreuses remarques formulées par les Hydro-Québécois – Achats, Approvisionnement, Contentieux, Contrats, Rédaction et Terminologie, ainsi que la Société d'énergie de la Baie James – ont considérablement aidé à donner au vocabulaire sa facture définitive.

Le fruit des travaux du comité est livré finalement en une brochure parue au deuxième trimestre de 1985 : *Vocabulaire des marchés publics*.

Le 31 août 1985, la *Gazette officielle du Québec* publiait pour sa part un avis de recommandation qui préconise l'emploi des 191 termes français que contient l'ouvrage dans les organismes de l'Administration, dont Hydro-Québec. Dans une perspective d'uniformisation de la terminologie, le service Rédaction et Terminologie considère essentiel qu'Hydro-Québec généralise l'emploi de ce vocabulaire à l'ensemble de ses commandes, de ses appels d'offres, etc.

Les extraits suivants qui sont tirés du vocabulaire méritent de retenir plus particulièrement notre attention. Le *Vocabulaire des marchés publics*, un ouvrage de référence à consulter régulièrement et à utiliser sans faute !

Des extraits...

E

entreprise concurrente
bidder ; tenderer
Entreprise candidate ayant effectivement remis une offre. V.a. soumissionnaire

entreprise titulaire
successful tenderer
Entreprise retenue par l'Administration et ayant reçu la notification du marché.

Note – Au Québec, le terme *adjudicataire* est employé à tort en ce sens.

S

soumission
tender ; bid
Acte écrit par lequel un concurrent à un marché fait connaître ses propositions et s'engage à respecter les clauses du cahier des charges.

Note – En France, cette désignation a été remplacée par l'expression « acte d'engagement ».
V.a. formule de soumission ; offre

soumissionnaire
tenderer ; bidder
Personne physique ou morale qui fait une soumission. V.a. entreprise concurrente.

T

titulaire (du marché)
successful tenderer
Personne physique ou morale à qui le marché a été attribué et qui en a reçu la notification.
V.a. attributaire (d'un marché)

... et quelques exemples de mésusages

Auparavant en usage	Dorénavant à utiliser
a) appel d'offres public	*a)* appel d'offres ouvert
b) appel d'offres sur invitation	*b)* appel d'offres restreint
c) le plus bas soumissionnaire	*c)* le moins-disant le mieux-disant
d) achat global	*d)* achats groupés

Daniel Beauchemin
Fin mars 1986

Référence

DE VILLERS, Marie-Éva, *Vocabulaire des marchés publics*, français-anglais, Cahiers de l'Office de la langue française, Québec, Gouvernement du Québec, 1985, 55 p.

Des bons termes... aux bons marchés !

Le présent article reproduit ci-contre une page clé du *Vocabulaire des marchés publics* (publié par l'Office de la langue française) afin de vous fournir, dans un premier temps, une vue d'ensemble des principaux types de marchés. Il vous propose ensuite de mesurer vos connaissances en la matière en associant les définitions ***a*** à ***o*** à chacun des termes ***1*** à ***15***.

Bon décodage, sans tricher bien sûr ! Vous pourrez vérifier l'exactitude de vos réponses en consultant les solutions qu'on trouve au bas de la page suivante.

Classification des marchés publics

Critères	Classification
Mode de passation	– marché par adjudication – marché sur appel d'offres ((ouvert, restreint) – marché sur concours ou sur appel d'offres avec concours – marché négocié (de gré à gré)
Méthode de détermination du prix du marché	– marché à forfait – marché à prix unitaires (sur bordereau de prix) – marché sur dépenses contrôlées (à prix coûtant majoré) – marché en heures contrôlées
Influence des variations économiques sur le prix du marché	– marché à prix révisable – marché à prix ferme
Objet du marché	– marché d'entretien – marché d'étude – marché de fournitures – marché de travaux – marché de services
Modalités d'exécution particulières	– marché à commandes – marché clés en main – marché de clientèle

	Définition appropriée
1. Fabricant	______
2. Entrepreneur	______
3. Parties contractantes	______
4. Fournisseur	______
5. Constructeur	______
6. Attribution	______
7. Soumission	______
8. Titulaire	______
9. Entreprise candidate	______
10. Adjudication	______
11. Moins-disant	______
12. Programme	______
13. Marché	______
14. Échéancier	______
15. Projet	______

Définitions

a) Soumissionnaire qui propose le prix le moins élevé lors d'un appel d'offres tout en respectant les conditions établies dans le dossier d'appel d'offres.
b) Contrat conclu entre une administration publique et un entrepreneur et portant sur la fourniture de marchandises, sur la prestation de services ou sur l'exécution de travaux.
c) Entreprise industrielle qui réalise des constructions mécaniques ou autres.
d) Personnes physiques ou morales liées par un marché.
e) Répartition dans le temps de paiements concernant une opération ou une dépense globale.
f) Acte écrit par lequel un concurrent à un marché fait connaître ses propositions et s'engage à respecter les clauses du cahier des charges.
g) Personne physique ou morale autorisée à faire acte de commerce et habilitée à contracter avec une administration publique, en vue de la livraison de marchandises ou de la prestation de services.
h) Détermination du titulaire d'un marché à la suite du choix de l'offre considérée comme la plus avantageuse.
i) Entreprise ayant exprimé le désir de participer à la mise en concurrence ou ayant reçu le dossier d'appel d'offres.
j) Personne physique ou morale qui a la charge de réaliser les travaux ou ouvrages conformément aux conditions définies par un marché.
k) Procédure d'appel à la concurrence entre plusieurs soumissionnaires et suivant laquelle le marché est attribué automatiquement au moins-disant.
l) Entreprise industrielle qui fabrique des produits manufacturés.
m) Ensemble de documents comportant des plans et devis qui représentent l'étude complète d'un ouvrage ou d'un bâtiment à réaliser, conformément à un programme défini par le maître de l'ouvrage.
n) Document préparé par le maître de l'ouvrage à l'intention du maître d'œuvre, ou par les deux conjointement, en vue de définir et de préciser les données, les besoins, les contraintes et les exigences concernant l'opération envisagée.
o) Personne physique ou morale à qui le marché a été attribué et qui en a reçu la notification.

Daniel Beauchemin
Fin avril 1986

Solutions
1. *l)*, 2. *j)*, 3. *d)*, 4. *g)*, 5. *c)*, 6. *h)*, 7. *f)*, 8. *o)*, 9. *i)*, 10. *k)*, 11. *a)*, 12. *n)*, 13. *b)*, 14. *e)*, 15. *m)*.

Connaissez-vous le Sizaire ?

Tout le monde ou presque... connaît le *Petit Robert*[1] et le consulte soit pour trouver le sens exact d'un terme, soit pour en vérifier l'orthographe ou l'usage. Tous les Hydro-Québécois ou presque... devraient connaître le petit *Sizaire*[2] et s'en servir régulièrement.

Pourquoi le *Dictionnaire de la construction électrique*[2] de Pierre Sizaire est-il un outil de travail indispensable aux Hydro-Québécois ? Parce qu'il donne des définitions courtes et simples des termes employés en électricité. Parce qu'il contient de nombreuses illustrations. Parce qu'il s'inspire de documents à caractère officiel : *Vocabulaire électro-technique international* (VEI), normes françaises, comptes rendus du Comité consultatif du langage scientifique (Académie des sciences) et du Comité d'études des termes techniques français. Parce qu'il indique les principaux symboles littéraux et graphiques de l'électrotechnique ainsi que les noms et symboles des principales unités de mesure (unités de masse et de temps, unités géométriques, mécaniques, électriques, magnétiques, calorifiques et optiques).

Vous voulez savoir ce que signifient les termes « diélectrique », « prolongateur », « grimpettes », « pince de contact » ? Consultez le *Sizaire*. Vous vous demandez depuis longtemps quelle est la différence entre un parafoudre et un paratonnerre ? entre une bobine et un enroulement ? entre un accumulateur et une batterie ? Consultez le *Sizaire*. Vous lisez dans une revue publiée par Électricité de France que les monteurs ont procédé à la pose d'une bretelle... et vous êtes perplexe. Consultez le *Sizaire*. Vous verrez que la bretelle est un « court élément de conducteur, sans tension mécanique, destiné à réaliser une connexion électrique entre deux tronçons d'un conducteur de ligne aérienne ».

À qui s'adresse le dictionnaire *Sizaire* ? Laissons la parole à l'auteur qui déclare dans l'avant-propos : « *Ce dictionnaire ne s'adresse pas particulièrement aux ingénieurs spécialisés dans l'électricité ; il est rédigé à l'intention des techniciens, des ingénieurs, de leurs collaborateurs et des multiples personnes qui doivent connaître les termes de l'électricité dans ses multiples branches, soit pour leurs besoins professionnels, soit, plus simplement, pour leur formation scientifique et technique.* »

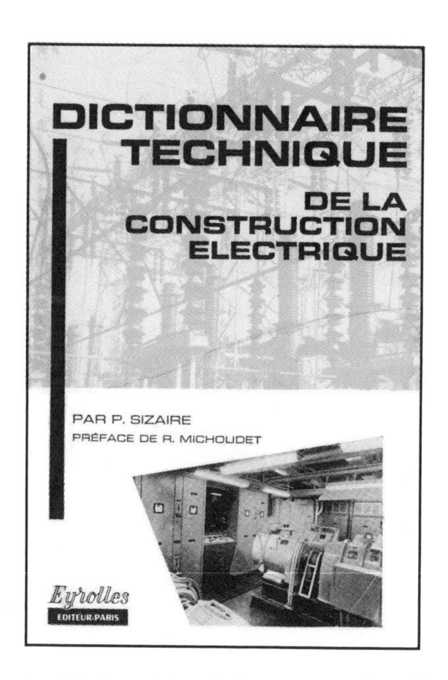

Le *Dictionnaire de la construction électrique* de Pierre Sizaire ne contient certes pas tous les termes utilisés en électricité. Mais il n'en est pas moins un ouvrage de base qui favorisera une certaine uniformisation de la terminologie technique d'Hydro-Québec et, par le fait même, la communication. N'oublions pas que pour bien se comprendre, il est essentiel de parler le même langage.

Claire Lamy
Mi-mars 1979

Références

1. ROBERT, Paul, *Dictionnaire alphabétique et analogique de la langue française*, 1978.
2. SIZAIRE, Pierre, *Dictionnaire technique de la construction électrique*, Paris, Eyrolles, 1968, 170 p.

Un peu d'énergie !

L'énergie ! Un sujet très à la mode de nos jours. Mais aussi un domaine capricieux et qui nous en fait voir de belles. Pénuries, surplus, économies, exportations, énergies nouvelles, renouvelables, douces, etc. Pour tous ceux d'entre vous qui êtes pris dans ce tourbillon, nous avons de bonnes nouvelles. Le Centre de documentation du service Rédaction et Terminologie met à votre disposition de nombreux ouvrages sur l'énergie. Voici une brève description de trois d'entre eux que nous jugeons particulièrement bien faits et utiles.

Terminologie de l'énergie – lexique multilingue[1]

Ce vocabulaire a été préparé par la Conférence mondiale de l'énergie, organisme dont font partie de nombreux pays, entre autres les États-Unis, l'Angleterre, le Canada, la France, l'Allemagne. L'ouvrage est en quatre langues (anglais, français, allemand et espagnol) et comprend environ 1 000 termes définis dans chacune des langues. Les termes sont regroupés par domaines avec un index. Les sujets traités vont de l'énergie électrique à la fusion nucléaire, en passant par l'énergie du vent et du gaz, la biomasse, l'énergie solaire, la conservation de l'énergie, etc.

Glossaire de l'énergie[2]

Publié en 1982 par l'Organisation de coopération et de développement économique (OCDE), ce glossaire ne comporte pas de définitions. Par contre, l'accent est mis sur les énergies nouvelles et renouvelables. L'ouvrage peut donc intéresser ceux qui ont besoin d'un instrument de travail anglais-français dans ce type d'énergies. Nous vous recommandons chacune de ses 351 pages.

Dictionnaire de l'énergie[3]

Ne consultez pas ce dictionnaire si vous faites partie de ces personnes qui ouvrent le *Grand Larousse* pour trouver la date de naissance de Papineau mais qui se laissent séduire par les photos des papillons et oublient ce qu'elles cherchaient... En effet, le *Dictionnaire de l'énergie* comporte des illustrations ! En cherchant *désulfuration*, vous risquez de vous laisser attirer par un *digesteur de ferme*. C'est dangereux. Mais que vous résistiez à la tentation des images ou non, vous trouverez cet ouvrage fort bien fait avec ses définitions en français et son index anglais. Il y a aussi un atlas des ressources énergétiques.

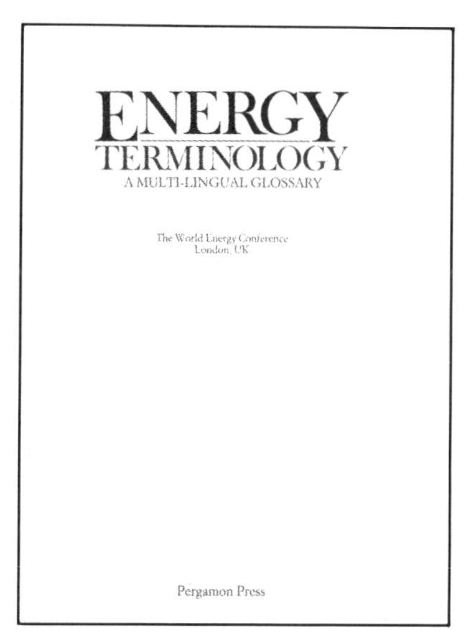

Enfin, nous aimerions signaler aussi le *Dictionnaire technique du pétrole*[4] qui, contrairement à son titre, porte sur bien plus de domaines que le pétrole seulement. C'est une vraie mine d'or pour tous les techniciens, quelle que soit leur spécialité.

Renée Lévy
Fin novembre 1983

Références

1. WORLD ENERGY CONFERENCE, *Energy Terminology. A Multi-lingual Glossary*, Toronto, Pergamon Press, 1983, 270 p.
2. ORGANISATION DE COOPÉRATION ET DE DÉVELOPPEMENT ÉCONOMIQUE, *Glossaire de l'énergie*, anglais-français, Paris, Publications de l'OCDE, 1982, 351 p.
3. CRABBE, David, McBRIDE, Richard, *Dictionnaire de l'énergie*, Atlas des ressources énergétiques, traduit et adapté par Lucien Marlot, Paris, SCM, 1979, 245 p.
4. MOUREAU, M., BRACE, G., *Dictionnaire technique du pétrole*, anglais-français, français-anglais, 2e éd., Paris, Technip, 1979, 946 p.

Une terminologie normalisée pour les lignes aériennes de transport et de distribution d'électricité

La division Terminologie et Documentation du service Rédaction et Terminologie, chargée d'uniformiser la terminologie dans l'entreprise, a entrepris en juillet 1980 l'élaboration du *Vocabulaire illustré des lignes aériennes de transport et de distribution d'électricité*. Six ans plus tard, cet ouvrage se présente en quatre fascicules. Le premier fascicule porte sur les supports, c'est-à-dire les poteaux, les pylônes et leurs accessoires. Le deuxième traite des conducteurs et de leurs accessoires, tels amortisseurs, entretoises ou raccords, ainsi que des isolateurs. Le troisième aborde l'ingénierie, c'est-à-dire les calculs des supports et des fondations, les portées et les phénomènes de même que la construction, soit les fondations et les ancrages, la mise en place des supports et la pose des conducteurs. Enfin, le quatrième fascicule porte sur l'entretien des lignes. Il comporte six sections : perches et accessoires de fixation, outils adaptables, protecteurs, équipement de monteur, matériel de mesure et de contrôle et techniques de travail.

Les termes présentés dans le vocabulaire ont été choisis par le Comité de référence des lignes aériennes d'Hydro-Québec. Ce comité est composé de spécialistes de la conception, de la construction et de l'entretien des lignes ainsi que d'une terminologue. Le comité a convenu d'adopter la terminologie française en usage à l'échelle internationale, sauf lorsque des réalités particulières à l'Amérique du Nord amenaient à s'en écarter et à proposer un terme nouveau. Par ailleurs, au fur et à mesure de l'élaboration du vocabulaire, les membres du comité ont mené des consultations à l'échelle de l'entreprise. Cette méthode fait du vocabulaire un réel outil de normalisation de même qu'un outil de travail tant pour le personnel d'Hydro-Québec que pour les consultants et les entrepreneurs chargés de travaux dans ce domaine. Le vocabulaire a de plus été versé dans la Banque de terminologie du Québec, ce qui élargit grandement sa diffusion et son utilisation.

Fascicule 1:
les supports
Vocabulaire illustré
des lignes aériennes
de transport et de distribution
d'électricité

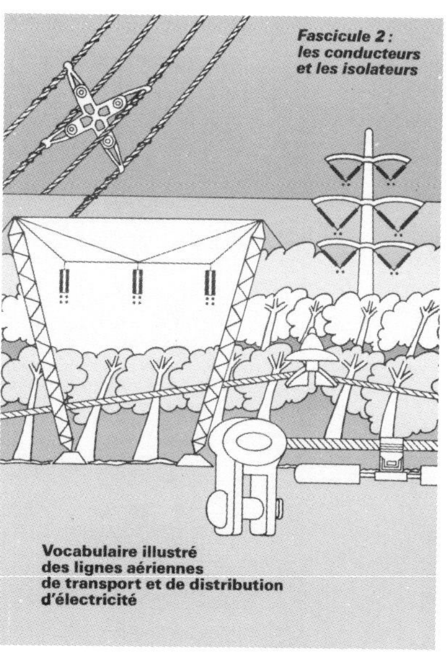
Fascicule 2 :
les conducteurs
et les isolateurs
Vocabulaire illustré
des lignes aériennes
de transport et de distribution
d'électricité

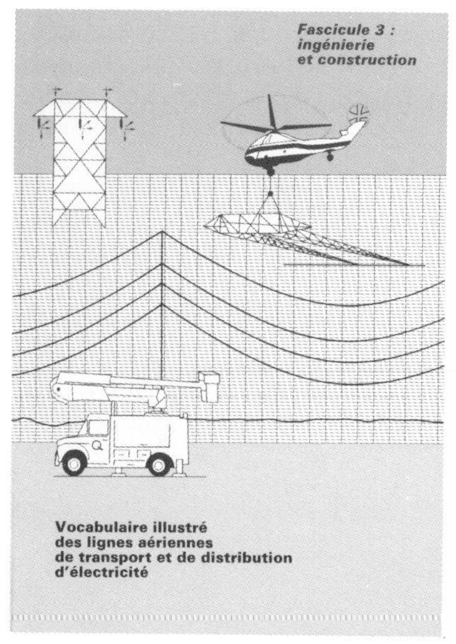
Fascicule 3 :
ingénierie
et construction
Vocabulaire illustré
des lignes aériennes
de transport et de distribution
d'électricité

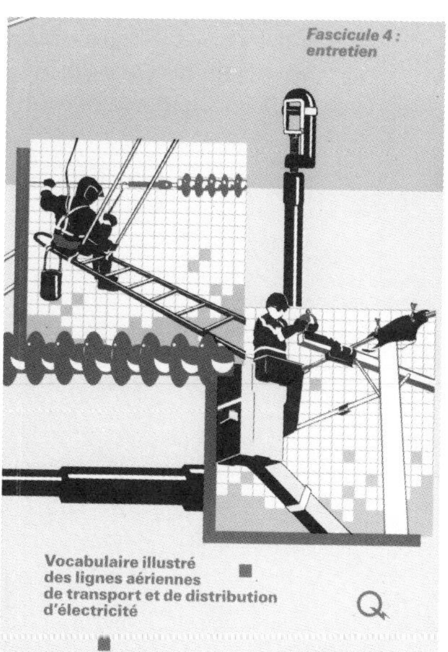
Fascicule 4 :
entretien
Vocabulaire illustré
des lignes aériennes
de transport et de distribution
d'électricité

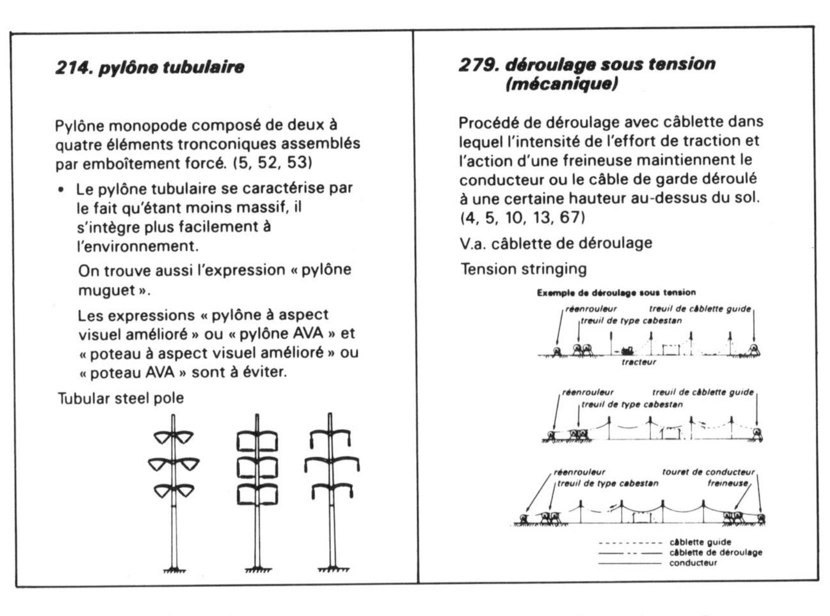

214. pylône tubulaire

Pylône monopode composé de deux à quatre éléments tronconiques assemblés par emboîtement forcé. (5, 52, 53)

- Le pylône tubulaire se caractérise par le fait qu'étant moins massif, il s'intègre plus facilement à l'environnement.

  On trouve aussi l'expression « pylône muguet ».

  Les expressions « pylône à aspect visuel amélioré » ou « pylône AVA » et « poteau à aspect visuel amélioré » ou « poteau AVA » sont à éviter.

Tubular steel pole

279. déroulage sous tension (mécanique)

Procédé de déroulage avec câblette dans lequel l'intensité de l'effort de traction et l'action d'une freineuse maintiennent le conducteur ou le câble de garde déroulé à une certaine hauteur au-dessus du sol. (4, 5, 10, 13, 67)

V.a. câblette de déroulage

Tension stringing

Les extraits ci-haut donneront au lecteur un aperçu du contenu du vocabulaire. On notera que presque chaque terme s'accompagne non seulement d'une définition, mais aussi d'une illustration, de l'équivalent anglais et, dans certains cas, de synonymes ainsi que de mentions relatives aux termes à éviter.

Les chiffres donnés entre parenthèses à la suite des définitions indiquent la ou les sources consultées et renvoient à la section Références qui se trouve à la fin de chaque fascicule. Un index regroupant tous les termes étudiés permet également de trouver rapidement un terme isolé.

Index général
Vocabulaire illustré
des lignes aériennes
de transport et de distribution
d'électricité

De plus, pour simplifier l'utilisation du vocabulaire, un *Index général* regroupant les termes des quatre fascicules a fait l'objet d'une publication distincte.

Les personnes qui souhaitent obtenir ces brochures peuvent en faire la demande en écrivant à l'adresse suivante :

Service Terminologie et Diffusion
Direction Édition et Publicité
Hydro-Québec
75, boul. René-Lévesque ouest
14e étage
Montréal, Québec H2Z 1A4

Marie Archambault
Refonte des articles parus dans *Hydro-Presse* en février 1983 et mars 1985.

INDEX

A

L'italique désigne les termes de langue anglaise et l'astérisque, les formes fautives.

L'italique désigne les termes de langue anglaise et l'astérisque, les formes fautives.

B

L'italique désigne les termes de langue anglaise et l'astérisque, les formes fautives.

C

L'italique désigne les termes de langue anglaise et l'astérisque, les formes fautives.

L'italique désigne les termes de langue anglaise et l'astérisque, les formes fautives.

D

L'italique désigne les termes de langue anglaise et l'astérisque, les formes fautives.

L'italique désigne les termes de langue anglaise et l'astérisque, les formes fautives.

E

L'italique désigne les termes de langue anglaise et l'astérisque, les formes fautives.

F

L'italique désigne les termes de langue anglaise et l'astérisque, les formes fautives.

G

L'italique désigne les termes de langue anglaise et l'astérisque, les formes fautives.

H

L'italique désigne les termes de langue anglaise et l'astérisque, les formes fautives.

I

L'italique désigne les termes de langue anglaise et l'astérisque, les formes fautives.

J

L'italique désigne les termes de langue anglaise et l'astérisque, les formes fautives.

K

L

L'italique désigne les termes de langue anglaise et l'astérisque, les formes fautives.

M

L'italique désigne les termes de langue anglaise et l'astérisque, les formes fautives.

N

O

L'italique désigne les termes de langue anglaise et l'astérisque, les formes fautives.

P

L'italique désigne les termes de langue anglaise et l'astérisque, les formes fautives.

L'italique désigne les termes de langue anglaise et l'astérisque, les formes fautives.

Q

L'italique désigne les termes de langue anglaise et l'astérisque, les formes fautives.

R

L'italique désigne les termes de langue anglaise et l'astérisque, les formes fautives.

S

L'italique désigne les termes de langue anglaise et l'astérisque, les formes fautives.

T

L'italique désigne les termes de langue anglaise et l'astérisque, les formes fautives.

L'italique désigne les termes de langue anglaise et l'astérisque, les formes fautives.

U

V

L'italique désigne les termes de langue anglaise et l'astérisque, les formes fautives.

L'italique désigne les termes de langue anglaise et l'astérisque, les formes fautives.

TABLE DES MATIÈRES

VOCABULAIRE SPÉCIFIQUE À HYDRO-QUÉBEC

La production

Le transport et la distribution

Les travaux

Des applications et la sécurité

SUJETS D'INTÉRÊT GÉNÉRAL

Des questions administratives

Au sujet des véhicules

Le milieu

L'informatique

Représentation graphique

Des généralités

LA DOCUMENTATION ET LES OUVRAGES RECOMMANDÉS

Le Centre

Écrire en français

La comptabilité, la gestion et l'informatique

Les marchés publics

L'énergie